1984

〔英〕乔治·奥威尔 著　刘绍铭 译

北京出版集团公司

北京十月文艺出版社

Nineteen Eighty-Four

第一部

一

　　四月中明朗清冷的一天。钟楼报时十三响。风势猛烈，温斯顿·史密斯低着头，下巴贴到胸前，不想冷风扑面。他以最快的速度闪进胜利大楼的玻璃门，可是狂风卷起的尘沙还是跟着他进来了。

　　一进门厅就闻到煮卷心菜和霉旧地席的气味。门厅一边尽头的墙上贴上一张大得本来不应在室内张贴的彩色图片。图片上是一张超过一米长的汉子的脸，看来四十五岁模样，留着浓浓的小胡子，轮廓还算粗犷中带细。温斯顿拾级走上楼梯。即使在最顺利的日子，这电梯也少见运作正常，何况现在白天里连电源都关掉。"仇恨周"快到，一切都得节省。温斯顿住八楼，虽然才三十九岁，但右足踝生了静脉曲张，只好慢慢地走，中途还停下来休息好几次。每上一层楼，就看到悬在电梯对面那张大彩照凝视着你。这彩照设计特别，无论你走哪一个方向，那双眼睛总跟着你。图片下面有一个说明：老大哥在看管着你。

　　温斯顿一踏入自己的房间，就听到一个运腔圆润的声音，正在一板一眼地念着大概是与生铁生产有关的数字。房间右边的墙上

3

嵌了一块长方形的铁板，看似一面蒙蒙的镜子。那声音就从那儿来的。温斯顿调节了一下开关，声音低了下来，但生产数字仍清晰可闻。这铁板就是"电幕"，画面明暗可以调节，却是不能完全关掉的。他移步窗前。本来瘦小的温斯顿，穿上党的制服蓝布套头衣服，更显得瘦弱了。他头发金黄，脸色红润，只是皮肤被劣质肥皂、笨钝的刀片和刚告一段落的严冬天气折磨得粗糙不堪。

即使从紧闭的窗子望出去，外边的世界仍是冰冷的。街道上，碎纸片和尘沙随风卷起，翻滚成无数的大小旋涡。艳阳高张，天边一抹蓝，但除了无所不在的彩照外，再也看不到什么颜色。黑髭大脸在每一个要塞角落瞪眼望着你。温斯顿对面房子的前面就有一张：老大哥在看管着你。那双黑眼睛目光如电，直照他心底。街道上有一张彩照的一边脱落下来，随风舞荡，照片下面的两个字，"英社"——英国社会主义——也因此时隐时现。远处有一架直升飞机时而在人家的屋顶掠过，像一只大头苍蝇，盘旋一下后又窜出去。这是巡逻警察的直升机，从人家的窗子窥看里面动静。巡逻警察没有什么可怕的，思想警察才要命。

温斯顿背后那个电幕声音还是喋喋不休地在报告生铁生产数字和第九个三年计划的超额完成。电幕能放能收，不管你在房内说话的声音压得多么低，这机器还是一样收听得到的。而只要你站着或坐的地方对着电幕的视野，那么你的一切举动和言语尽收老大哥眼底。当然，你无法知道他哪一分钟在看管你。思想警察究竟在哪个时候，或者用什么法子去收听哪一个人的活动，你只好自己猜猜看。说不定他们每一分钟都监视着你。总之，他们哪个时候心血来潮，哪个时候就能接近你。你活着就得作这么一个假定：你的一言一语，都被人听见，而除非在暗黑的地方，你的一举一动在别人眼中一览无遗。起先这不过是心理上一种戒备，慢慢就变成一种本能了。

温斯顿背对着电幕。这样较为安全些，虽然他也知道一个人的背部有时也会泄漏秘密的。离胜利大楼一公里，就是他办公的地方——真理部，一座屹立于四周灰暗环境中的白色大厦。这儿就是"第一号航道"的大城伦敦了，"第一号航道"可是大洋邦第三个人口最密的省份，温斯顿想着，感觉有点反胃。他尽力思索，想找回一些儿时的记忆，比对一下究竟伦敦以前是否是这个样子。那个时候伦敦的房子，是否尽是摇摇欲倒的十九世纪建筑物？屋子的四周是否都得用大木条支撑着？窗口贴满了纸板？屋顶年久失修，也是架满铁柱铁板？花园围墙破裂得东歪西倒？那些被轰炸过的地点尘土飞扬，柳枝蔓生于破瓦残垣上，以前的本来面目又如何？还有那些被炸弹夷平了的一大块一大块土地，现在都盖上了像鸡笼一样的木板平房，从前究竟是什么一番景象？可是不管他怎样集中精神去追索，童年的记忆仅是一片空白，好像以前发生过的事，既无什么背景，也不大明其所以。

真理部大厦，或者用大洋邦新语①说，"迷理大厦"，那是一所在视线以内与其他景物截然不同的建筑物。白混凝土金字塔式的楼宇，高达三百多米，一层绕一层地指向苍天。从温斯顿站立的地方，可以遥望到三句精工刻出来的党的口号：

战争是和平

自由是奴役

无知是力量

---

① 大洋邦的官方语言，关于其结构和词源学解释见附录。——作者注

真理部共有六千个房间：地面上三千间，地下层也是三千。分布于伦敦四周还有三座与真理部类似的政府建筑物。由于这些楼宇高大，环绕其间的别的房子就显得特别渺小了。站在胜利大楼的屋顶上看，这四座高楼大厦尽收眼底。这四个部门的职责是：真理部管新闻、康乐、教育和艺术；和平部管战争；仁爱部管法律和社会秩序；裕民部管经济。真理部的新语简称上面介绍过，现在另外三个部门在新语中分别叫：迷和、迷仁和迷裕。

　　迷仁部最是怕人，连窗户也没有。温斯顿不但没到过里面，他连靠近这大厦半公里的范围也没有涉足过。除了有公事要办，你根本不可能越此禁区一步。到了里面，你就置身在一个布满铁丝网的迷宫，除了名副其实的铜墙铁壁，还有隐蔽的机关枪阵。就是通到这大厦外围栅栏和闸口的街道，也布满了身穿黑制服、手执连枷警棍、面孔长得像大猩猩的守卫，四面巡逻。

　　温斯顿蓦然转身，挂着一脸祥和而乐观的表情。现在他面对电幕了，最好装装样子。他越过房间到狭小的厨房去。这个时候离开了真理部，就吃不到食堂的午餐了，而他也知道，除了留着做明天早餐用的那大块霉黑的面包外，厨房里再没有其他食物了。他从架子上取下一瓶无色液体，上面贴了一条苍白的标签：胜利杜松子酒。这东西气味难闻，油腻腻的，就像中国的米酒。温斯顿倒了一茶杯的分量，抖起精神来准备接受打击，然后就像服苦药一般一口吞下。

　　反应也真快，他马上面色猩红，眼泪也跟着流出来。这液体像硝酸还不算，吞下去后那种感觉，简直就像脑袋后面被人用胶棍子闷闷地擂一记。可是也不是绝无好处，腹中燃烧的感觉冷却后，这世界也跟着变得好过些了。他从一包被压得扁扁皱皱，上书"胜利香烟"的东西取了一根出来，一不小心把纸烟竖起，里面的烟草全部倒在地板上去了。掏第二根时他就加倍小心了。他回到房间，在电幕左边一张小桌子前坐下，又从桌子的抽屉里取出鹅毛笔管、一瓶墨水和一本厚厚的四开本新日记簿来。此簿装订考究，底是红色，封面是云石纸。

温斯顿房间的电幕，也不知道为了什么原因，竟安放在一个不寻常的位置上。通常都是嵌在面对进门的墙上的，因为这样可以俯览全局。他的电幕呢，居然装在对窗的墙上。墙的一边有一个浅浅的壁龛，大概初建这房子时是打算放书架用的。温斯顿现在坐的地方，就在这凹壁处。他如果身子贴得紧紧的，就会置身电幕视野之外。老大哥当然还会听到他的声音，但最少看不到他目前的动静。就是因为他房间的位置特殊的缘故，他才会想到要干他马上要动手做的事。

还有另外一个原因：他刚从抽屉里拿出来的日记本子。这真是一本美得可以的记事簿，虽然纸面因日子久了而显得微黄，但质地光滑异常，最少是四十年前的产品了。照他猜想，还可能不止四十多年呢。他是在城中一个贫民区（至于是哪一区他现时记不起来了）一家又脏又乱的旧货店的橱窗看到的。真是一见生情，看到了就忍不住马上要占有。党员照理是不准跑到普通店铺去的，因为那等于"在自由市场交易"。但规矩管规矩，却鲜见认真执行过。不说别的，除了"自由市场"，哪里还可以买到像鞋带、刀片之类的东西？温斯顿朝街头街尾匆匆张望了一下，一转身就闪进那家铺子，以二元五角把那本子买下来。在掏钱的时候，他还不清楚究竟要这东西来做什么。他把它放在公文包内，带着像犯了什么罪似的心情回家。即使不记上一字一句，他收藏着这一个空白的簿子也会

"授人以柄"。

他正在着手做的事是写日记。这并不是非法的事，因为既无法律，也就无法可犯了。但假若这事被查出来，不判死刑，最少也要劳改二十五年。温斯顿拿起一个新的笔尖插进笔管，然后用嘴巴吮了一下，把油光的部分吸去。这鹅毛管钢笔可说是老古董了，现在连签名都不大用。日记簿的纸质既是这么油光水滑，不应用墨水笔书写，只有真正钢笔的笔尖才配得上。他花了一番工夫，偷偷摸摸地才把这宝贝弄来。事实上他不习惯手书；除了极其简短的便条外，其他文件他都惯于用录音书写器处理。他现在要记的东西，自然不能用这种机器代劳了。他将笔尖蘸了墨水，然后犹豫了一下。他的肝肠翻动着，要把笔尖擦上纸面是决定性的行动。他的字写得笨拙而细小：

一九八四年四月四日

把这日期记下后，他瘫坐下来，感到什么都不对劲。就说日期吧，他实在毫无把握今年**就是**一九八四年。不过想来也应该差不多了，因为自己三十九岁大概错不了，而自己要不是在一九四四年出生，就是一九四五年。今天要想正确指出这是哪一年发生的事，实在不容易呵。

另外还有困扰：这日记究竟为谁写的？为未来，为还未诞生的人。就在他的思想绕着那个刚写在纸上但尚待考证的年份兜圈子的当儿，一个新语中的词突然在心中涌现出来："双重思想"。就在这一刻，他第一次体会到自己现在做的事情是多么关乎宏旨了。但你怎么可以与未来通信息呢？根本上这是不可能的事。未来可能就是现在的翻版。果是那样，他说的话不会有人听。未来如果与现在不同，那么他目前的窘境也就毫无意义可言。

　　他还是呆呆地坐着，目不转睛地盯着面前摊开的白纸。电幕的节目已换，此时是刺耳的军乐。说也奇怪，他不但失去了表达自己的能力，连本来打算要记的事也忘了。几个星期以来他一直就准备着这时刻的降临。当时只想到，只要有勇气，事就好办。真要写出来倒不难，只要把他多年来在脑中常常出现的独白记在纸上就是。可是偏在这个时候脑袋空空，一句独白也想不起来。更要命的是静脉曲张患处这时也开始痒得难受，他不敢抓，一抓就发炎。一分一秒平白过去，除了面前的白纸、足踝上皮肤的痒、聒耳的军乐和杜松子酒造成的微醺外，他再无其他感觉。

　　突然他像发狂似的引笔疾书。写些什么，连他自己也仅知朦胧概念而已。他细小而孩子气的字体上下蠕动，文法错乱，最后干脆连标点符号也省掉。

　　　一九八四年四月四日。昨夜看电影。全是战争片。妙的是地中海某处一艘满载难民的船被炸的那部。观众看到一个硕大胖子被直升机穷追扫射想泅水逃命时大叫过瘾。首先你看到他在水面划水如海豚，接着你从直升机上的机枪瞄准器看到他，后来他身上满是弹孔，周围的海水变红，一下子他好像身上弹孔进水过多而下沉。观众看到他下沉时笑声震天。这时出现了一条满载儿童的救生艇，上面有直升机盘旋。有一个貌似犹太人的中年妇女坐在艇前，手抱年约三岁小男孩。小男孩吓得惊叫，头深埋女人胸前，女人自己也吓得面色发青，但双手紧抱孩子，哄着他。她一直用身子掩护小孩，好像她的双手可以挥去机枪的子弹似的。直升机投了一个二十公斤的燃烧弹火光烘烘救生艇已成着火的火柴盒子。有一个特别精彩的镜头小孩的手在水中向天挥舞直升机前面的照相机一定紧追不舍党员特座鼓掌叫好但无产座中有一个妇人突然大嚷大叫说不应在孩子面前放映这个在孩子面前放映这个是不对的后来还是由警察带走我想她不会出事谁管无产者说什么他们的例行反应老大哥从不——

温斯顿写到这里就停下笔来，肌肉起了痉挛是原因之一，但他自己也不知道为什么一下子写了这么多废话。奇怪的是，就在他引笔直书的当儿，一件与上述截然不同的旧事，突然翻上心头，历历如绘，就如重看旧日记那么清晰。现在他才明白，就是为了这桩心头旧事，他今天才突然决定回家写日记。

这是早晨在部里发生的事——如果这种不明不白的事也说得上"发生"的话。

大概是十一点钟吧，在温斯顿的工作单位记录科内，大家忙着从暗室搬出椅子来，排列在大堂大电幕前面，准备参与"两分钟仇恨"的节目。温斯顿正准备在中间一排就位时，有两个面孔很熟但从未交谈过的人出其不意地走进来。其中一个是女的，走廊上常常会碰面。他不知她叫什么名字，只知她任职子虚科。因为有时他看到她满手油污，拿着扳钳之类的工具，他猜想她大概是保养小说生产机的技师。她约摸二十七岁吧，浓浓的黑发，面带雀斑，行动如运动员那么敏捷，神情满有敢作敢为的气概。她系着一条细长的猩红腰带，在套头工作服上一圈又一圈地拉得绷紧，正好衬托出她丰满的臀部。那红带是青年反性联盟的标志，因此可说是贞操带。温斯顿第一次看到她就讨厌。她的一举一动,都自然令你想到曲棍球场的气氛,或者是冷水浴、社团徒步旅行,再不然就是属于思想纯洁的一切。他几乎讨厌所有女人,特别是年轻漂亮的。对党盲从附和的、不假思索就相信所有口号的、业余的探子与好管闲事爱打小报告的,通常都是女人,尤其是年纪轻轻的。可是这个黑发系红腰带的女郎,他特别觉得危险。有一次他们在走廊碰上了,她斜斜地睨了他一眼,好像把他浑身看得透明一样。他一时吓呆了。虽然照理说这是不大可能的事,但那一下子他竟然怀疑她是思想警察。这以后她一接近他,他就忐忑不安,那是一种恐惧和敌意混淆起来的情绪。

第二个不速之客是奥布赖恩,"内党"的一分子。温斯顿知道他位居要职,但大概正因他高不可攀吧,温斯顿对他的身份,极其量也是一知半解。大堂里围着椅子正要就座的人,一看到穿着黑制服的内党党员走近,一时鸦雀无声。奥布赖恩块头大,脖子粗,脸部表情虽然显得幽默轻松,但轮廓粗鲁得近乎残忍。他外表虽神圣不可侵犯,态度倒还有可亲之处。他把眼镜压在鼻梁的姿势非常别致,你也不知怎样解释才好,总之看来非常文明就是。如果你还有这种印象的话,那么可以说他戴眼镜的姿势,近乎十八世纪的贵族把自己的鼻烟盒拿出来待客的神情。温斯顿在过去十一二年内,大概也见过他十来次吧。他对奥布赖恩深具好感,而这种微妙的情感,并不是纯因为看了他拳击手的体格与绅士型的风度这个鲜明的对比而产生出来的。更大的理由是温斯顿内心存在的一个信念——或者说信念不对,仅仅是一个希望吧——那就是,他希望奥布赖恩的政治观念并不完全正统。他脸上表露的某种神情,就会引诱你作这种推想。再说,浮现于他脸上的表情,非但不属正统,简直可以说是智慧的流露。总之，看此君的外貌和长相，就觉得他像一个你可以推心置腹的人，那就是说如果你可以骗过电幕的耳目，拉他单独相处一会儿的话。可是温斯顿从来没有找任何机会求证这推想对不对。事实上他即使想找机会也无法办到。这个时候奥布赖恩看了看腕表，晓得快到十一点了，显然已决定留下来参加记录科的"两分钟仇恨"节目。他就在温斯顿那排位子隔了两张椅子坐下来，夹在他们中间的是个瘦小沙色头发的女人，在温斯顿隔壁的办公室做事。那个黑头发的女郎就坐在他后面。

接着，大堂末端的大电幕传来一种令人难以忍受的撕帛裂简的声音，好像一座没有加上滑油的大机器在碾研着。这声音令人咬牙切齿，毛发直竖。"两分钟仇恨"节目开始了。

和往常一样，电幕上出现了伊曼纽尔·戈斯坦——人民公敌——的面孔。观众的嘘声马上此起彼落。那个瘦小的沙色头发女人一声尖叫，含混着既恐怖又厌恶的意味。戈斯坦是个反动的叛徒，多年前（究竟多少年前倒没有人记得了）是党的领导成员，几与老大哥平起平坐。后来他因犯反革命罪而被判死刑，不知怎的又神秘地逃脱，最后失踪了。"两分钟仇恨"节目每天不同，但每次都抓戈斯坦来当主角。他是卖国的主犯，最早玷污党的清白的人。所有后来反党卖国的罪行、阴谋倾覆的勾当、异端邪说以及离经叛道的思想，都可直接归咎于他挑拨离间的结果。他仍活着，匿藏于某一角落施展他的阴谋。也许他受别国津贴，身居海外。但也许他就躲在大洋邦某个地区，最少有这种谣言流传过。

温斯顿觉得胸口有什么东西堵住。每次看到戈斯坦出现在电幕上，难免产生复杂而痛苦的情感。戈斯坦是犹太人，脸孔瘦削，满头茸茸的白发，留着山羊胡子。这相貌聪明伶俐，可是你总觉得这人天性无耻卑鄙。他那副眼镜垂落在那长而单薄的鼻梁上，这又给人一种年迈蠢钝的感觉了。戈斯坦长得确像绵羊，连说话的声音也有绵羊的音调。这绵羊脸说的又是老一套，恶毒地攻击着党的理论清规。虽然内容夸大其词，逻辑荒诞，三岁小孩都可以看穿，但你听来难免担心说不定就有头脑不如小孩清醒的人上当。他在骂老大哥呢！对党专政制度的攻击，更是不遗余力。此外他要求马上与欧亚国缔结和约，尊重言论自由、出版自由、集会自由和思想自由。随后大声疾呼：革命已被出卖了！他说话速度既快，又爱用多音节字眼，与党的演说家常用的辞令与作风竟有点神似。他话中还夹杂了新语呢，而且出现的次数比一般党员在日常生活中所用的还要多。你以为戈斯坦这些话仅是说着玩的？你看看他发言时的背景：在他身后，一纵队一纵队欧亚大军列阵而过。这都是毫无表情的亚洲人的面孔。一队人马在电幕上涌现一刹那，消失了，又出现了一队样子看来差不了多少的人。他们军靴踏步发出的有节奏的回音，成了戈斯坦咩咩嘶叫的配乐。

"两分钟仇恨"节目开始了还不到半分钟，大堂内半数以上的人已忍不住大喊大叫了。那张自满自得的绵羊脸，再加上背景里出现的欧亚军队的惊人军力，使他们受不了。实话说，看到戈斯坦的样子，甚至想起他的名字，也会自动产生恐惧与愤怒的情绪。他成为比欧亚国或东亚国还要大的憎恨对象，因为大洋邦要是和其中一国交战，就会和另一国修好。但令人奇怪的是，尽管戈斯坦是每人憎恨和藐视的核心，尽管他的论调每天、每分钟在讲台、电幕、报纸和书上被否定、粉碎、调笑，让大家看到他话中可怜无知的部分——妙的地方就是他的影响力丝毫不减。愿意受他骗的笨蛋，前仆后继。思想警察差不多每天都捉拿到受他指挥的间谍和破坏分子。他是一支庞大影子军队的指挥官，又是立意要倾覆大洋邦政府的地下组织的统领人。这组织的名称据说叫兄弟会。又传闻戈斯坦写了一本总其异端邪说之大成的魔书，在本国和海外秘密流传。此书无名，如果有人需要提到，只说**那本书**。可是这些事仅属传闻。普通党员能够避免的话，绝不会把兄弟会和**那本书**挂在嘴边的。

"两分钟仇恨"节目一进入第二分钟，大家的表现更显得如醉如狂，有的手舞足蹈，又叫又跳，想以自己的呼声压倒来自电幕那像羊叫的声音。那沙色头发的瘦小女人此时脸色紫红，嘴巴一张一合，恍如被海水冲上沙滩的鱼。连奥布赖恩的脸也是热得通红。他挺身屹坐椅上，硕大的胸脯颤得一起一伏，好像是要抗拒一个迎面而来波浪的袭击。一直坐在温斯顿后面的黑发女郎此时"猪猡！猪猡！猪猡！"地叫喊着，接着捡起一本新语辞典使劲地朝电幕摔去。辞典落在戈斯坦的鼻尖上，弹了回来，但绵羊似的声音一样毫不饶人地咩咩叫下去。在极其清醒的一刹那，温斯顿发现自己不但跟着其他人嘶喊着，而且还用鞋跟拼命踢着椅子的横杠。"两分钟仇恨"节目最可怕的地方，不是有明文法例强迫你参加演出，而是那种令你身不由己的气氛。只要你置身其中三十秒钟，你不需要任何借口，自然会感染上一种近于痴狂的恐惧和复仇意念。任何一个观众这时都有冲动要杀人、用刑折磨人，或用大锤把敌人的脑袋打得稀烂。每个人都会像触电一般受到这种激昂情绪所左右，意志力完全松懈，变成面目狰狞、狂呼乱舞的疯子。可是大家感到的愤恨却是抽象的，就像汽灯的火焰一样，随时可以转移目标。就拿温斯顿来说，有一部分时间他的仇恨对象不是戈斯坦，而是老大哥、党和思想警察。这个时候他对电幕上那个备受嘲弄的异端分子深表同情。这个孤独的人，也因此在他心目中成了谎言世界中唯一维护真理与理性的象征。可是下一秒钟他的感受可能截然不同。跟在座的人一样，他会认为所有加诸戈斯坦身上的罪名都是罪有应得。此时他对老大哥暗怀的厌恶一下子转变为崇拜。老大哥的形象渐渐高升——是一个勇猛刚强、战无不胜的护守天神，像岩石一样抗拒着亚洲涌来的人潮。而戈斯坦呢，虽说是孤立无援，虽然他是否活着仍值得怀疑，此刻看来倒像个魔法师，只消念念有词就可以把文明毁灭。

不但这样，你有时甚至可以自动地把心中仇恨转移方向。突然间，温斯顿就像在做噩梦时把头猛然抬起一样，已成功地把对电幕上绵羊脸的恨移到后面那位黑发女郎身上。他脑海里马上泛起清晰美丽的联想。他用胶棍子把她打死。他脱光了她的衣服，缚在刑柱上，然后就像异教徒对待圣塞巴斯蒂安一样，给她来个"万箭穿心"。或者，干脆把她强奸算了，达到高潮时就在她喉头一刀了事。现在他比以前更明白**为什么**他恨她恨成这个样子。因为她虽然年轻漂亮，却是个"反性"的女人；因为他想跟她做爱，却明知无此可能；因为她柔软温香的腰引诱你去搂抱，却偏要系着那条拒人千里的猩红贞操带去折磨你。

"两分钟仇恨"节目已达高潮。戈斯坦的声音真的变成羊鸣，而下一个镜头他的脸也化作绵羊脸。绵羊脸淡出后，就是一个巨大恐怖的欧亚士兵向观众冲来，手上的机枪突突响个不停。看来他真的会随时由电幕跳下来呢，因为前排的观众吓得连忙把椅子拉后。就在这一刻，救星到了，那来势汹汹的形象融去，老大哥的容颜出现，黑发黑髭，神情出奇的镇静，透发着无边的权能与威力。他的脸越来越大，几乎挤破了电幕。谁也没听清楚老大哥在说什么。那不过是简简单单几句安慰勉励的话吧，那种通常在战况激烈时才说的话，虽然单独的字句不易分辨，但只要老大哥说了话，大家的信心就恢复了。老大哥的容颜最后也消失了，电幕上出现了党的口号，全部是大写字体：

战争是和平

自由是奴役

无知是力量

但老大哥的容颜在电幕上好像还没有完全消散，大概是给人的眼球感应力太鲜明了，一时不能由别的形象取代。沙色头发的瘦小女人扑倒在前面的椅背上，颤抖的声音喃喃自语，听来好像是叫着"我的救主！我的救主！"。她双手向电幕伸展，又收回来掩着脸。她显然在祈祷了。

这时全体观众爆出深沉、缓慢而又有点像圣咏节奏的调子："老大哥！老大哥……老大哥！"他们一遍又一遍地吟着，先念"老大"，然后顿了顿，再叫"哥——"。这种沉重的吟声，糅合着背后好像有人光着腿踏着的拍子与类似土人咚咚的击鼓声，听来有点野蛮。他们这样咏诵了三十多秒钟。每逢情绪激昂的时候，你就会听到这咏诵。当然这是对老大哥光辉伟大和无上智慧的一种敬意，但实际上这也是一种自我催眠，一种故意用有节奏的声音来压抑理性心智活动的手段。温斯顿浑身发冷。在"两分钟仇恨"节目的时间里，他不得不跟大家共同陷入忘我的疯狂状态，但这种只有未开化的人才会发出的集体呻吟，每每引起他强烈的恐惧感。自然，他也得跟着呻吟，那有什么好说的？隐瞒你的感受、控制你脸上的表情、人云亦云、你唱我和——这已成本能的反应了。但尽管这样，总有一两秒钟的时间他的眼神不受控制，也因此可能泄漏他的心事。而就在这电光火石的一瞬间，前面提过的那件不寻常的事发生了——如果真有此事的话。

他跟奥布赖恩的目光不期然地接触了一次。奥布赖恩此时已站了起来，正在把已脱下来的眼镜调整一番，再挂在鼻尖上。就在他们目光偶然接触的一瞬间，温斯顿心里就明白——真的，他非常**明白**：奥布赖恩的心事与他一模一样。他们已在这短短的一秒间互传心曲。这恰似他们两人已放开怀抱，凭借眼神传递心中的秘密。"我和你站在同一阵线，"奥布赖恩好像用无声的语言对他说，"我非常清楚你的感受，也知道你多瞧不起这一切，你的仇恨，你的厌恶！但放心好了，我站在你一边。"但奥布赖恩这智慧的一刹那，随即消逝。他的脸上又恢复了原先跟别人一般的表情：深不可测。

就是这么一回事了。温斯顿也没把握这事究竟有没有发生过。像这类事件是没有续篇的。极其量这种事仅是维持他的信念，或者是希望：除了自己外，还有别人一样是党的敌人。说不定有关地下组织的谣言是真的，而兄弟会确有其事。尽管杀的杀了，招供的招了，抓的抓了，你仍然不能肯定兄弟会不只是属于传说中的组织。温斯顿有时相信它存在，但有时不禁怀疑起来。这种事拿不出证据来的，只能凭一些浮光掠影的迹象去揣度。譬如说偶然从旁人谈话听来的一些蛛丝马迹、厕所墙上涂的模糊字句，甚至有时两个陌生人碰在一起，举手投足间也许可以看出别有用心的暗号来。但这不过是他的猜想而已，很可能根本是幻想。他连看也不看奥布赖恩一眼就回到自己工作的小房间，也没有再想要怎样保持这次短暂的目光接触。即使他晓得怎么进行，危险也大得不敢想象。在一两秒钟内，他们交换了暧昧的眼神，而故事也到此为止了。可是过程虽然如此短暂，在他迫于环境非接受不可的寂寞生活中，这已有回忆的价值了。

温斯顿抖起精神坐起来，打了个嗝。杜松子酒的气味自胃里升起。

他的视线又重新集中在日记簿上。这时他发觉他瘫坐入神冥想的当儿，手上的笔却没停下来。那真是一种凭着本能反应写出来的文字了，字体也不像他原来笨拙的蝇头小字。他的笔尖居然在光滑的纸面上挥洒出这样豪迈的字来，全部都用大写，占了整整半页的篇幅——

打倒老大哥！

打倒老大哥！

打倒老大哥！

打倒老大哥！

打倒老大哥！

他自己也不禁慌乱得发起抖来。说来也是荒谬，因为说"打倒老大哥"这种话，本身并不比偷写日记这回事更危险。说是这么说，他可真的动过念头把已写下来的几页纸撕毁，干脆就放弃整个计划。

但是他没有这么做，因为他知道撕了也是枉然。他写了"打倒老大哥"，或者忍下来没有写，事实都一样。他的日记继续写下去也好，这时放弃了也好，都没有分别。思想警察最后还会抓到他。他犯了（即使他没有写一个字）弥天大罪，那是万恶之源，他们叫"思想罪行"。"思罪"不是可以永远掩人耳目的。你可以瞒他们一些时候，甚至好些年，但早晚总会被他们揭发的。

抓人的时间总在晚上，几乎没有例外。把你从梦中一推，巨掌撼着你的肩膀，手电筒照射着你的眼睛，寡薄无情的面孔环绕在你的床前。大部分的案子是不会经过审判的，连你被抓了也没有人知道。犯"思罪"的人只是在夜间失踪而已。你的名字从名册簿消失，你所做过的事一切有关记录也从此一笔勾销。你一度活在世上这事实先被否认，后来大家也就忘记有你这么一个人了。你被排除、毁掉。他们的常用语叫"蒸发"。

一刹那间他变得歇斯底里起来，开始仓促而又不工整地书写着：

> 他们会射杀我我不在乎他们会自我脖子后面开枪我不在乎打倒老大哥他们都是从人家脖子后面开枪我不在乎打倒老大哥——

他倒在椅背上，把笔放下，自己也感到一点惭愧。不到一分钟后他又重新振作，引笔直书。有人敲门了！

这么快！他像一只老鼠一样静坐不动，心中存在一个渺茫的希望：不管是谁，希望他听不到有人应门就知趣离开。但没有用，那家伙再接再厉地敲着。这个时候最不智的事就是拖延时间了。他的心像一个小鼓怦怦跳着，可是他的脸，由于经年累月习惯的关系，大概仍是毫无表情的。他站了起来，步伐沉重地走到门口。

二

温斯顿把手按在门的把手上时才想到日记簿还在桌上摊开，而"打倒老大哥"几个字写得其大无比，隔着半个房间的距离还可以清楚看到。真想不到自己笨成这个样子。呀，想起来了，一定是墨水未干，而自己实在不愿意把簿子合上，把光滑的纸张弄脏。

他深深地吸了一口气，开了门。看到站在外面的是个全无生气、受尽折磨、头发蓬松、满面皱纹的女人时，他才放下心头大石。

"呀，同志，"她说话的声音近乎哀鸣，"我是听到了你进来的声音才敲你的门的。可不可以麻烦你看看我们厨房的洗涤槽？有什么东西堵住了——"

来者是柏森斯太太，同楼层的一位邻居。"太太"这种称谓，党是不认可的，谁称呼谁都该叫"同志"，可是看到某些女人，你本能地就称她"太太"了。

柏森斯太太年纪不过三十岁左右，但看来苍老多了。你看看她脸上的皱纹，可像真的埋着尘土呢。温斯顿跟着她走进通道。这种业余的修补工作，几无日无之，烦死人了。胜利大楼是老房子，大约是一九三○年建成的吧，谁也搞不清楚，总之日渐破落就是。天花板和墙壁上的灰泥时见剥落，水管一到冰点以下就爆裂，下雪的日子屋顶就漏水。克难节约时期，暖气系统全部关掉，但即使是全面运转时期，暖气管也仅是半温半热而已。什么地方出了毛病，除非你可以自己动手，否则就得先由一个天涯路远的什么委员会批准。修理一个玻璃窗，说不定也会拖你两年的时间。

"汤姆如果在家，就不用麻烦你了。"柏森斯太太含含糊糊地说。

柏森斯家的公寓比温斯顿的大一些，而脏乱的情形也不同。房内每一件东西都予人一种残破和被人践踏的感觉，好像这个家刚为一头凶猛的巨兽捣乱一番似的。这真是横七竖八的具体表现。曲棍球棒、拳击手套、爆了的足球、翻了底的汗臭短裤——都凌乱地散置在地上。桌上杯盘狼藉，还有脱页折角的孩子功课练习簿。墙壁上则挂满了猩红的少青队和探子团的旗帜，以及一张老大哥全身照。房间里弥漫着煮卷心菜的气味，可说是本大楼公有的气味。不同的是，这房间卷心菜的气味夹杂着特别强烈的汗臭。虽然这实在难以解释，但你一闻就知道这汗臭来自目前不在这房间的主人。在另外一个房间里，有人用卫生纸贴在梳子上做乐器，和着电幕播出军乐的拍子。

"小孩玩的把戏，"柏森斯太太说，一面有点慌张地往房门瞧了瞧，"他们今天一天都没离开室内一步呢。当然——"

柏森斯太太老爱在句子未完前就把话打断。洗涤槽里积下来的污水已到边缘，气味比卷心菜还要难闻。温斯顿蹲下来看看水管接口的部分。他讨厌用手来干粗活，更怕蹲在地上，因为这准会引起他咳嗽不停。柏森斯太太一筹莫展地站在旁边看着。

"当然，如果汤姆在家的话，不消几分钟就弄好了，"她说，"他就爱干这种事。他的手就比人家灵活！"

柏森斯太太口中的汤姆，就是温斯顿在真理部的同事。他是个肥胖但非常活跃的人，笨得近乎痴呆却又满腔热诚。他任劳任怨，忠心耿耿，就维持党的秩序安定而言，他比思想警察还要可靠。他现年三十五岁，刚因超龄关系而被迫脱离少青队，而在加入少青队以前，他又干了超过法定年龄的探子一年。他在真理部担任的是一个不需要什么知识的附从职位，可是在别的方面却活跃得很呢。譬如说在体育运动委员会中他就是个主要人物。此外凡是需要集合群众参加的活动，如公社郊游、自动自发的游行示威、节约储蓄运动，你可以相信绝对有他的一份。他会咬着烟斗得意地告诉你，过去四年内他每天晚上都在公社中心露面。他每到一处，身上强烈的汗臭可闻，即使人走了，气味历久不散。他完全不露痕迹就让你知道他每天的生活多繁忙吃重了。

"你有扳手吗？"温斯顿按着水管接口的螺丝帽问道。

"扳手？"柏森斯太太软弱地反问，"我不知道。或者小孩——"

小孩冲进客厅时，皮鞋咯咯作响，又在他们的"乐器"上重重地吹了一口。柏森斯太太把扳手给了温斯顿。他先让污水流出，然后厌恶地把堵塞水管的毛发取出。在水槽用冷水净手后，他就转身走回自己的房间。

"举起手来！"一个凶狠的声音向他喊叫。

原来一个面貌清秀，但表情悍悍然的九岁男孩子，突然从餐桌后面跳出来用玩具自动手枪指着威吓他。而大概比他小两岁的妹妹，动作跟哥哥一样，只是用的不是手枪而是板条。两人都穿蓝短裤、灰衬衣，脖子系着红巾，这就是探子团的制服了。温斯顿听命举起双手，但心中感到极度不安。这男孩子的态度这么邪恶，简直不像在玩游戏了。

"你这个叛徒！"男孩子嚷道，"思想犯！欧亚国的间谍！我一枪把你杀死！把你蒸发掉！送你到盐矿去冷死饿死！"

突然，兄妹二人绕着他又叫又跳，"叛徒！"、"思想犯！"地闹个不停。哥哥做什么，妹妹跟着学样。这真有点怕人。温斯顿好像看到两头快要长大吃人的乳虎在他面前嬉戏。男孩子的眼睛露出一种近乎深思熟虑的凶光，一种知道自己快要壮大得可以踢打温斯顿的明显表情。幸好他拿的仅是玩具手枪，温斯顿心里说。

柏森斯太太张皇的目光在自己的孩子和温斯顿之间流来流去。客厅的灯光较亮，他这时注意到原来柏森斯太太脸上的皱纹里真的有尘埃呢。

"被他们吵死了，"她说，"还不是因为没人带他们去看绞刑！我忙不过来，汤姆下班后又来不及了。"

"我们为什么不能去看绞刑？"男孩子声音粗暴地问。

"我们要看绞刑！我们要看绞刑！"小女孩附和着她哥哥，边叫边跳地说。

温斯顿记起来了，这个晚上有好些欧亚国的战犯要在公园处绞刑。这是每月一次备受欢迎的节目，小孩子总爱缠着大人带他们去看热闹。温斯顿辞别了柏森斯太太就朝房子的出口走，可是在通道走不上几步，颈背被什么东西扎了一下。他感觉到的痛楚，与被人用烧红的铁钉戳了一记差不多。他猛然转身，刚好看到柏森斯太太又拉又扯地把儿子拖回房门口。那小鬼正忙着把皮弹弓放回口袋。

快关门时那孩子还不放过他，气呼呼地骂了他一句："戈斯坦！"但给他印象最深的还是他母亲灰白面孔所流露的无助的惊慌。

一回到自己的房间，温斯顿马上加快脚步越过电幕的视野，在桌子旁边坐下，手忙着揉颈背的创痛。电幕播送的音乐已停，代之而起的是一个简短有力的军人声音，用近乎强暴的自我陶醉的口吻，介绍着刚在冰岛和法罗群岛之间建立起来的浮游堡垒的武装装备概要。

带着这样的宝贝儿女，柏森斯太太自然每天生活于恐惧之中了，温斯顿想。再过一两年，他们就会日夜监视着她，看她有无可疑的异端思想表露出来。今天的小孩子几乎都没有例外：可怕透了。更可怕的是政府依赖着探子团这类组织，把孩子训练成父母无法管教的野兽，可是妙的地方就在这里：这些小野兽对党的纲纪却从无造反的倾向。正好相反，他们崇拜党和跟党有关的一切。打着旗帜唱歌游行、远足郊游、用玩具步枪操演、狂呼口号、膜拜老大哥——这都是他们快乐光荣的玩意儿。他们心中的暴戾之气，就冲着以下的对象发泄：国家公敌、外国人、叛徒、阴谋破坏分子和思想犯。为人父母的，年过三十就害怕自己的孩子，这已是司空见惯的事了。这也难怪，差不多每一个星期你总可以在《泰晤士报》看到一段这类消息：一个窃听父母谈话的小鬼，抓到了一些足以构成罪行的言谈，然后就向思想警察告发。当然，《泰晤士报》的新闻不会称他们为"窃听小鬼"，通常是美其名为"英雄小将"的。

颈背的痛楚已止，他又心不在焉地拿起笔来，试想着还有什么可记的事。突然间他又想到奥布赖恩了。

多年前——究竟多少年呢？一定是七年以前的事了——他做梦走过一个漆黑的房间。就在这时，原来一直坐在房间一边的一个汉子对他说话了："我们将来会在没有黑暗的地方见面。"说话的声调平静，可以说是随口说出来的，而且听来像是一种声明，而不是命令的口吻。温斯顿没有停下来，继续向前走。怪的地方是在梦境中这句话没有留下什么印象，他是后来才慢慢地体会到话里也许有特殊的意义。是做这个梦以前或以后他才第一次看到奥布赖恩的？现在记不起来了。他也记不清楚什么时候才第一次发觉，这声音原来就是奥布赖恩的。这一点没错，在暗房中对他说话的就是奥布赖恩。

尽管今天早上跟他眼神相遇，温斯顿还是不能肯定奥布赖恩究竟是敌是友。其实这也无关紧要。只要他们之间有一种默契存在就成了，这比他们之间是否有感情或政治思想相同更为重要。"我们将来会在没有黑暗的地方见面。"这是他说过的话。温斯顿还是不明所指，只是相信这一刻总会到来的。

电幕上那个介绍浮游堡垒的声音停下来了。一阵清锐的喇叭声响起，飘越了沉滞的空气传到他的耳朵里。接着是一个刺耳的声音：

"注意！大家请注意！我们刚从马拉巴前线收到新闻纪录片。我军在南印度赢了光辉灿烂的战役。本人得官方授权宣布，我军此次行动已把这场战争的时间缩短，全面胜利指日可待。现在请看新闻片——"

坏消息来了，温斯顿想道。果然，紧随着一个怎样把欧亚军队毁灭的血腥报道（伤亡和被俘虏的人数可真惊人），就是一项公告：从下星期开始，巧克力糖的配给分量由三十克减至二十克。

温斯顿又打了嗝。杜松子酒的功效消失了，只留下一种瘫软无力的感觉。电幕传来大洋邦国歌《壮哉大洋，吾侪为汝》。这个时候，本来是应该肃立聆听的，但温斯顿坐的地方是电幕看不到的，也就懒得管了。

《壮哉大洋，吾侪为汝》过后是比较轻松的音乐。温斯顿站起来又跑到窗前，背对电幕。天气还是那么明朗清冷。远处有火箭弹坠地爆炸的声音，传来沉闷的回声。大概每星期有二三十个火箭弹落在伦敦地区。

街上，那张被风吹得一起一落的彩照又出现在眼前，而"英社"这两个字也因此时隐时现。英社，神圣不可侵犯的英社理论和原则；新语、双重思想和历史的伸缩性。他觉得自己好像在海底森林流荡着，迷失在一个自己也是一分子的魔鬼世界中。他孤独无伴。过去的已经逝去，未来如何，不敢想象。他有什么把握可以知道，在这世界中有一个活着的人是跟他站在一起？而谁又能说党的统治不是**天长地久、海枯石烂**的？好像是解答他心中的疑问一样，刻在真理部大厦白砖墙上的三句口号在他脑海中重现：

战争是和平

自由是奴役

无知是力量

他从口袋掏出一个两角半的硬币。他们在这里也不放过你，硬币的一面就清清楚楚地刻了这三句口号。另一面是老大哥的容颜。即使镶在硬币上，他的眼睛还跟着你的方向移动。硬币、邮票、书的封面、旗帜、标语，甚至香烟的纸包——老大哥和这三句口号无所不在。他的眼睛看管你，声音包围你。不论你是醒来或睡着，工作中或吃饭，在室内或室外，在浴室或床上—— 一句话，你逃不了。除了你脑袋内那几立方厘米的脑浆外，没有别的东西是属于你的。

太阳西移，金字塔形真理部大厦的窗子，阳光照不到时分外深沉恐怖，如堡垒的枪眼。面对着这巨型金字塔建筑物，温斯顿的心不觉沉下来。这铜墙铁壁是攻不进去的，一千个火箭弹也炸不毁。他再次问自己：究竟为谁写这日记？为未来，为过去——为一个可能仅是空想出来的时代？他面对的，不是传统的死亡，而是彻底的毁声灭迹。日记化为灰烬，他自己则被蒸发掉。他记下来的事情，只有思想警察才会看，看完后付之一炬，世间根本不会知道有这回事。如果你死后不能留下一点痕迹，甚至不能以无名氏的方式留下片纸只字，那你又怎可以向未来呼唤？

电幕报时十四响，在十分钟内他就得动身，十四点三十分前他得回到办公的地方。

奇怪的是，报时的钟声响后，他精神为之一振。他是寂寞的孤魂野鬼，说着无人能听得到的真话。但只要你肯说，不管怎样，人性还可以延续。别人听不到你说什么，但只要你自己保持清醒，那就保存了人性的传统。他回到桌子前执笔写下：

此日记献给未来或过去。献给思想自由那一个时代：人人各不相同，不再孤独自守。献给真理存在而发生了的事不用被毁迹的日子。

我们活于盲从附和、寂寞荒凉岁月的人，活于老大哥和双重思想时代的人——谨向你们致意。

我已经死了，他想。想来仅在这一分钟，仅在思路清晰这一刻，他才走这决定性的一步。这一步的后果就是步子本身。他继续写道：

　　"思罪"不招引死亡；"思罪"本身**就是**死亡。

　　既已把自己看作已死的人了，温斯顿觉得有能多活一分钟就多活一分钟的必要。他两个手指沾了墨水，而这正是露马脚的标准痕迹。真理部自有不少好表功的耳目，怀疑他为什么不在部里吃午饭，偷偷写什么来着。他为什么用旧式的钢笔呢？写了些什么？说不定就因此给有关当局一些暗示了。这些耳目可能是女人，譬如说那个瘦小的沙色头发女人，或子虚科那个黑头发的。他到浴室去用砂纸似的棕黑肥皂净手。肥皂把你的皮肤磨得红红的，目前正好用得着。

　　净手后他就把日记簿放在抽屉内。虽然实在说来这是多此一举，但最少他可以知道这个"思罪"记录被人发现了没有。在纸页的末端放一根头发太明显了。他用指尖粘起了一粒可以辨认的白沙粉，放在簿子封面一角，谁把簿子捡起来，沙粉一定会滑下。

三

温斯顿梦见了他母亲。

母亲失踪那年，自己一定是十岁吧？再不然就是十一岁。她长了一头美丽的金发，身材高大，轮廓清晰，但举止相当缓慢而又沉默寡言。他对父亲的印象就模糊些，仅记得他面容消瘦而皮肤微黑，常常穿着整整齐齐的黑衣服，戴眼镜。有一个印象倒特别鲜明，那就是他父亲那双鞋的鞋跟很是单薄。他父母很显明是在五十年代大清算运动中牺牲了。

此刻他母亲在他下面一个地方坐着，离他远远的，怀里抱着他妹妹。除了还记得他妹妹是个瘦弱沉静、长着机警大眼的小娃娃外，温斯顿再也想不起什么来了。母亲和妹妹举头望着他。她们是在地下一个什么地方吧，譬如说井底，或一个深深的坟穴，只是这块本来就在地下的地方还是继续下沉。她们是在一条下沉着的船的客厅内，透过越来越见暗黑的海水望着他。客厅仍有空气，他们还可以互相张望，只是船身继续下沉，不一会儿，他们就再也看不到对方了。他身在有空气有光线的地方，而她们被死亡之手硬拖下去。她们下沉，**正因为**他在上面的关系。他心里明白，而他知道

29

母亲和妹妹的心里也明白。从她们脸上的神情就可以看出来。她们的心里和脸上毫无责备的意思，只有这种认识：为了让温斯顿活下去，她们非死不可。这就是世事无可避免的一种秩序。

他记不清实际发生了什么事了，但在梦中只知道他母亲和妹妹为了某些缘故，牺牲了她们的性命来成全他。他做过不少梦，梦境都大同小异，但每一个梦都是他知性生活的延续，因为你醒来后，梦中所见的事实和想到的概念还是一样印象鲜明、极有价值。目前温斯顿感受最深的是他母亲之死所产生的哀伤和悲剧意义。那差不多是三十年前的事了，这一代的人不会有这种感觉。由此他认识到悲剧是属于古代的，属于爱情、友情和不受干扰的自由还可以存在的年代，属于家庭的核心成员可以不问情由而互相支持的那种时代。想起了母亲心中就感到一阵刺痛。她爱孩子至死不渝，而他当时太小、太自私，没有回报。令他痛心的另外一个原因，虽然他不知细节，但他晓得她的死近乎殉道。她是为了维护一个她认为绝不能妥协的观念而牺牲性命的：忠诚。这种事今天也无可能再出现了。今天只有恐惧、憎恨、痛苦，没有尊贵的情感，没有深切复杂的悲哀。他从母亲和妹妹大大的眼睛里看到这一切。她们隔了几百英寻的海水瞪眼望着他，船还在下沉。

突然，他已站在柔软的草皮上。这是仲夏的黄昏，夕阳的金光染黄了大地。面前的景色在他梦中多次出现过，但他也不知道究竟在现实的世界有没有亲历其境一次。他清醒的时候就叫这地方金乡。这是个旧牧场，草木遍布兔子啮啃的痕迹，中间有横过的小径，鼹鼠窝随处可见。越过草地就是一个久未修剪的围篱，里面榆树浓密的枝叶随着微风轻荡，像女人的头发。虽然现在看不到，但离这儿不远有一条清澈的小溪，水流不急，在柳荫下的小池塘中你可以看到雅罗鱼在其中浮游。

黑发女郎越过牧场向他这边走来，就这么一翻手，她就把衣服脱得干干净净，不屑一顾地扔在一旁。她的胴体洁白可爱，但一点也不引起他的欲念。他根本没有好好地看她一眼。最引他注意的倒是她脱下衣服抛在一旁那种姿势，他佩服极了。那种优雅和漫不经心的姿势，足以把整个文化和思想系统否定，好像只消她举手投足之间，就可以把老大哥、党和思想警察一笔勾销似的。这种姿势也是属于古代的。温斯顿醒来时，还喃喃念着莎士比亚的名字。

电幕传来震耳欲聋的哨子声，持续了半分钟。早上七点十五分，是办公室工作人员起床的时候了，温斯顿好不容易把身子拧下床来。他没有穿睡衣，是光着身子睡的，因为一个外党的党员每年只配给三千张衣物券，而一套睡衣就要用六百张券换来。他随手就在床前椅子上取下霉旧的汗衫和短裤穿上。健身运动三分钟内就要开始。他此刻咳嗽得特别厉害，几乎每次起来都是如此。他咳得好像两边的肺都要吐出来，重新躺下深呼吸了一阵子才透过气来。咳嗽咳得这么用劲，青筋都露出来了，静脉曲张患处也痒得难受。

"三十到四十岁的一组！"一个刺耳的女声叫道，"三十到四十岁的，请各就各位！"

温斯顿马上抖起精神跳到电幕前面。这时一个年纪尚轻、身材消瘦，但肌肉结实、足登运动鞋、穿着紧身上衣的女子已在电幕上出现。

"举手弯身，"她粗声喊道，"听我的口令做！一、二、三、四！一、二、三、四！来吧，同志们，多用点气力！一、二、三、四！一、二、三、四……"

刚才那阵咳嗽引起的痛楚并没有完全驱散温斯顿梦中的印象，

而现在早操规律性的动作又恢复了一些先前的记忆。他机械性地举手挺身之余，脸上还得装出对这个节目极为欣赏的样子。可是他的思想并没有空下来：他正在拼命追溯童年那段暗淡的日子。这真是非常困难的事呵。五十年代后期以前发生过的事，已经淡忘了。如果没有可以稽查的记录，你甚至连你自己生命的轮廓也一样模糊呢。你想起来的惊天动地的事，可能根本就没有发生过。有些事情呢，细节你倒记得清楚，但当时气氛如何，你还是茫然。这还没算到那些漫长空白的段落，那些你怎样苦思也找不出什么意义的日子。那个时代与现在完全是两回事，国家的名字和它们在地图上的形状也不一样。譬如说一号航道吧，那个时候不是这么叫的。那时称作英格兰或不列颠。伦敦倒是个例外，因为他记得这是个原来的名字，一直没有改。

温斯顿想不起他的国家哪一个时期是没有战争的。不过，显然在他童年时有过一段较长的太平日子，因为他早年的记忆中有一次空袭，每个人都为此突如其来的事大吃一惊。可能那次就是科切斯特遭原子弹轰炸的时候吧。空袭的情形如何，他想不起来了。他只记得他父亲紧握着他的手匆忙走下一个深埋地下的地方。他们沿着吱吱作响的螺旋楼梯走，走到他脚发麻，哭了出来，父亲才停下来休息。他母亲脚步慢得像梦游，远落在他们之后。她抱着他的小妹妹。或者那不是小妹妹而仅是一包毯子，因为他不记得那时小妹妹出生了没有。最后他们抵达一个既拥挤又嘈杂的地方，原来这是地铁车站。

石板地上坐满了人。有的大概早来些，大家挤坐在铁板架床上，一层叠一层的。温斯顿一家在地板上坐下。一个老人和一个老妇，就在他们附近一张架床上并排坐着。老人穿的是一套满体面的黑西装，头上的黑布便帽推到脑后，露出一头白发。他面色猩红，蓝色的眼睛充满泪水，杜松子酒的气味从他身上喷出来。温斯顿相信酒精的气味来自他的皮肤而非汗水，使人不禁想到他的眼泪也可能是纯杜松子酒。虽然有点醉了，但你可以看出他心中的哀伤是真实的，难以忍受的。温斯顿幼小的心灵猜想到，一种不可原谅的和无可挽救的事一定发生在老人家身上了。他还相信自己已经知道这是怎么一回事了：老人家一个至亲至爱的人，就说是小孙女吧，遇害了。每隔几分钟他就重复着说：

"早不该相信他们。我不是早说过了吗，孩子的妈？相信他们就有今日的结果。我说了，我们不该相信那些狗娘养的。"

但那些不该信赖的"狗娘养的"究竟是谁，温斯顿现在记不起来了。

从那时开始，战争连绵不绝，虽然交战国不一定相同。他还清楚记得童年时伦敦发生过乱打乱杀的巷战。如果你追查那段历史的整体，找出那个时候谁跟谁打仗，这是绝对办不到的事。除了目前的盟国外，以前与任何他国的关系，一概只字不存：既无档案记录，也不会有人在谈话中提到。就拿今年——一九八四年来说吧（如果确是一九八四年的话），大洋邦正与欧亚国作战，与东亚国联盟。不论公私场合，可从没有人承认过这三个国家也有过合分无常、敌我互易的时候。温斯顿记得很清楚，才不过四年前，大洋邦的盟友是欧亚国，对阵的却是东亚国。但这不过是他记忆不受控制的缘故，而这事实也因此属于不可告人的隐秘之一。在官方而言，大洋邦从来没换过盟友。欧亚国目前是大洋邦的敌人，因此从来就是大洋邦的敌人。敌人永远被描绘成面目狰狞的，这等于说，大洋邦永远没有跟魔鬼订什么协议——过去没有，将来也没有。

可怕的是，他想过千百次了——现在他忍着痛楚，双手压着臀部，倒弯着腰旋转，据说对背肌很有好处——可怕的是这一切都可以弄假成真。如果党可以插手干预过去的历史，说这事那事**从来没发生过**，那真要比死亡和严刑拷问还要恐怖。

党说大洋邦从未与欧亚国结过盟。他——温斯顿·史密斯——却知道大洋邦与欧亚国站在同一阵线，才不过是四年前的事。但这史实记录在哪里？只存在于他的记忆中，将来总有毁灭的一天。如果每个人都接受党制造出来的谎言，如果所有的记录都记下同样的话，那么谎言在历史中流传下去就变成真理了。"谁控制过去，就控制未来；谁控制现在，就控制过去！"党的口号这么说。历史是不难任意删改补添的，党给你的，就是这样的历史。现在是正确的事，到海枯石烂那天还是正确的。就是这么简单的一回事了。你要做的事，也不过是克服你顽固的记忆而已。他们称这种行为曰"现实控制"，新语则叫"双重思想"。

"稍息！"女指导员喝道，只是态度似乎和蔼些了。

温斯顿这才松弛两手，深深地吸了口气。他的思绪已陷入双重思想的迷幻世界了。明知却假装不知；本来对真相始末一清二楚，却要费尽心思编造瞒天过海的谎言；同时拥有两种抵触的意见，虽识其互相矛盾处却依然相信两种说法并行不悖；用逻辑推翻逻辑；一面排斥道德，一面自己却又包办道德；相信民主政体不可能实现，而党却以民主的捍卫人自居；忘记需要忘记的事情，可是到再有需要的时候又把这记忆召回，派过用场后又一次把它置诸脑后。在同一层次和时间内达成两种境界，这才是双重思想精妙细致的最高表现：自觉地把自己带入无意识状态，然后马上又要忘记刚才自我催眠的活动。你要了解双重思想是怎么回事，首先就要晓得双重思想的思维方法。

女指导员又叫他们立正准备了。"现在我们看看谁的手指可以摸到足尖！"她热心地说，"好，同志们，先绕头过膝……一、二！一、二！……"

温斯顿最恨这一节了，刺骨的痛楚由他脚跟延到屁股，常因此引发一阵咳嗽，从沉思中得来的那一点点乐趣也失去了。"历史不但被篡改，根本就被毁灭了。"他又回到他沉思的境界去。如果除了你的记忆，此外任何记录都没有，你怎可以确立一个最明显的事实？他苦思着第一次听到人家提起老大哥的年份。应该在六十年代吧，但又不敢肯定。当然在党史上老大哥一直是革命的领导人和监护人，他的勋功伟业呢，一直往前推——推到像童话故事一样迷人的四十年代、三十年代——那时资本主义的大爷，戴着奇形怪状的圆筒礼帽，坐着闪闪发亮的汽车，再不然就是配有玻璃板厢座的马车，遨游伦敦街头。是不是实情如此？或是杜撰出来的？谁也不知道。温斯顿甚至不记得这个党是在什么时候建立的，但他相信一九六○年以前没听过"英社"这新语。但如果把意思翻成旧语，那就是"英国社会主义"，渊源就更早了。每一件事情都笼罩在烟雾中。有时你当然找得到瞪着眼说谎的例子，譬如说飞机是党发明的，这明明是假话，可是党史都这么说。他记得早在童年时期就看到飞机了，但这有什么用？你的证据呢？他一生中只有一次掌握到党改史的铁证，而就是那一次——

"史密斯！"电幕突传一声尖叫，"对，**就是你**，六○七九号的史密斯！请你弯低一点。你能做的不止这一点，你根本没有好好地做。再弯低一点。对了，不错。现在稍息，你们全体看我怎样做。"

温斯顿突然身冒热汗。他的面部表情仍然保持平淡如常。别显得张皇失措，别露不满之情，你眼睛眨得不对，人家就看出来了。他站着看女指导员把手举高，绕过头部，再弯身把手指第一个关节垫在脚趾下。虽不能说姿态美妙，但动作实在敏捷伶俐。

　　"是不是，同志们？**这就是**我要看你们做的。再看一次。我三十九岁了，生过四个孩子。喏，看着。"她又弯身了，"看到了没有？**我的**膝盖不是弯着的。你们肯多花点气力，一样可以做到。"现在她站起来，继续说，"没过四十五岁的人都办得来。既然我们不是每人都有福气上前线打仗，那最少也应保持健康体格呵。你想想看，我们在马拉巴前线的士兵和在浮游堡垒的同志，**他们**过的是什么生活！现在再来一次。对啦，同志，那比以前**好多了**！"她鼓励地说。原来温斯顿奋力一弯身，多年来第一次不用弯起膝盖就贴到脚趾。

四

温斯顿不自觉地深深叹了一口气，把面前的录音书写器拉近自己一点，把话筒上的尘埃吹去，然后戴上眼镜准备工作。他每天开始工作时都这样，即使明知可能有电幕在监视着他，他也忍不住要叹那口气。在他桌子右边的"气筒"里，已有四小卷资料"喷"了出来等待他处理。他翻开来，夹在一起。

他办公的小房间一共有三个气筒喷口。录音书写器右边是个小口，专门为传送备忘录之类文件用的。左边的孔穴较大，是送报纸的。最大的一个设在边墙，长方形，四边围着铁丝格栅，专为处理废纸用的，这也是温斯顿伸手就够得到的地方。类似的洞穴在真理部大厦数以千计，不但办公室有，走廊上每隔几英尺的距离也有同样的设备。不知是谁想出来的主意，把这些长方形的孔道雅称为思旧穴。谁知道哪一份文件行将作废，或者谁看到一张废纸随处飘荡，都会习惯性地把身边的思旧穴盖子揭开，随手一丢。这份文件或废纸就会沿着穴道传来的一股暖流，奔腾到设在真理部大厦某些隐蔽角落的大熔炉去。

温斯顿把刚才解下来的四张字条打开来看。每一张字条只有三言两语，而且用的是一种糅合了新语和真理部内部通用术语的缩写，非专家实难明究竟。这四项分别是：

　　泰晤士报一九八四·三·十七老大演讲误报非洲订正
　　泰晤士报一九八三·十二·十九预测三年计划八三年度末季错误数据现报校正
　　泰晤士报一九八四·二·十四迷裕部误报巧克力订正
　　泰晤士报一九八三·十二·三老大授勋双倍加非好涉及非人全改呈上层待存

　　看到第四项时，温斯顿微微产生了一种工作上的成就感。他先把这一项搁在一边，因为有关问题比较复杂，需要慎重处理。其余三项只是例行公事，虽然第二项比较烦琐，得翻阅许多旧资料和数字。

　　温斯顿在电幕的"资料"栏中拨了一个号码，要找《泰晤士报》某月某日的旧件。不消两三分钟，他要的资料就从气筒钻出来了。他刚收到的四项指示，就是因为《泰晤士报》上登的文章或报道，其中有的地方为了某些理由需要改写——或用官方口吻说，"订正"。譬如说第一项的实际情形是这样的。三月十七日《泰晤士报》报道老大哥在十六日发表的训令中曾预言南印度阵线会继续宁静，但欧亚国将会短期内在北非发动攻势。后来局势发展正好相反：欧亚统帅在南印发动攻势，对北非却丝毫未动。这就是需要改写的理由了。老大哥预言的事都得一一实现。第二项。十二月十九日《泰晤士报》刊载了官方预测一九八三年度末季各种消费品的生产数字。这一季刚巧又是第九个三年计划的第六季。今天的报纸公布了实际的数字，与预测的数字大有出入。温斯顿的差事就是根据新数字去订正预测的数字。第三项最不花工夫。原来在二月间迷裕部对大家许下诺言（官方用语是"绝对保证"），说在一九八四年内不会减少巧克力的配给额。可是温斯顿心里明白，这个星期结束后，配额将由三十克减至二十克。他要改的地方不多，把"保证"订正为"提醒"就是——说如果情势需要，政府可能于四月间减少巧克力的配额。

温斯顿把三项指示办理后，就把录音书写器打出来的订正稿夹在原版《泰晤士报》上，然后投入气筒。接着他以近乎毫不自觉的动作，把三张字条连同他拟的草稿一并投入思旧穴去，顷刻化为灰烬。

那么，那些订正稿投进气筒后命运又如何呢？详情他不太清楚，但大概情形总知道一些。据他所知，哪一天的《泰晤士报》需要订正的稿件收齐了以后，就会把哪一天的报纸重印一次。不用说，原来的"正本"就得毁掉，档案存的就是修订本。这种不断修"史"的程序，不但报纸如此——书、期刊、手册、标语、传单、影片、录音带、漫画和照片也不例外。总之，任何一种带有政治性或含有意识形态色彩的文件都属订正范围之内。如此一来，过去发生的一分一秒的事情都跟得上时代。这也不过是说，党所作的各种预测，不但准确得料事如神，而且还有证据可循。为了这个缘故，任何与目前需要发生冲突的意见与新闻，都不容许存在。历史不是一面镜子，而是黑板上的记号，可以随时擦去，随时填补。更为可怕的是，一旦涂改了，你找不到证据去证明这是篡改历史的行为。记录科内员工最多的一个部门（比温斯顿的部门庞大多了），主要的任务就是把所有过时的书籍、报纸和诸如此类的文件找出来送到思旧穴。档案中还有不少《泰晤士报》的原件，要么是因为政治上的结盟中途起了变化，要么是老大哥的预言没有兑现，一直就搁在那儿，等候指示。老大哥刊在《泰晤士报》上的各种说法，也许需要订正多次，但目前尚未收到跟与已公布的说法互相矛盾的记录。已出版了的书籍，亦常收回来，但尽管修订本一出再出，你绝不会找到任何说明指出修订本与原本的异同在哪里。就拿温斯顿所收到的指示来做例子好了。那些他一处理后就毁掉的字条，从来不会留下一点痕迹，使人怀疑是伪造文件。字条上的指示，只不过是要你做编辑和校对的工作而已。坚决指出鲁鱼亥豕，誓死不让张冠李戴，这都是为了维护新闻正确报道的大原则呵！

严格地说，这不能称作伪造文书，他一边把迷裕部的数字调整一边想道。因为实际的情形是把乌有的数字化为子虚的产额而已。你要处理的数据，大部分跟现实的世界无任何关系。你做的工作，并非替一些瞪着眼说出来的谎话补过。他们原先发表的统计数字就是天方夜谭，这还有什么"正"需要"订"的？从头到尾都是玄虚的数字游戏而已。大部分的时间，这种玄虚的加减工作得由你自己负责。譬如说，迷裕部估计本季生产鞋子一亿四千五百万双，实际造出来的据说有六千两百万双，温斯顿在订正原来预测的数字时，改为五千七百万双，让大家看来又有超额完成的感觉。其实，你说六千两百万也好，五千七百万也好，其与现实数字的距离跟一亿四千五百万也差不多，因为可能一双鞋子都没有造出来。更可能的是究竟生产了多少，或实际有没有生产，大家根本不知道，也不感兴趣。大家知道的只有一点：每一季总有天文数字的鞋子在报纸上生产出来，而大洋邦约摸有半数居民光着脚。其余各种事实的记录，不论大小多寡，均可类推。反正结果总是一样，大事小事沉落于迷离世界，最后连年份日期也搞不清了。

温斯顿朝走廊对面的小室看了一眼。一个下巴黑黑、身材瘦小但样子看来一丝不苟的男子正在埋头工作。他叫蒂洛森，膝上放着一份折叠的报纸，嘴巴贴近录音书写器的话筒。他的神情好像要让人知道，他现在说的话，内容除他自己外只有电幕晓得。这时他抬起头来，透过眼镜带着敌意瞪了温斯顿一眼。

温斯顿跟他毫无交情，也不知道他负责的是哪一类工作。在记录科上班的人，很不愿谈到自己的工作。长长的走廊开列着两排不设窗户的小室，除了沙沙发响的纸声，就是对着录音书写器话筒的呢喃声。在这些小室工作的同事，温斯顿连名字也叫不出来的，少说也有十来个，虽然每天都看到他们在走廊上匆忙得像煞有介事，或者在"两分钟仇恨"节目中看到他们举手作态。在他隔壁那位沙色头发的瘦小女人干的是什么工作，他倒知道。她每天忙来忙去，就是要从报纸或其他刊物上找出已被蒸发掉的人的名字，把他们删掉，因为他们从来没有在这世界上生存过。她自己的丈夫两年前被蒸发掉，现在由她来做这种除名工作，也可以说得上是人选适中。离他几个小室的地方，有个叫阿普福思的家伙，温温慈慈，糊里糊涂，一派不食人间烟火的模样。他耳毛特别长。由于他精于英诗的韵律和格式，他在真理部的工作就是把若干诗作创新，也就是他们所谓提供最后修订本。这些诗的意识形态本来很有问题，却不知为了哪种原因而决定在诗选内保留下来。温斯顿工作的这个楼厅，全部约摸有员工五十人，仅是记录科的一个分组而已。换句话说，仅是记录科这个庞大而复杂组织中一个小小的单位。离此楼厅以外，以上和以下不知还有多少职员干着千万种难以想象的事。规模宏伟的印刷厂中，有的是编辑人才和技术专家，随时可以在设备齐全的摄影室伪造照片。电艺组更是人才济济，制作人和工程师外，还有一群特经挑选的演员，最精于模仿别人的声音。此外还有难以胜数的资料人员，负责登记行将没收的书报杂志的名字。这金字塔式的大厦还腾出了不少地方做贮藏室，存放订正了的文件，而另外一些不易为人看见的角落，可能就是思旧穴所在，焚毁原件。最后是丝毫不露眉目的某些要地，首脑级人物坐镇之所。整个记录科的操作由他们牵引，政策路线由他们执行。不消说，哪一部分历史该保留，哪一部分该订正，哪一部分该付之一炬，都是由他们决定的。

我们不该忘记的是，记录科不过是真理部许多单位中的一个。真理部的主要任务，不是重组历史，而是给大洋邦国民供应报纸、电影、教科书、电幕节目、戏剧和小说等。总之，此部门提供所有有关新闻、教育或娱乐的数据和需要。从给某某立雕像到决定一句口号的内容，从抒情诗到生物学专题论文，从幼童启蒙书籍到新语辞典的编订，都是真理部管辖的范围。真理部要管的事情还不止这些。它一方面照顾党的各种需要，另一方面做便民功夫：把给党看的一套水平降低，让普通大众易于接受。部里因此设有不少单位，分别负责大众文学、音乐、戏剧和一般娱乐性的需要的供应问题。你看到的那种除了体育新闻、犯罪案件和医卜星相外几无任何消息的小报，就是这些单位的杰作。此外还制作五分钱一本的奇情刺激小说和桃色电影。最可圈可点的想是他们炮制出来的靡靡之音，歌词乐谱全由一种叫万花筒的谱乐器机械化生产出来。这儿还有一个新语叫"黄社"的分组，专门制作超低级色情电影，用密封包裹寄出。除了直接负责制片的工作人员，其余党员一律不得观赏。

温斯顿埋头处理文件时，又有三张字条由气筒钻出，但性质简单，他在"两分钟仇恨"节目开始前就办好了。"仇恨"完毕后他回到小室，从架子上取下新语辞典，把录音书写器推在一旁，擦擦眼镜，然后静下心来开始今天早上最重大的任务。

他一生最大的乐趣也就是工作了。虽然大部分的差事都属烦琐的例行公事，但其中也有非常伤脑筋的复杂文件，令你一开始思考就不自觉地像坠入一个数学问题那样废寝忘食。伪造或篡改性质微妙的文件就属于这种例子。磨人的地方就是上方毫无指示。你唯一可以依靠的法宝就是你对英社的理论和党规的认识，以及你对党在此情形下会要你怎么说的判断。温斯顿老于此道。有时他甚至受重托，订正《泰晤士报》全用新语写成的特稿。他把早些时间搁在一边的字条翻开来看。

泰晤士报一九八三·十二·三老大授勋双倍加非好涉及非人全改呈上层待存

上面这个指示，可用旧语（即标准英语）这样翻译出来：

《泰晤士报》一九八三年十二月三日有关老大哥授勋章的报道极为不妥，提及的人有些根本不存在。此文应全部改写，在归档前将草稿送上层请示。

温斯顿把这篇问题文章细心看了一遍。原来老大哥授勋那天的训令，主要是颂扬一个叫浮堡后勤会的组织所做的工作：供应香烟和其他物品给浮游堡垒的海军将士享用。老大哥特别点名提到的，是一位显要的内党党员，叫威瑟斯。那天拿到特殊成就二等勋章的就是这位同志。三个月以后，浮堡后勤会不知何故解散了。你也许会猜想威瑟斯及其同僚失宠了，可是报纸和电幕只字没提过。其实这也是正常的事，政治犯很少被公审或在公开批斗的场合露面。牵连千万人的大清算则是例外，但这是两年不超过一次的示范场面。在这种大公审出现的人，不是叛国者就是思想犯，你会在那个时候听到他们可怜兮兮地招认所犯的各种罪。过后，他们就蒸发掉了。在普通情形下，谁犯了党的清规戒律，从此在世界上失踪了就是。他们的命运究竟如何，你想找一些线索也找不到。有时失踪并不就等于死亡，虽然我们不知道实际情形。温斯顿认识的人中，不包括他父母在内，失踪了的就大概有三十个。

温斯顿用文具纸夹子轻轻地揉着鼻子。对面小室的蒂洛森还是老样子，嘴巴贴着录音书写器的话筒。偶尔抬头跟温斯顿对视，目光一样充满了敌意。温斯顿猜想蒂洛森现在埋头苦干的工作，说不定跟他的一样。这是极有可能的事，因为这么棘手的一份文件，绝不会交给一个人。但如果成立一个委员会专门办理此事，那无疑是不打自招，公开承认党在改史了。很可能现在有十一二个人各出计谋，给老大哥那篇演说词作定案，给他决定他实际说了什么话。这十一二个版本呈上后，内党中自有首脑人物从中挑选一份，然后再予修订。修订后，其他先前出现于各说法中的矛盾，就依此版本作必要的统一。此一经过加工的谎话就入了永久档案，成为事实了。

温斯顿不知道威瑟斯的问题出在什么地方。可能是贪污或无能。可能是老大哥要除去一个功高震主的部属。可能是威瑟斯的亲信中有异端思想分子，已被发现。但最可能的是，清算与蒸发乃大洋邦政府维护其政权不可或缺的一种手段。威瑟斯出了问题，说来也就这么简单了。那字条的指示中最关键的字眼就是"涉及非人"，这也就是说威瑟斯已经死了。如果一个人只是逮捕了，不会用"非人"的字眼。这些人会释放出来，自由自在地活一两年后再被蒸发。有时一些你认为已经死去的人，会像鬼影一样突然在公审场合出现，指控上千上万的人——然后就永远消失了。这时候他们才算"非人"。威瑟斯不同。他是"非人"，不存在，而且从来也没有存在过。温斯顿因此明白单是改变老大哥的口风是不成的，最好还是让他讲一些与威瑟斯和浮游堡垒工作风马牛不相及的事。

他可以让老大哥循例谴责叛徒与思想犯一番，但那样改史的痕迹太明显了。如果伪造前线一次辉煌战果或第九个三年计划超额增产的事，则要牵扯到一大串订正的手续。突然他脑中灵光一闪，一个好像事先已绘制好的形象浮现出来——在最近的战役中光荣牺牲的奥兹维同志。老大哥有时会在训令的场合中举一些身世寒微、地位不高的党员来做例子，勉励别人以他们的一生或死来做榜样。今天就让老大哥纪念奥兹维同志吧。不错，大洋邦本无奥兹维其人，但只消由技工组合出一张照片，加上两三行说明，不就可以把他带到世上来吗？

温斯顿沉思一会儿后就把录音书写器拉到面前来，开始用老大哥惯用的文体口述一番。这文体既富军人本色，也带学究气味。而且由于他说话有自问自答的习惯，他的演说词不难模仿。举个例子，他会这么自说自道："同志们，我们由此得到什么教训？那教训——也同时是英社基本信条之——就是……"

奥兹维同志三岁时，除了一面鼓、一支冲锋枪和一架模型直升机外，对其余玩具一律不感兴趣。六岁时，由于特别放松了标准的关系，他提早了一年加入探子团。九岁时选为队长。十一岁时他向思想警察告发叔父，因为他窃听到叔父的谈话，觉得他有犯罪倾向。十七岁时他是青年反性联盟的地区组织人。十九岁时他设计了一种手榴弹，旋为和平部采用，并于第一次试用时一举杀了三十一个欧亚国敌人。二十三岁时殉国。他在印度洋上空执行任务时，为敌机穷追猛打，迫得把机枪绑在身上以增加下沉重量，连同携带的重要文件一同跳出直升机葬身海底。这种光荣牺牲的方式，教人想来羡慕，老大哥说。最后老大哥还补充说了几句有关奥兹维同志思想纯洁与一心一意忠党爱国的精神。他一生烟酒不沾，除每天一小时在体育馆健身外，并无其他消遣。此外他还立誓独身一辈子，因为他深信婚姻生活和家庭负担与一天二十四小时献身工作岗位的志气难免有冲突。他谈话主题不离英社信条，而人生除了消灭欧亚国敌人，清除在大洋邦活动的间谍、倾覆分子与思想犯外，别无其他目标。

温斯顿口述到这里，盘算了一下究竟要不要授予奥兹维同志特殊成就勋章。最后想到这一来必增加许多文件上必须统一的矛盾，乃决定免了。

他又一次举头看了对面小室的对手一眼。他有一种感觉，蒂洛森正在忙的，也是同样的文件。虽然最后哪个人的版本会被上层接受无法逆料，但他深信自己的创作一定会被采用。一小时以前，奥兹维同志还未诞生，现在已成事实。这真是怪诞的事，他想，"无中生有"可以随心所欲，活人活事却不能造次。实际不存在的奥兹维同志，现在已名留青史。一旦"造史"这经过被后人忘记，奥兹维同志在历史上的地位，就会跟查理曼大帝或恺撒大帝的一样信实可靠了。

五

深处在地下的食堂，天花板很低。排队吃午餐的人慢慢移动上前。厅内已塞得满满的，嘈杂不堪。柜台后面的炉子传来饭菜的气味，酸酸的而带铁腥，难以掩盖胜利杜松子酒发出的酒精气味。厅内远远的一角有个小酒吧，其实只是墙上挖空的一个小洞，一毛钱可买一小杯酒。

"呀，正是我要找的人哪！"温斯顿背后有声音说。

他转头，原来是他的朋友赛姆，在研究科工作。也许"朋友"两字用得不妥。今天朋友已不存在，只有同志。但有些同志比别的同志让你比较乐于接近。赛姆是语言学家，长于新语。他现在正和一大群语言学家忙于编辑第十一版新语辞典。他个子比温斯顿瘦小，黑头发，大而鼓突的眼睛有时看来神伤得很，但有时却满带嘲弄意味，特别是他跟你说话，要研究你面部表情的时候。

"我只想问你有没有多余的刀片。"赛姆说。

"没有，"温斯顿以微带负疚的心情急急地说，"我什么地方都找过了，好像这东西已不存在。"

几乎每个人都问你要刀片。实际上他还有两片备而不用的。过

47

去几个月闹刀片荒。官家的店子随时随地缺少某项必需品的供应，有时缺的是纽扣，有时是毛线或鞋带。现在是刀片。如果这些东西还存在的话，那你真要踏破铁鞋，往"自由市场"去找。

"我那片刀片用了一个半月。"他口是心非地补充说。

队伍又向前移动了几英寸。停下来时他转身又面对赛姆。他们分别从柜台末端那堆金属托盘中取下一个来，摸着还有点油腻腻的。

"昨天你去看战俘处绞刑了没有？"赛姆问道。

"没有，我那时正忙，"温斯顿淡然地说，"也许看纪录片时会看到吧。"

"那根本不是同一回事了。"赛姆说。

他用嘲弄的眼神看了温斯顿一眼。"我了解你，"他的眼睛好像在说，"你的心事我怎会看不穿？我当然明白你为什么不去看那些家伙吊死。"在政治认同方面，赛姆正统得近乎恶毒残忍。他跟你讲大洋邦飞机空袭敌人村落、公审思想犯和他们招供的细节，或在仁爱部执行的死刑，口气和神色总显得那么悠然自得，令人无法忍受。如果你不想听这种话，只有把话题岔到新语，尤其是比较专门的问题上去。在这方面他是权威，说得头头是道。温斯顿微微别过头去，躲开他黑色大眼审视的目光。

"昨天的绞刑还算可以，"赛姆带着回想的口吻说，"可惜的是死人的脚缚起来了。我要看的就是他们摇身踢脚的时候。当然，还有在他们断气前把舌头——很蓝很蓝的舌头——吐出来的刹那。我最欣赏的就是这些细节。"

"下一位！"穿着白围裙、手执长柄勺子的同志嚷道。

温斯顿和赛姆把托盘推前，那同志就动作快捷地把午餐定食倒下来：一小碟煮得稀烂呈淡红淡灰的碎肉瓜菜、一块面包、一片奶酪、一杯无牛乳拌调的胜利咖啡和一粒糖精。

"在电幕前那边有空台子，"赛姆说，"我们先买些杜松子酒吧。"

酒吧的同志给他们用无耳的瓷器杯子盛酒。他们小心翼翼地穿过拥挤的厅堂，把托盘在金属面的台子上放下。台子的一角有好像是前一位食客吐出来没擦去的残羹。温斯顿举起杯子，顿了顿做心理准备，然后一口把那杯油腻腻的液体灌下。眼泪从眼睛渗出来后，他突然觉得饿了。他一调羹一调羹地把那类似糨糊的东西往嘴巴送。里面那些软得像海绵一样的粉红小方块准是肉类的一种了，他想。两人在吃完小碟子所盛的东西前，一直没有再说过话。温斯顿左边后面有人喋喋不休地说话，声音沙哑，像鸭叫。大概正因此音与众不同，厅堂内虽然嘈杂，还是一样清晰刺耳。

"辞典编得怎么样了？"温斯顿提高声音问。

"慢得很，"赛姆说，"我负责的是形容词部分。这东西够迷人。"

一提到新语，赛姆马上神采飞扬起来。他把小碟子推到一旁，纤细的手一只拿起面包，一只执着奶酪，弯着身子靠近台面说话。为了不想叫喊，只好这样跟温斯顿交谈了。

"第十一版是确定本了。"他说，"我们的目的是把新语修到化境，到时每人除新语外再不会说别的了。工作完成时，像你这类人就得从头学起。我敢打赌，你一定以为我们主要的任务是创新词。那就大错特错了。我们在消灭词汇，每天毁掉的数以百计。我们要把语言的渣滓除去，务使第十一版所收的词，没有一个会在二〇五〇年以前过时的。"

他像饿坏了似的啃着面包，吞了两口后，继续以一种学究式的热情说下去。瘦黑的脸骤然充满生气，连嘲弄的眼光也收敛起来，他现在的神情真是如醉如痴。

"把多余的词删掉，呀，这感受美得可以。文字中最大的浪费自然要算动词和形容词，但名词中也有不少可以省掉的。同义词可省，反义词也何尝不可以省？任何一个形容词本身就可以变换为反义，何必节外生枝地另外用一个词？就拿'好'来说吧，既有'好'这么一个词，'坏'就用不着了，是不是？说'非好'不就成了吗？不但成，而且比'坏'还要准确，因为'非好'才是'好'的反义。或者，你要表达'好'的各种不同程度，那也易办，绝对用不上'优秀'或'精彩'诸如此类多余的词。'加好'就包含了这一类形容词的意思。如果你再要强调多'好'，那也成，说'双倍加好'就是。不错，我们目前偶尔也采用这种形式，但到确定本完成时，这就是唯一的形式了。那个时候，全部有关好坏的观念都用六个词来表达：'好'，'加好'，'双倍加好'；'非好'，'加非好'，'双倍加非好'。但实际上，你知道，只有一个词。你说吧，这是不是一种美得可以的感受？对了，这主意原来是老大哥的。"他好像一时想到才加了这么一句话。

温斯顿一听到赛姆提到老大哥时，脸上马上露出一种热切的神情。可是赛姆也马上察觉出温斯顿并不热心。

"你对新语并不真心赏识，"赛姆用近乎忧伤的口吻说，"即使你写的是新语，心中想的还是旧语。你在《泰晤士报》发表的文章，有些我拜读过，实在不错，可惜在我看来这不过是翻译。新旧比对之下，看来你还是爱用含义模糊、语言繁冗的旧语。难怪，你不懂得消灭多余的文字是多美的一回事。你知不知道新语是世上唯一词汇每年减少的语言？"

温斯顿当然知道。但他没有搭腔，恐怕说溜了嘴，只淡淡地笑了笑，希望对方看来这是深有同感的表示才好。赛姆又啃了那块灰黑的面包一口，嚼了嚼，然后继续说：

"你没想到吗，新语的最后目标是把思想的范围缩小。到时要犯思想罪也不可能，因为根本没有语言构成异端邪说。每一个需要表达的观念都可以由**一个**词正确地表达出来。对了，一个词——言简意赅，绝无任何附会可能的一个词。什么草蛇灰线、雾里看花的旧把戏，忘的忘了，删的删了。这个境界，十一版已快达到了，但这种毁词的工作，你我死后还会继续下去。词汇每年减少，而我们意识的活动范围也相应缩小。当然，即使在目前，我们也没有理由或借口犯思想罪。这是个人的约束和现实控制，不过到那时候，连这个也用不着了。语言改革臻至善境时，革命也就完成了。新语是英社而英社就是新语。"说到这里他顿了顿，然后露出近乎神秘的满足感，补充说，"老兄，你有没有想过，到二〇五〇年，不会再晚了，世界上再没有一个活着的家伙听得懂我们今天的谈话了！"

"除了……"温斯顿用怀疑的口吻说了一半就顿住了。

他本想说"除了无产者"，只是他不敢肯定这句话是否不存异端成分，因此住了口。赛姆可猜出了他滑到嘴边的话。

"无产者不是人。"赛姆毫无顾忌地说，"到二〇五〇年，可能要更早些，我们所有有关旧语的知识不复存在。旧文学那时已烟消灰灭。乔叟、莎士比亚、弥尔顿、拜伦，这些人的东西只在新语版出现了，不但改了，而且改得跟他们原来说的意思相反。改的不限于旧文学，党的文字也得改，包括口号与标语。自由的观念已经废除了，你还说'自由是奴役'，谁懂？整个思想的习惯会完全不同。

其实，以我们今天所下的定义看，到时没有思想。思想正确就是没有思想，不必思想。正统思想是无意识。"

　　总有一天，温斯顿突然想道——而且深信这想法错不了，赛姆会被蒸发掉的。他太聪明了，看得太清楚，说话又没遮拦。党不喜欢这种人。有一天他会失踪，他的命运已刻在脸上。

　　温斯顿已把面包奶酪吃完。他在椅子中略微移动身子去喝咖啡。左边台子那个声音沙哑的汉子，仍喋喋不休地聒聒叫着。背对着温斯顿的是个年轻的女人，大概是他的秘书吧。那汉子说一句，她恭听一句，而且看来无事不表衷心赞同的样子。温斯顿不时听到她说"你讲得**对极了**，我**完全**同意你的意见"，声音听来青春活泼，虽然柔美得近乎傻兮兮的。但不管她在讲什么，那汉子还是滔滔不绝地聒聒下去。温斯顿认出来了，他在子虚部工作，地位颇高，但所知也仅此而已。他看来约摸三十岁，喉头大，嘴巴部分的表情特别灵活。他微扬着头。由于他所坐的位子的关系，他那双埋在眼镜片后面的眼睛反射着灯光，在温斯顿看来像两个空白的小圆盘。更可怕的是，他虽然像连珠炮似的叫个不停，你连一个字也难听得清楚。就这么一次温斯顿听到半句话："……最后完全消灭戈斯坦。"这半句话说得又急又快，像一行新铸出来的完全没有标点符号的铅字。其余温斯顿能听到的，就是聒聒、嘎嘎、聒——嘎。那汉子实际说了些什么你虽然听不清楚，但谈的内容，你用不着猜也知一二。他要不是痛斥戈斯坦，就是在说思想犯和阴谋破坏分子这类人应用更严厉的手段对付，再不然就是力数欧亚国军队暴行之不是，也可能在称赞老大哥的为人，或者是在马拉巴前线服务的英雄。不过，他在说什么都没有分别，因为你可以肯定他用的每一个词都是思想正确的，非常"英社的"。温斯顿看着那张无眼的脸的嘴巴上下移动时，忽然产生异样的感觉：眼前说话的不是一个人，而是一个可以发出声音的木偶之类的东西。声音不受大脑操纵，仅是声带的振动。振动出来的东西虽用文字组成，但不能说是语言，只是无意识状态下发出来的声音，犹如鸭叫。

赛姆久久没有说话，正用调羹柄在台角那摊菜汁上无聊地画花纹。隔台那个鸭叫声还是聒聒不休。

"在新语中有一个词，"赛姆说话了，"我不知道你听说过没有，那就是'鸭语'，其话如鸭叫的意思。这个词有两种完全矛盾的意义。如果敌人鸭语，就是废话；如果与你见解相同的人鸭语，那是称赞。"

毫无疑问，赛姆早晚要被蒸发掉的，温斯顿不禁又想道。他觉得有点黯然，虽然他明知赛姆瞧不起自己，甚至不太喜欢自己。如果找到什么证据或理由，赛姆绝不会犹疑指控他为思想犯。可是这个人不知怎的就是有点问题：他粗心大意，不懂得"若即若离"和"大智若愚"这两句话所包含的处世之道。你可不能说他思想有问题；他奉信英社的训条，崇拜老大哥。打胜仗了，他欣喜若狂。他仇视异端分子，态度热情而诚恳，对他们的一切了如指掌，这就非一般党员能及了。虽然如此，他还是予人一种不太守本分的感觉。不该说的话他说了，书看得太多。这还不算，他居然常去泡栗树咖啡馆，那个画家和音乐家最爱去鬼混的地方。没什么法律——明的没有，暗的也没有——规定你不能到那儿去，只不过那地方实在有点儿邪门而已。不少如今名誉扫地的党的领袖，在未受清算前就是那咖啡馆的常客。据说戈斯坦几十年前也光顾过呢。赛姆的命运如何也就不问可知了。但如果他此刻捉摸到温斯顿的心事，他会马上转身，向思想警察告发。其实别人也不例外，只是赛姆比别人行动更快而已。空怀对党一腔热诚还不够。赛姆自己不是说过吗，最正确的思想就是无思想、无意识。他早晚要出问题的。

赛姆抬起头来，看了一眼，接着说："柏森斯来了！"

听他的口吻，几乎恨不得加一句："那大笨蛋来了！"柏森斯就是温斯顿在胜利大楼的邻居。现在果见那金发、青蛙脸、中等身材的邻居摇着水桶似的身子越过拥挤的厅堂前来。才三十五岁的年纪，肚皮和脖子已长了一层层肥肉，只是动作还算敏捷就是。他整个外貌就像一个发育过早的大孩子，因此他穿的虽是套头制服，你无法不联想到他穿的实际是探子装：蓝短裤、灰衬衣、红领巾。你闭起眼睛也可以看到他这个形象：胖乎乎的膝盖与卷起袖子露出来的浑圆胳膊。此形象并非虚构，因为每逢公社旅行或任何能找到借口参与的运动场合，他都一定穿短裤。柏森斯兴冲冲地跟温斯顿和赛姆打过招呼，就一屁股坐下来。怕人的汗臭已开始散发，粉红的脸冒着汗珠。他的汗腺一定特别发达。在公社中心的运动室里，你只要看看乒乓球拍子的把手是否湿润，就可知他有没有来过了。赛姆掏出了一张印满了字句的条子，捏着墨水笔，一本正经地研究起来。

"你瞧嘛，吃午餐不忘工作。"柏森斯用肘子推了推温斯顿说，"喂，老学究，你看的是什么东西，这么着迷？准是我看也看不懂的。哦，对了，史密斯，你知道我为什么找你？你忘了捐款！"

"捐哪种款？"温斯顿边问边本能地摸口袋掏钱。每个人的薪水约有四分之一是要拿出来做自愿捐款用的，但名堂这么多，温斯顿一时不记得他答应了捐什么。

"每家每户要负责的仇恨周基金呀！本人就是我们区的财务员，我们决定要轰轰烈烈搞一搞。让我告诉你，胜利大楼到时一片旗海，全区无处可比！你说过捐两块。"

温斯顿找到了两张又脏又皱的纸币，交了过去。柏森斯慎重其事地用文盲字体一笔一画地在记事本上记下来。

"对了，听说我家那个小流氓用弹弓打了你。我修理了他一顿，告诉他下次再犯，就把弹弓没收。"

"我想是因为没看到绞刑，他才这么不高兴吧。"温斯顿说。

"呀，说的是，说的是，这正是他爱国精神的体现，对不对？实话说，我那两个小家伙顽皮是顽皮极了，但一谈到对党的热忱，那是另外一回事。他们一天念念不忘的，就是探子团的活动和斗争。你知不知道我那宝贝女儿上星期六到伯哈斯德郊游时做了什么好事？这是探子团的集体行动，对不对？她居然找到了两个女团员跟她一起溜队，跟踪一个陌生人两小时。穿过树林到达阿米萨姆时，她们就把他交给了巡逻警察。"

"她们干吗跟踪他？"温斯顿有点吃惊地问。

"我那孩子肯定他是敌人的探子，"柏森斯得意地说，"就譬如说他是跳降落伞下来的吧。但最要紧的一点是，你知道她怎么想到要跟踪他的？她说他穿的鞋子怪得很，她从来没见过。她由此推论他是外国人！才七岁的小鬼，脑筋满灵的呢，是不是？"

"那人后来又怎样了？"温斯顿问。

"这个我就不知道了，可是如果他被这个的话，我一点也不会觉得奇怪。"柏森斯边说边做了一个瞄准步枪的姿势，然后舌头发出咔嗒一声。

"好极了。"赛姆心不在焉地说，眼睛一直没离开那张字条。

"实话说，这种事我们真的不能疏忽。"温斯顿也只好附和着说。

"我要说的，就是这意思，现在是战时哪！"柏森斯说。

好像是要证明柏森斯说的不是废话，他们头上的电幕喇叭声大作。但这次奏的不是军事捷报的音乐，仅是迷裕部公告的前奏曲。

"同志们！"一个充满青春活力的声音喊道，"同志们请注意，我们有天大的好消息宣布。我们在生产的战线又打了一次胜仗。我们各种消费品生产的任务已经完成，证明了我们今年的生活水准比去年提高了百分之二十以上。今天早上大洋邦各地均有自动自发的庆祝游行，工人同志们离开工厂和办公室，到街上去高举大旗，欢呼感谢老大哥的口号，感谢他的英明领导给我们带来新而幸福的生活。以下是我们生产的数字：粮食类……"

"新而幸福的生活"这句话一再出现，这是迷裕部最近的口头禅。柏森斯的注意力受喇叭声所吸引，这时半张着嘴巴，煞有介事地全神倾听着。迷裕部的数字他是没法听懂的，只是下意识地知道，这一定又是值得庆祝的成就。他掏出一个又大又脏的烟斗来，里面半斗烟丝虽已烧得差不多了，却没有挖出来。烟草的配给额是一星期一百克，你又怎能常常把烟斗塞满？温斯顿小心翼翼地平拿着纸烟，稍微斜一下烟丝就会倒出来。新配给明天才开始，而他只剩下四根了。此刻他倾听着电幕泻出来的新闻和数字，离他较远的人声和鸭语就听不到了。看来好像还有人游行喊口号，感谢老大哥把巧克力的每周配给额提高到二十克呢。可是昨天不是才宣布过，配额减为每周二十克吗，这怎么可能？迷裕部的报告硬把"减"说成"增"，老百姓又怎会轻易相信？不错，他们相信了。柏森斯就像痴呆的动物一样，毫无困难地相信了。左边台子那无眼珠的木偶，更会热烈地、毫无异议地相信。不但如此，他还会不遗余力地去追查任何一个露口风说过上周的配额是三十克的人，查到了就检举，直到看到他被蒸发为止。赛姆呢，也相信了，虽然心态比较复杂，可能牵涉到双重思想。是不是只有我**一个人**还没有失去记忆的能力？温斯顿问自己。

电幕继续传来迷裕部公布的神话数字。与去年比较，今年我们有更多的食物、衣服、房子、家具、烧饭锅、汽油燃料、船只、飞机、书籍、孩子。总之，除了疾病、犯罪案件和疯狂病症没有增加外，其他什么东西都增产。每年每月每日每分每秒，每人每事都随着一片景气嗖嗖上升。温斯顿也学着赛姆刚才的样子，拿起调羹在台面那摊已蔓延四周的菜汁上长长地画了一条痕。他一肚子怨气地沉思着。他们现在过的物质生活，过去也是这个样子吗？吃的东西，是不是一向都味同嚼蜡？他的目光在饭厅浏览了一周。天花板低低的，人又拥挤，墙壁经过多少人在上面揩拭过，摸着黏黏腻腻的。金属做的台子椅子，残破不堪，排得密密的，你坐下来吃饭，无法不碰到旁人的肘子。调羹弯折，托盘缺口，杯子质料粗糙笨拙。杯盘外面油污未净，裂缝藏污纳垢。饭厅浮荡的气味集各种酸臭之大成：劣质杜松子酒和咖啡的气味、瓜菜肉汁的铁腥味和食客穿的衣服的脏味。你的肚子和皮肤每时每刻都向你抗议，使你觉得像被剥夺了一些本来属于你的东西。不过，说起来在他的记忆中，过去的日子跟现在也没有什么显著的分别。自他能够清楚地记事开始，好像从来没有过足够吃的一天。袜子和内衣裤总是那么百孔千疮，家具摇摇欲坠，房子暖气不足，地铁拥挤，楼房尽见断瓦残垣，面包灰黑，茶叶难得一见，咖啡味如洗碗水，香烟供量不足——而除了用化学原料制成的杜松子酒大量廉价供应外，其他不是缺货就是价格惊人。自然，这种情形到你年岁增长、体力日衰时，滋味会分外不好受，但这不正也表示了这种生活一点也**不**正常吗？脏乱不堪的环境、物质的匮乏、无休无止的冬天、湿黏黏的袜子、难得运转正常的电梯、洗澡无热水、岩石一样的肥皂、卷得松兮兮的纸烟和食而无味的饭菜——你一想起，心就下沉。这是正常现象吗？我们一定有某种隔代遗传的记忆，晓得从前的东西不是这样的。否则我们为什么一想到现状，就觉得事事难以忍受？

温斯顿又在饭厅四周看了一次。几乎每个人都丑得可以，即使不穿套头蓝制服而改穿其他衣服，还是一样的丑。饭厅远远的一角，一个身材瘦小、相貌极似甲虫的男子独据一桌，默默地饮着咖啡，小眼睛不时疑神疑鬼地溜来溜去。如果你不好好地看看，你真会相信党为大洋邦男女立的典型——身材高大、孔武有力的少年男子，胸脯健美的女子，个个金发，皮肤晒得红润，充满青春活力，无忧无虑——不但存在，而且普遍得随处可见。这真是神话，温斯顿想。其实以他的眼光看来，大部分居住在一号航道的居民，都是矮小、黝黑和其貌不扬的。怪的是政府各部门多的是甲虫类型的男人。他们个子矮小，未到中年就发起福来，两条短短的腿行动还算灵活，嵌着两粒小眼珠的厚肉脸上却毫无表情。只有这类人在党的统治下还是活得好好的。

电幕响了一阵喇叭声，原来迷裕部的公告已毕。接下来是轻音乐。柏森斯显然是被刚才报出的数字迷住了，从嘴里拿开烟斗。

"迷裕部今年的成就可不赖呵。"他善颂善祷地摇着脑袋瓜，"对了，史密斯，你有没有多余的刀片借我？"

"抱歉，"温斯顿说，"我自己那片已用了六个星期。"

"唔，我也只不过问问而已。"

"真抱歉。"温斯顿又说了一遍。

邻座的鸭语刚才停了一阵，此刻卷土重来，音色胜前。不知怎的，温斯顿突然想起了头发疏落、尘埃满面的柏森斯太太。不消两年，她的孩子就会向思想警察检举她，她会被蒸发掉。赛姆会被蒸发掉。温斯顿自己会被蒸发掉。奥布赖恩会被蒸发掉。柏森斯呢，他不会的。那个无眼说鸭语的木偶也不会。那些行动敏捷，在政府机构走廊内进进出出的甲虫人永远不会被蒸发。而那个在子虚部工作的黑发女人，她永远也不会被蒸发。温斯顿好像有第六感似的，知道谁可以保住性命，谁难逃大限。可是究竟怎样才可以保住性命，却又不易说出来。

这时他突然从沉思中惊醒。左边台子的女郎半转过了身，睨着他。原来她正是黑发女郎！她虽然只是侧脸看他，目光一样炽炽迫人。一见温斯顿也打量着她时，就别过脸去了。

温斯顿脊背冒着冷汗，吓得浑身发抖。虽然一下子就镇静下来，但心中还是惴惴不安。她觑着他干吗？为什么她老是跟踪他？可是他记不起她是比他先来的，还是他坐下来后她才出现的。但昨天"两分钟仇恨"节目时，她不是就坐在他后面吗，这又为什么呢？她的真正目标，可能就是要听听他宣仇泄恨时的声音够不够洪亮。

他早些时候的想法又重现了：她也许不是正规的思想警察，而糟糕的正是这个，因为业余探子更为危险。他不知道她盯了他多久，大约五分钟的样子吧，而在这五分钟内，说不定他面部的表情不很"正确"。在公共场合或电幕视线之下胡思乱想，是最危险不过的事了。一个小小的动作有什么不对，人家就把你看穿了。譬如说你面部抽搐一下、无意露出来的焦虑之情、喃喃自语的习惯——总之，任何显出反常迹象或意图隐瞒的动作，都可看作包藏祸心的证据。表情不当——譬如说电幕传来前方捷报时你却露出一脸不肯置信的神情——是刑罪之一种，新语叫"脸罪"。

黑发女郎又背对着他坐了。也许她并不是真的要跟踪他，一连两天跟他这么接近，说不定只是巧合而已。纸烟已熄，他小心地把未燃烧的一截搁在台边。如果烟丝不掉出来的话，下班后再抽。左边台子前的那个木偶可能是思想警察派来的探子，因此说不定三天内他就会在仁爱部的牢房受刑，但尚未抽完的纸烟绝不能浪费！赛姆把字条折好，塞进口袋。柏森斯又开腔了。

"我跟你说过了没有，史密斯，"柏森斯咬着烟斗吃吃笑问道，"我是说那两个小鬼把在市场内一个卖东西的老太婆的裙子烧了。为什么？因为他们瞧见她用一张印有老大哥照片的招贴纸包香肠！他们偷偷走到她背后，烧了一盒火柴！我想伤势一定不轻呢。真是小流氓作风，是不是？可是他们的热忱真感人。今天探子团给他们的训练确是一流，比我们那个时候还要好。你猜他们给小鬼的最新配备是什么？钥匙孔窃听筒！前天晚上我那小丫头带了一个回来，就在我们客厅做实验，过后说她用这筒子来听，比平常清楚一倍。当然，这不过是一种玩具，但主意实在正确不过，对不对？"

这时电幕发出刺耳的哨子声，是回到工作岗位的时候了。三个人连忙站起来，跟着人潮拥到电梯旁边去。温斯顿剩下那截纸烟的烟丝已全部抖了出来。

六

温斯顿在日记中写道：

　　三年前。漆黑的晚上。靠近某火车站一条狭小的横街上。她站在一扇小门的旁边。街灯昏暗，几乎没有光线。她面孔年轻，虽然脂粉极厚，吸引我的正是白白的脂粉，有如面具。还有红唇。女党员从不擦脂粉。街上无人，无电幕。她说两块钱。我——

　　实在无法写下去。他闭起眼睛，拼命用手指揉眼皮，真希望能把一再出现的景象抹去。他几乎忍不住要大声喊粗话，再不然就是以头撞壁、踢翻桌子或把墨水瓶摔出窗外。总之，如果能够把一直折磨着他的记忆擦去，他愿意做任何横蛮、暴乱和痛苦的事情。

　　你最大的敌人，他告诉自己，就是你自己的神经系统。你心中积压的紧张情绪，随时随地会变为表面的征象。他想起了几星期前在街上遇到的男子。他是个面貌寻常的党员，三十多四十岁，高高瘦瘦，携着公文包。他们两人的距离大约还有几米，那男子的左脸突然起了一阵痉挛。他们擦身而过时，痉挛又出现了。只是那么轻轻地抽搐一下，颤动一下，像照相机快门一样快，而且显然还是习惯性的，可是温斯顿当时禁不住这么想：这家伙完蛋了。最可怕的当然是那男子对自己面部表情的活动，完全没有知觉。推而广之，梦呓因此也是最危险不过的事了，你根本无法防止。

他深深地吸了口气，继续写道：

> 我随着她穿过门廊越过后院到了一个地下室厨房。靠墙有床，台上有灯。灯光很暗。她——

他咬着唇，真想啐一口。跟着这女人到地下室厨房的同时，他想起了凯瑟琳，他的太太。温斯顿已婚，或最少是已结过了婚。总之他是有妇之夫就是，因为据他所知凯瑟琳还活着。此刻他又好像闻到地下室厨房那阵闷人的气味了，那是臭虫、脏衣服和廉价香水的混合气味。香水虽然难闻，但对温斯顿来说仍有一种吸引力，因为女党员从来不用香水，最少你不敢想象到她们会用香水。只有无产者才搽这个。在温斯顿的脑海中，香水和偷情是分不开来的。

他这次跟女人偷情，也是两三年来的第一遭。嫖妓当然不为"党法"所容，只是像这一类法例，有胆量的人有时还是不惜以身一试的。危险确有，但不会严重到送掉老命。捉到了，如果无前科的话，顶多劳改五年。只要避免给人捉奸在床，偷情的机会多的是。贫民区有的是等着卖身的女人，有的以一瓶杜松子酒就可以成交（无产者照规矩是不能喝这种酒的）。你甚至可以说党的态度是默许娼妓存在的，让实在无法完全压制的本能有个宣泄的机会。只要你偷偷摸摸地干，对象又是个受歧视阶级的女人，偶尔堕落一下也无伤大雅。还有一点需要注意：你可不能把这种性行为看作享受。党员之间乱搞男女关系呢，那就犯弥天大罪了。可是，虽然在大清算时被告承认的许多罪状中总有这么一项，实际上我们很难想象这种事真的会发生。

党之所以要防止党员私通，当然是怕他们一旦结成海誓山盟的关系，老大哥也控制不了。但真正的却又从不明言的目的是要把性行为产生的乐趣全部消除。在党的立场而言，爱情本属奢侈，但相较之下色欲才是罪魁，夫妻关系如此，婚姻以外的关系更如此。党员要跟谁结婚，得事先呈报"婚委会"通过，虽然从来没有说明过原则到底是什么。有时申请书打下来，非为其他理由，而是婚委会觉得这对男女爱的只是对方的肉体，因此碍难照办。当然，这也是不会明言的。要找借口，其他冠冕堂皇的理由多的是。男婚女嫁唯一被认可的目的就是制造小同志将来为党服务。基于这种理由，夫妇间应把性行为视作一种令人厌烦的小手术，如灌肠子。这也不是明文规定的，不过每个党员自孩提时开始就受到反性观念的熏陶，这倒是事实。青年反性联盟倡导的，就是禁欲思想和独身主义。所有小孩都应是人工授精的产品（新语称"人授"），出生后由公家机构养大成人。温斯顿虽然知道这种主张并不受重视，但大致来讲，倒与党的意识形态相当吻合。党的目的就是要消灭人类的性本能；消灭不了的话，最少也要歪曲真相，把性行为贬为脏得令人要吐的勾当。他也不知道党为什么要这样做。另一方面，他也觉得党反对性的本能一点也不足为怪。拿女党员来说，党用的心机可说是成功了。

他又想到凯瑟琳。他们分手快有九年，十年——十一年了吧？真怪，他想到她的时候并不多呢。有时他居然忘了他是结过婚的人。其实他们相处的日子，不过十五个月。党不准夫妇离婚，但如果没有孩子，倒鼓励分居。

凯瑟琳是个身材高大、腰板挺直、金发、姿态妙曼的女人。她的脸开扬爽朗，除非你知道她的底细，你会说这是个高贵的脸形。但这张脸后面实在空无所有。他们婚后不久，温斯顿就看出，凯瑟琳的脑袋是他所遇到的女人中最笨、最庸俗、最无思想的一个。当然，这也许因为他对她的认识，比其他人深入的缘故。她脑袋瓜里装的，除了口号外再无别的东西了。而党交给她的任务或指示，不管怎样荒谬绝伦，她一字不改地全部接受下来。"真是一条活声带。"他心中就给她起了个"活声带"的诨号。但如果不是因为一个最大的障碍，他还是可以跟她相处下去的。那障碍就是性生活。

他的手一触摸到她的肌肤，她不是连忙退缩，就是浑身僵硬起来。你拥抱这个女人时的感觉，就像拥抱木偶一样，只是这个木偶的四肢都可以活动而已。最为奇妙的是，即使她紧紧地搂着你，你竟会同时觉得她正尽全力把你推开。也许这是她硬邦邦的身体给他造成的错觉吧。她总是挺卧在床上，紧闭眼睛，既不反抗也不合作——对的，她在**献身**。温斯顿开始尴尬异常，随后又觉得恐怖极了。虽然如此，他相信这种婚姻还可以忍受下去的——如果大家都有默契，今后断绝房事的话。可是，令人难以相信的是，凯瑟琳不肯这么做。她说要生一个孩子。就为了这样，她的献身仪式每周如期上演一次，只要他能有反应的话。那仪式要降临的那天早上，她还会特别提醒他，好像这是一件当天晚上绝不能忘记的公事。她对这公事有两个称谓，一是"生孩子"，二是"尽我们对党的责任"。没错，她真的说过后面那句话。没多久，只要她献身那天一到，他就惶惶然不可终日。幸好一年下来还是没有孩子，后来凯瑟琳也答应不必再试了。不久他们也就分手了。

温斯顿微喟一下，执起笔来继续写道：

她倒下床来，一点也没有给你作心理准备或什么的，就用最粗糙最恐怖的方式，以迅雷不及掩耳的动作拉起裙子。我——

他的思绪又回到地下室厨房去了。他站在昏暗的灯光下，一鼻子都是臭虫和廉价香水的味道。他心中压抑着的挫折感与愤怨之情，使他不禁想起凯瑟琳雪白的胴体来——那个为党的催眠力量永远冰封的胴体。为什么自己要这么作践自己？为什么自己没有一个属于自己的女人而迫不得已两三年出来一次跟又脏又臭的野鸡鬼混？但要跟一个女人真正地闹恋爱简直是不可能想象的事。所有女党员的心态都一模一样，她们的贞操观念犹如对党的忠诚一样牢不可破。孩提时代的熏陶，加上玩的游戏和冷水浴，在学校探子团和青年反性联盟又受到鬼话连篇的思想教育，然后再听演讲、游行示威、喊口号、听军乐——你说她们心中怎可能留存一份常人的情感？他的理智告诉他事情总有例外，只是他的心不肯相信而已。她们的感情刀枪不入，这正是党所乐见的。温斯顿热切盼望的，就是要推倒女党员这面"贞操墙"；只要一生能推倒一次，于愿已足。他当然希望有女人爱他，但这个"破墙"的意念，此刻比被爱还要热切。能够好好地跟一个女人行一次房事，就意味着造反成功了。欲念是"思罪"。虽然凯瑟琳是他妻子，但如果他有办法引起她这方面的兴趣，也形同诱奸。

故事还没完，得写下去，他想。

我把灯扭亮了一点。当我在灯下再看到她时——

　　在暗里站了一会儿后，煤油灯的灯光也觉得分外明亮。这次他才清楚地看见面前的女人。他向前走了一步，马上又停下来。情欲与恐惧在心中交战着。他晓得来这里偷情是多冒险的一回事，说不定他一出大门就被巡逻警察抓去。很可能他们这会儿就在门口等候了。可是，如果他不干那事此刻转身就跑——

　　这非得记下来，非得坦白招供不可。这时他突然看到，灯下的女人原来是个**老太婆**！她脸上的粉涂得厚厚的，令人担心它会像夹纸板制的面具一样，随时会折裂。她的头发已斑白，但最恐怖的部分倒是她嘴巴微张的时候——里面是个黑黑的洞穴。她的牙齿掉光了。

　　他引笔疾书：

　　　　当我在灯下再看到她时，才发觉她已是上了年纪的女人了，少说也有五十岁。可是我还是干了。

　　他又用指头揉着眼睛。写是写下来了，但感觉上没有分别。预期的心理治疗效果没有达到。他要破口大喊脏话的冲动一点也没有降低。

七

（温斯顿写道）如果还有希望，只有寄托在无产者身上。

为什么希望**只在**无产者身上？因为大洋邦百分之八十五以上的人口是无产者，老大哥平日对他们疏于管教。摧毁党的原动力，理应由这里出来。党从里面是推翻不了的。党的敌人无法聚合，甚至互相辨识身份都无机会。传说中的那个兄弟会，果有其事的话，会员集合在一起的人数，极其量也不会超过两三个。对这种人来说，造反不过是交换一个眼色或改变一下说话的声调，最了不起也不过偶尔匆匆地低声说一两句话。无产者不同，只要他们了解到自己力量多大，行事就不必偷偷摸摸。他们只要集体站起来，像马一样把身上的苍蝇抖去就成了。他们了解到自己的力量而又决定行事的话，明天早上就可以把整个党瓦解。他们早晚应该会想到的。可是——

他记得有一次在一条拥挤不堪的街上走着，前面巷子突然传来千百个女人呼叫的声音。那是交杂着愤怒和失望的声音，"噢——呀——呀——噢"地像钟声的嗡嗡回声不绝。他的心怦然一跳。来了！他想。这是暴动！无产者终于觉醒！他走到闹事地点时，只见两三百个女人围绕着露天市场的摊子争吵。她们脸上露出哀戚之情，直像一条沉船的乘客。可是这一刻她们普遍失望的情绪已化为零星的争执。事情起因于这里一个摊子在卖锡制的平底锅。这东西质量低劣而不牢，但烧饭菜的工具一直就不容易买到。现在居然意外地有供应，难怪拿到锅子在手的几个女人拼命地要杀出一条血路来！其余买不到的，就缠着摊主不放，不是骂他对顾客不公平，就说他一定在什么地方有存货未拿出来。又听到尖声嘶叫了。两个面目肿胀的女人，其中一个头发吊在眼前，各不相让地为同一个锅争吵，你一拉我一扯，最后锅柄也脱下来了。温斯顿看在眼里，觉得恶心极了。可是他注意到，几百个喉咙同声发出的怒吼，真怕人呵。这些喉咙如果能为比这更重要的事怒吼一次就好了。他又写道：

　　如果他们一直不知不觉，不会造反。只有造了反以后才会知觉。

　　这两句话真像从党的册子搬过来的，他想。他们自然一直宣称把无产者从各种桎梏解放出来的，就是党。在解放前，无产者受尽资本主义者的折磨。他们挨饥抵饿之余，还受皮肉之苦。女人被迫下煤矿坑工作（现在也是），小孩不到六岁就卖到工厂去做苦工。可是在同时，党又教导党员说，无产者是天生的低等动物，得要实施若干简单的法例，以便控制他们。这说法并不矛盾，不过是双重思想原理的运用而已。事实上党对无产者所知甚少——也不必知道得太多。只要他们工作不懈，继续生孩子，他们的其他活动也就不必多管了。你让他们自生自灭的话，他们就会像阿根廷平原的牛群一样，回复到一种他们认为是原始自然的生活方式，类似先民过的日子。他们出生后，在贫民窟长大，十二岁开始工作，度过短短一段青春发育期后在二十岁结婚，三十岁就踏入中年，而大半死于六十岁。他们一天烦恼或记挂着的事，不外是消耗体力极多的工作、养儿育女、整理家务、为芝麻绿豆的事跟邻居吵架、看电影、足球和喝啤酒，而兴趣最浓的是赌博。管理这类人并不困难，在他们的圈子中埋伏几个思想警察就成。他们的任务是散布谣言，把有问题的危险分子暗记下来，机会一到就把他们蒸发掉。但党可从没有给他们灌输英社的意识形态。无产者实在并不需要强烈的政治意识。如果他们能保持原始的爱国思想，在必要时可借报国之名，要他们加长工作时间或接受更少的配给，那已经够了。即使他们有时不满现状，也不会带来什么麻烦，因为他们本来就没有什么概括性的思想，他们不满的事实因此也有一定的范围。真正值得他们大鸣大叫的罪恶，他们倒没有注意到。大部分的无产者家中，连电幕也没有。无产者的日常生活，民防警察也很少管。伦敦的犯罪案件相当多，黑吃黑的小偷和强盗以外，还有娼妓、毒贩和各式各样敲诈勒索的骗子。但只要犯罪案件在无产者阶层中发生，就没有什么值得大惊小怪的了。凡是与道德问题有关的事件，无产者均可依照自己祖先遗留下来的律法去裁夺。不但如此，党员所过的清教徒般的性生活，也没有强迫他们接受。他们即使乱搞男女关系，也不会受到惩戒。他们要离婚也可以。从上面的事实看，如果无产者表示了意见，觉得需要宗教生活，那么他们一样会享受到信仰自由的。你实在不必猜疑他们有什么越轨行动。正如党的一句口号所说："无产者和动物都可以为所欲为。"

温斯顿俯下身去抓静脉曲张患处。又痒起来了。说来说去，还是无法知道解放前的生活是个什么样子。他从抽屉取出一本跟柏森斯太太借来的儿童历史书，在日记上抄下这一段：

在从前，在光辉灿烂的革命还没有完成以前，伦敦不是我们今天所看到那么漂亮的。那时候的伦敦，黑暗、肮脏、可怜透了。住在那儿的人，没有几个吃得饱。许许多多的人没有鞋子穿、没有房子住。比你还要小的孩子，每天要工作十二小时。主人家凶透了。工作稍微慢一点，就要挨皮鞭抽打。吃的东西呢，只是发了霉的面包和清水。在这贫穷肮脏的环境中，却有一些富贵人家住的豪华房子，每家都有三十来个人侍候。这些有钱人就叫资本家。他们又肥又丑，脸生横肉，就像下一页插图所描绘的样子。你看到了吗，他穿的那件长长的黑衣服就叫礼服，戴的那个状如烟囱的东西就叫礼帽。这就是资本家的制服，除了他们外别人是不许穿的。全世界每一样东西都归资本家所有，而每一个人都是他们的奴隶。他们拥有所有的房子、所有的土地、所有的工厂和所有的钱。谁不听他们的话，谁就得坐牢，要不然就是丢了工作，活活饿死。普通人要跟资本家说话，得打躬作揖，脱去帽子，恭恭敬敬地称呼他"大人"。这些资本家的头子就叫皇帝——

这故事下面要说的话都是温斯顿熟悉的。譬如说拖着细麻布长袖子的主教，穿着貂皮袍子的法官，折磨犯人的颈手枷、脚枷、皮鞭和各式各样的其他刑具，以及市长大人的宴会、跪吻教皇脚丫子的规矩。还有一样大概在小孩的书中不会讲出来的事：初夜权。资本家老爷欢喜，就可以跟任何一个在他工厂内工作的女工睡觉。

但你又怎知道上面所记的事，有多少是事实，有多少是谎言？如果说普通人的生活比革命前有改善，那**也许**还有几分道理。可是你骨子里的感觉，却告诉你这不是事实。你凭本能就知道目前的生活无法忍受，而从前跟现在一定有点不同。现代生活的特色，令你感受最深的，倒不是它的残忍面与朝不保夕的恐惧，而是生活本身成了荒凉、灰暗和落寞的代名词。只要你四周打量一下，就知道大家过的生活，跟电幕播出来的谎言固然风马牛不相及，跟党将来要实现的理想参照，也是遥遥不可指望。即使就党员的生活而言，大部分的时间都是在与政治毫无关联的琐事上浪费掉了。刻板的党事做完后，就到地铁上挤位子、缝补破袜、向别的同志乞讨一片糖精，再不然就是抢救有剩余价值的烟屁股。党所树立的未来远景巨大辉煌，到处都是钢筋水泥建筑物，机器庞大，武器杀伤力怕人。那时全国皆兵，个个思想极端、行动一致、口号相同。他们不断工作、打仗、取胜、迫害别人。三亿人口，但只有一张面孔。现实生活中所见的却不是这样。他们住的城市脏乱颓落，营养不良的市民穿着有破洞的鞋子走路，住的是失修已久的十九世纪房子，远远就闻到卷心菜的气味和破旧厕所所传出的恶臭。温斯顿眼前的伦敦，是个大废墟，摆着上百万个垃圾箱，其中有尘埃满面、头发稀疏的柏森斯太太，一筹莫展地看着那堵塞了的洗涤槽干焦急。

　　他伸手到足踝去抓痒。电幕夜以继日地向你的耳膜轰炸，举出数字证明今天的日子好过多了。食物和衣服的数量增加，居住的环境改善，娱乐节目也比以前精彩。总之，大家比五十年前的人活得长久些、工作时间少些、个子大些、健康些、强健些、快乐些、聪明些、受的教育也多些。党一说：今天成年无产者中，有百分之四十认得字；解放前，只有百分之十五而已。党又说：今天婴儿的死亡率，一千人中只有一百六十个；解放前，则有三百个。这等于一个方程式上的两个未知数。谁知道？说不定那些历史书上的记载，包括大众认为天经地义的事，真的是满纸荒唐言。他自己也不敢肯定究竟有没有涉及初夜权的这种法律，或者资本家这类人究竟存不存在，究竟有没有礼帽这种东西。

什么事都在烟雾中散去。历史已一笔勾销，不留痕迹，谎言变为真理。他生命中只有一次抓到足以证明党改史的确实证据。那是**事发后**才弄到手的，这才宝贵。他把那文件捏在手上捏了半分钟。那该是一九七三年吧，总之约摸是他跟凯瑟琳分手后不久的事。但真正与这事情有关的日期，应推回七八年前去。

这故事应从六十年代中说起，那时大清算运动进行得如火如荼，许多原来的革命领袖都在那时期清除了。到了一九七〇年，除了老大哥外，其余一个也没留下来。各领袖不是被判叛国罪名，就是反革命罪。戈斯坦逃了，躲在什么地方谁都不知道。有些人失踪了。但大部分人被抓了去公审，认了罪后就蒸发掉。保留了性命的有三人：琼斯、阿诺逊和卢瑟福。他们被捕时，一定是在一九六五年。正如以前发生过的案子一样，他们失踪了一年多，死活不知，突然又出现公开自己的罪行，包括通敌（那时的敌人也是欧亚国）、盗用公款、谋杀党的亲信同志、阴谋倾覆老大哥早在革命前就已被肯定的领导权、捣乱破坏导致千千万万的人无辜牺牲。他们招认了以后，党不但颁了特赦令，而且还恢复了他们党员的身份，安排了听来冠冕堂皇但实际上是虚衔的工作。三个人都在《泰晤士报》上发表了声泪俱下的悔过书，分析自己离经叛道的原因和经过，最后答应一定要将功赎罪。

这三个人被释放了以后，温斯顿在栗树咖啡馆也见过他们。这三个人物实在太有传奇性了，但他虽然好奇，却只敢用眼角瞧他们。他们比他年纪大多了，可说是古老世界的遗物，党英雄史迹最后的样本。在他们的身上，你还可以看到当年党打游击和干地下活动时光辉记录的余绪。虽然有关他们生平的记载在那时候已经模糊，在温斯顿的印象中，这三个人成名要比老大哥早。事实是否如此，现在倒无关紧要了。他们是罪犯、敌人和贱民，一两年内准会在这世界上消失。没有一个落在思想警察手里的人逃得了大限的。他们实在是等着人家送回坟墓的尸体。

他们坐的台子附近没有别的酒客。大家都避免靠近他们，免受怀疑。三人默默坐着，面前摆着三杯掺了丁香叶的杜松子酒，这是栗树咖啡馆的出名饮料。三人中卢瑟福的外貌予温斯顿的印象最深。他原是极有名气的讽刺漫画家，线条锋利如匕首，在革命前和革命时期的作品极能煽动民众情绪。现在他的东西偶然也在《泰晤士报》出现，只是不但题材炒冷饭，手法也了无生气，一点也不动人。在他漫画里出现的，还是贫民窟的生活形象：挨饿的小孩、街头的打斗、戴着礼帽的资本家——虽然生命的安全也得靠面前架起的铁丝路障维护，他们还是戴着礼帽。总之，他在革命后所发表的漫画，还是不断有气无力地拽着过去的包袱不放。他块头大，长着一头油腻腻的浓密灰发，脸皮打褶，嘴唇隆起。他以前准是个体格魁梧的汉子，只是现在除了肚皮鼓起外，身体各部分都显得下垂了，像一座山在你面前崩溃的模样。

温斯顿在咖啡馆看到他们时是十五点，冷清清的。他也记不起为什么会在这个时间跑到这儿来。电幕传出细碎的音乐。他们纹丝不动在角落的台子前坐着，闷不吭声。侍者也不等他们招呼，自动给他们添酒。他们旁边的台子上有棋盘，棋子已经摆好，但一着也没动过。突然，电幕节目换了，调子和音色也变了，代之而起的是一种难以描述的声音，既像嘶鸣，也像调侃，沙哑得近乎阴阳怪气。温斯顿暗称它为"黄腔"。接着有声音歌唱了：

> 栗树荫下
> 我出卖你，你出卖我。
> 他们躺在那边，我们躺在这边
> 栗树荫下。

那三人动也不动。但当温斯顿偷偷地瞧了卢瑟福一眼时，大块头的眼睛已噙着泪水。而也在这个时候他才注意到，阿诺逊和卢瑟福二人的鼻子原来已经断了。他心中战栗了一下，虽然他自己也说不清楚究竟是被断鼻子吓坏了，还是联想到后面的故事而害怕了。

不久他们三人又被捕了，据说是上次他们获释后，马上又搞阴谋倾覆的勾当。第二次公审时，他们除了把前科罪行再说一遍外，又供认了一大堆新的罪名。接着他们就被蒸发了。他们的命运入了党史，以儆效尤。事隔五年后——这次他记得清楚是在一九七三年——温斯顿拿起气筒喷到他桌上来的一卷文件，翻到一张别人夹在其中而最后忘记捡回来的剪报。那是十年前《泰晤士报》的上半版，因此上面印有年份和日期。除文字外，还有一张党的代表团在纽约开会的照片，中立者赫然是琼斯、阿诺逊和卢瑟福三人。错不了的，因为照片下的文字说明中就有这三人的名字。

可是这三人在两次公审时都招认就在纽约开会这一天，他们都身在欧亚国本土。供词说他们在加拿大某秘密机场起飞，到西伯利亚某一地点与欧亚国指挥部将领会面，出卖重要军事情报给他们。

这日子温斯顿记得清楚，因为正是六月二十四日，圣约翰施洗者的节日。这个纽约大会，别的国家一定也有详细的记录。那么只有一个解释了：三人的供词，全是假话。

自然，这事情本身并不算得是什么发现。十年前的温斯顿，也不会相信在清算中犯死罪的人，实际干了他们在供词中招认的各种罪行。这次不同的地方，无非是他手上握有具体的证据。这是历史被颠倒的一个证据，犹如地质学家在意想不到的地层捡到一块化石，把已建立的理论推翻了。如果能够把这事公诸世人，并说明党这种措施所代表的是什么心态，已足以使党的名誉万劫不复了。

他继续埋头工作。刚才他一看清楚这照片是怎么回事时，就用另外一张纸盖着它。真是有运气，他翻开这半版报纸时，电幕看来是上下颠倒的。

他把拍纸簿摆在腿上，椅子推到后面。能够离电幕越远越好。要脸上喜怒不形于色不难，而且，只要你用些气力，呼吸的轻重也可以调节。但心脏跳动的快慢可不容易控制了。电幕的收听效果奇佳，听得到的。他耐心静坐让情绪平伏，一直害怕这期间会有什么意外事件出现，让他原形毕露。譬如说，室内突然吹来一阵风，把桌上的文件吹散。这就完蛋了。大概过了十分钟后，他也没有揭起盖在上面的那张纸，就把照片连同其他废纸一起丢进思旧穴去。一分钟内，历史化为灰烬。

那是十年——十一年前的事了。要是今天发生，说不定他会把照片留下来。奇怪的是，虽然那张照片和那半版文字今天已不存在，但他的手指捏过照片的经历，居然影响他一生。是不是因为一份如今已成灰烬的文件**曾经**存在过，他就觉得党对历史的控制，最少就他而言，不像以前想象的那么万无一失？

但今天即使你有魔力能把照片的灰烬重组起来，也不能用作改史的证据了。事实上，温斯顿发现此照片时，大洋邦与欧亚国的战事已经停息，因此卢瑟福三人通的敌一定是东亚国的情报人员。再说，他们死后的历史还有其他订正——两次或三次，他记不起来了。最大的可能是党把他们的供词改了又改，改得面目全非，使得原来的事实和日期一点也没有关联。历史不但改变，而且不断改变。最令他感到像做噩梦一样难受的，是他从来不明白**为什么**要花这么大的功夫去做瞒天过海的事。他了解伪造历史的显明功用，但最终的目的究竟是什么，他就有点不懂了。他拿起笔来，在日记簿上写下：

> 我知道**怎样**去做，却不明白**为什么**要做。

他怀疑自己究竟是不是疯了。他以前也多次这样问自己。也许疯子的定义不过是持异议的少数个人。从前若你相信地球绕着太阳运转，这就是发疯的证据。今天相信历史不可抹杀的人也是如此。抱着这种信念的人，可能只有**他一个**。那么他就是疯子了。自己疯了并不怎样可怕，最可怕的是，你这种想法可能是错的。

他拿起了那本借来的儿童历史书，看了印在封面上的老大哥照片一眼。老大哥催眠的眼睛也瞪了他一眼，他马上感到一股慑人的力量向他袭来，钻入他的脑袋，扰乱他的神经，窒息他的信仰。我们几乎可以说，这股力量根本否定温斯顿独立知觉的存在。总有一天党会宣布二加二等于五，你也得相信。二加二得五这新发现党迟早会发表的，这符合他们的逻辑。虽然没有明言出来，但他们的哲学本质上是排斥经验的可靠性和否定外界现实的存在。异端邪说，反成为常识。你独持异见，他们杀了你，这固然可怕，但更可怕的是他们的话可能是对的。你怎敢肯定二加二真的等于四、地心真的有吸力、历史真的不可涂改？如果过去的经验和外在的世界只存在于我们的观念中，而观念可受控制——那么该怎样？

不，不成！他的勇气突然涌现。也没有故意地去联想到他，奥布赖恩的脸却在他脑海中浮现出来。他比以前更肯定地相信，奥布赖恩是站在他这一边的。这日记是为他写的——写给他的。这日记像一封无休无止的信，虽没有人会看到，但正因为落了上款，语气和内容也因此有了准则。

党要你排斥看到的和听到的证据，这是他们最基本的命令。他一想到要面对冲着他来的庞大反对力量，就泄了气。在辩论时，党的理论家可以不费吹灰之力就把他击倒。他们的辩论方法，玄得他连听都听不懂，遑论反驳了。可是，他是对的。他们错了，他才是对的。明显的、简单的和不作伪的事实，一定要维护。真理就是真理，这一点不能放弃。地球是圆的，宇宙的轨迹不变。石头是硬的，水是液体，地心有吸力。抱着面对奥布赖恩讲话的心情，同时也为了给后世留下两句重要的格言，他在日记中写下：

自由就是可以说二加二等于四。此理既立，余者亦然。

八

通道尽头传来丝丝咖啡的香味，飘到街上。那是真正咖啡的香味，不是胜利咖啡。温斯顿不觉停下步来。在短短的两秒钟内，他又回到渐已遗忘的童年世界了。接着听到砰的一响，煮咖啡那家人的门关了，香味也随之消失，好像声音一样。

他在路上走了几公里，静脉曲张患处抽动起来了。这是三个星期内第二次没去公社中心的晚会了。开小差实在是不智之举，因为谁在那天晚上缺席，他们都查得清清楚楚。照规矩讲，党员是没有自由活动时间的，而除了晚上睡觉外，不应有个人行动。党的假定是，如果你不是在工作、吃饭和睡觉，那你一定正在参加团体活动。此外你做任何使人想到离群索居的事——就说一个人出外散步吧——都有危险。这种行动在新语中叫"私活"，意谓个人主义思想和怪僻行径。但今天晚上温斯顿走出真理部时，实在难以抗拒四月间醉人春风的诱惑。天空一片蔚蓝，入春以来难得看到。相较之下，那漫长嘈杂的公社节目就难以忍受了。玩的游戏既费气力，又闷得怕人。此外还要听演讲，还要假惺惺一番靠着杜松子酒的酒意来培养同志间的情感。因此一时冲动之下，他离开了公交车站，不分东西南北地在不知名的伦敦街头漫步。

"如果还有希望，"他在日记上这么写过，"只有寄托在无产者身上。"这些话在他脑中反复出现，这说法看来似真似假，想来却又荒唐。他已走到一个褐灰色的贫民区，就在以前叫圣潘克拉斯车站的地方的东北面。他走的那条斜街，是用圆石砌成的，两边有两层楼的小房子，破落的门口直开到行人道上去，乍看好像鼠洞。路面石块的缝里是一摊摊污水。各屋子昏暗的门口和街上两边的横巷子居然满是人头：嘴上搽着品质粗劣口红的如花少女，追逐着如花少女的少男，让你看到十年后这些少女会变成什么样子的臃肿妇人，哈着腰、拖着八字脚走路的老人，还有衣衫褴褛光着脚在污水里嬉戏、一听到母亲呵斥就作鸟兽散的小混混。这街上屋子的窗户，最少有四分之一是破裂得要用木板支撑着。这些人对温斯顿也不理会，只有两三个用好奇的眼光看他一眼。两个块头奇大、穿着围裙的女人，交叉着斑红的手臂，在门口吱喳说个没完。温斯顿走近她们时，听到其中几句。

"'是呀，'我跟她讲，'说来容易呀！'我说。'但如果你是我，你还不是跟我一样做。批评别人可容易呀！'我说，'可是你的问题跟我的不一样呀！'"

"呀，对啦！"另一个接嘴道，"可不是，正是这样！"

聒耳的声音突然中断。他打她们面前走过时，两人都带着敌意细看了他一眼。说来也不是什么敌意，只算是一种警觉，一种看到不知名的野兽在你面前经过时的本能紧张反应。这地区平时想是不常看到党员的制服。实话说，除非你有任务在身，不应在这种地区露面的。你若遇到巡逻警察，说不定要你停步。"同志，让我看看你的证件。你在这里干吗？你什么时间下班的？你平常回家也走这条路吗？"——他们会问你诸如此类问题。当然，没有什么法令说你不可以拐路回家，但如果思想警察知道，就会对你注意了。

蓦地街上四边起了骚动。大家奔走相告说赶快躲起来。各人连忙窜入门口，快捷得如野兔钻洞。一个年轻的妇人在温斯顿前面一个门口跃出，一把抓起在玩污水的小孩，用围裙一裹，又一跃钻回洞口，动作快捷得神出鬼没。同时在这一刹那，一个穿着像手风琴乐师黑西装的衣服的男子从一条横巷冒出，直奔温斯顿面前，紧张地指着天空。

"汽船！"他嚷道，"汽船！快炸了！赶快伏下！"

也不知道为了什么原因，无产者给火箭弹取的名字叫汽船。温斯顿连忙伏身在地。无产者的警告，通常准确得很。他们好像有第六感，能在几秒钟前就预知火箭弹的来临，虽然这武器的速度比声音还快。温斯顿双臂抱头，接着就听到一声隆然巨响，几乎地面都要跳起。不少零星物体掉到他背上。他站起来张望一下，才知道靠自己最近的一扇玻璃窗炸碎了。

他继续向前走。火箭弹已炸毁了前面离此两百米的几座房子。天空冒着一股黑烟，地上灰尘滚滚，不少人已结集在那儿观看。他面前的走道有一小堆灰泥，中间好像有一条鲜红的线。他走近一看，原来是一只齐腕被炸断的人手。除了断折的部位还带血丝外，整只手苍白得像个石膏肢架。

他把这东西踢到沟里去。为了躲过前面的人群，他转过身从右边一条横街走出去。走不到三四分钟的光景，已离开灾区。街上熙来攘往，好像什么事也没有发生过一样。这时快到二十点了，无产者常去光顾的酒吧已挤得水泄不通。酒吧的旋转门转个不停，里面的尿臭味、锯木屑味和啤酒的酸味扑面而来。一家酒吧前面的挑棚下，三个汉子靠紧站着。中间那个拿着一份对叠的报纸，旁边两人也就挨着他的肩膀观看。温斯顿虽然还没有靠近得看清楚他们脸上的表情，但也可从他们全神贯注的模样，猜出他们看的准是什么重要的新闻了。他还有几步就到他们面前时，三个人突然站开。其中两个开始吵架，气势汹汹的，好像随时会动武的样子。

"你妈的听我说好不好？我告诉你吧，十四个月来七压尾的从来没中过一次奖！"

"中过，当然中过！"

"没中就是没中！在家里我把两年来的中奖号码都记下来了，一次也没有忘记。妈的，你听着，七压尾的就从——"

"少废话，七赢过。我现在就告诉你，二月——二月的第二个星期中奖的号码，就是四——〇——七！"

"二月你的娘！我写得清清楚楚，就没有号码——"

"你们闭嘴，好不好？"第三个汉子忍不住说。

他们是为彩券的事争吵。温斯顿离开了他们三十米左右回过头来看，他们还是吵得面红耳赤。每周一次给人发大财机会的彩券，是无产者唯一认真研究的公家大事。有数百万的无产者把彩券的存在视为活下去的主要理由——如果不是唯一理由的话。彩券是他们快乐的泉源、愚昧的明证、止痛的灵药和知性的刺激。只要是涉及彩券的事，平日连自己姓名拼写也有困难的人，居然能解起复杂的数学问题来，记忆力也出奇的准确。成千上万的人就靠精研"彩券学"维生，出售指南、预测本这类册子和灵符妙方。温斯顿的工作与彩券的经营无关，因为负责这玩意儿的单位是迷裕部，但他知道（其实党内每个人都知道）大部分的奖额是虚构出来的。只有小奖才真付钱，中大奖的人都不存在。住在大洋邦东区的人与西区的根本没有什么名副其实的交往，这种瞒骗的事也就容易安排。

如果还有希望，只有寄托在无产者身上。你必须坚信这点。这话你写下来，你可能只觉得合情合理而已，但只要你看一看街头跟你擦身而过的人，这话就成了一种信念了。他刚才拐入的横街是下斜坡的小路。好像以前到过这区域，附近就有一条大道。前边什么地方突然传来一阵呼喝声。小路尽头是个大拐弯，走下一层石阶就是一条凹陷的巷子，里面有几个贩卖脱皮缺叶蔬菜的小摊子。温斯顿记起来了，这窄巷通到大街，再转一个弯，不消走五分钟就是那家旧货店。他那本现在用来写日记的本子就在那儿买的。而他那支羽毛笔杆和那瓶墨水，也是在离旧货店不远的一家小文具店买的。

他在石阶上层停了下来。窄巷的对面是一家阴暗的小酒吧，玻璃窗看似盖上薄霜，其实只是久未拭擦的灰尘。一个弯着背但行动尚算敏捷的老头推开旋转门走进去，他霜白的小胡子像对虾的触须一样翘起来。温斯顿看着这老头进去时，突然想到他最少也有八十岁了，因此革命期间他已是中年人。像他这类一把年纪的人，也就是接连行将消失的资本主义世界的最后几个环节了。党内就没有几个人的思想是在革命前形成的。老一辈的人在五六十年代大清算时已经除掉，硕果仅存的几个，早就吓得交了心，不敢再谈什么思想问题了。如果你要找一个活着的人给你讲革命初期的真实情况，那非无产者莫属。一下子他在日记上抄下的那段儿童历史书上的故事浮于脑际，而他也无法按捺住心头那阵疯子似的冲动：要跟着老头进酒吧，跟他搭关系，然后问他问题。他会这么问："请你告诉我你的童年是怎样过的。那种生活像个什么样子？那个时候的日子是否比现在好过？还是比现在难受？"

他马上走下石阶，穿过窄巷，生怕稍一耽搁就会胆怯改变主意。当然，这是疯狂行为。不用说，党没有明文禁止你到无产者出没的酒吧喝酒，也没有阻止你跟他们谈话。可是这事实非寻常，总有人注意到的。如果碰到巡逻警察，他可以装说突然感到恶心要昏倒，所以才进来歇一下。可是他们又怎肯相信？他一推门进去，就闻到一阵扑面而来如恶臭的奶酪味一样的酸啤酒味。大家一见他进来，谈话的声量马上降低。他觉得背后每个人的眼睛都好像盯着他的蓝制服。房间的另一角落本有几个人在玩投镖游戏，看到他进来，也就停手差不多半分钟。比他先进来的那老头站在柜台前面，与酒保斗起嘴来。酒保高大个子，鹰钩鼻，胳膊粗大。不少酒客擎着杯子围着他们看热闹。

"我是客客气气地问你的，是不是？"老头挺直了肩膀，气呼呼地说，"你居然告诉我你这酒吧找不到一个一品脱的杯子！"

"妈的，什么叫品脱？"酒保手指按着柜面，挨近身子问道。

"你听听！他自称酒保，连什么叫品脱也不知道。一品脱就是半夸脱，四夸脱就是一个加仑！你真该再念幼儿园！"

"少啰唆，什么品脱夸脱，从未听过，"酒保没好气地说，"我们卖的是一升或半升装的。杯子就在你面前的酒架上。"

"我要一品脱，不多不少，"老头不甘示弱地还嘴道，"你没杯子也成，就倒给我一品脱的分量好了。什么一升半升，我们年轻时没听说过这种鬼东西。"

"你年轻时我们还在树上过活呢！"酒保向其他酒客眨眨眼说。

众人轰然大笑，刚才温斯顿让他们产生的戒备心全解除了。老头的脸上长着霜白的浓密短髭，此时气得一脸通红。他转身要走，口中还是咕哝个不停，与温斯顿碰个正着。温斯顿轻轻地用手扶着他。

"我请你喝一杯，好不好？"他说。

"呀，好一个君子。"老头又挺了挺肩膀说。他好像没注意到温斯顿的蓝制服。过后，他转过头去有理不让人地对酒保说："一品脱，一品脱黄汤！"

酒保拿了两个粗厚的玻璃杯子，在柜台下面的水桶冲洗了一下，就盛了两份半升的棕黑色啤酒。在无产者的酒吧内，你能够喝到的就是啤酒了。理论上说无产者是不许喝杜松子酒的，虽然谁要喝都有办法弄来。玩投镖游戏的那个角落又热闹起来了，其他酒客又为彩券的事高谈阔论了，他们显然一时已忘记温斯顿的存在。靠窗的地方是一张松木台，在此跟老头聊天不怕别人会听到。危险总是危险的，但最少房间内没设电幕，这一点他一进来时就看清楚了。

"那家伙大可以给我倒一品脱来的。"老头坐下来后，又唠唠叨叨地说，"半升不够，不过瘾。一升又太多，膀胱受不了。价钱当然也是问题。"

"从你年轻时到今天，你一定经历过不少变化了。"温斯顿试探着说。

老头浅蓝色的眼睛，从投镖板看向酒吧各座位，又从座位看向男厕的门，好像要从这些地方找出变化的痕迹。

"那时的啤酒比现在的好，"老头最后搭腔了，"也便宜些。我年轻的时候，淡啤酒——我们那时叫黄汤——只卖四便士一品脱。当然，那是战前的事了。"

"哪个战前？"

"都一样，这么多战争，哪搞得清楚。"老人含糊地说，然后举起杯子，又挺了挺肩膀，"祝你身体健康！"

84

他突出的喉结在瘦长的脖子上上下滚动得奇快，呃，啤酒喝光了。温斯顿到柜台去又要了两份半升装的啤酒。老头显然改变了反对喝一升酒的死硬态度。

"你比我年纪大多了，"温斯顿说，"在我还未出生前，想你已是壮年。你一定记得革命前的日子是怎样的。我这种年纪的人，对从前的事真的一点也不知道。我们只能看书，但书上说的事未必可靠，这就是我想听听你意见的缘故。历史书说，革命前的生活与目前完全不同。那时百姓挨穷、受迫害，人间毫无正义可言——总之，情况坏得超乎我们的想象力就是。就拿伦敦来说，大部分人从生下来到死，从未真正吃饱过。半数以上的人得光着脚板走路。一天工作十二小时，九岁后就再无受教育的机会，晚上十个人睡一间房。但同时有少数人，大概为数不过数千吧，呃，他们叫资本家，却有钱有势，要什么有什么，住高楼大厦，奴婢成群，出入汽车马车代步，喝的是香槟酒，戴礼帽——"

老头听到这里，眼前一亮。"呀，礼帽，"他说，"真怪，你也提到这东西，昨天我也想到礼帽呢，鬼才知道为了什么原因。我只想到，好多年没看到这东西了。绝迹了，一定绝迹了。我最后一次戴礼帽，是为了参加嫂子的葬礼。唔，我记不起是哪一年了，总该是五十年前的事吧。当然，礼帽不是买的，租来应付应付而已。"

"问题不在礼帽本身，"温斯顿耐着性子说，"问题是，这些资本家靠着律师、教士和其他特权人物撑腰，为所欲为。什么东西都是为了他们的利益而存在。像你这种普通老百姓和工人，就是他们的奴隶。他们要怎样摆布你，就怎样摆布你。他们可以把你像牛马一样运到加拿大。如果他们看中你的女儿，就可以跟她睡觉。他们可以叫人用鞭子打你。你走过他们面前，就得脱去帽子。每个资本家出外，总有一群走狗跟随，听他——"

老头的脸上又见神采了。

"走狗！"他几乎叫出来，"喏，这又是一个我好久没听到的词！走狗！这真把我带回旧时代了。我想想看，呀，好像千万年以前的事了。那时我偶尔在星期天下午散步到海德公园去听那些笨蛋演讲。救世军啦、天主教徒啦、犹太人啦、印度人啦，总之各式各样的人物都有就是。其中的一个笨蛋——抱歉，名字忘了，他呀，真会说话！一点没骗你。你猜他怎么说的？'走狗！资产阶级的走狗！统治阶级的奴才！'对了，他爱用的另一个词是'寄生虫'。哦，还有——是了，'狼心狗肺'！当然，你知道，他这些话都是针对工党说的。"

温斯顿觉得他们的谈话真是牛头不对马嘴。

"我想知道的是，"他说，"跟以前的日子比较，我们的自由是多了还是少了？现在你受的是人的待遇吗？从前的有钱人，就是那些高高在上的人——"

"上议院。"老头打岔说。

"好的，就说上议院吧。我问你的问题是，这些人所以能够把你像狗一般看待，就因为他们有钱而你是穷光蛋？譬如说，你走过他们面前，得脱下你的帽子，恭恭敬敬地称呼他们一声'大人'，对吗？"

老头好像沉思着，等把第二杯啤酒喝了四分之一后才答说："对的，他们最少要你点点帽子为礼。我自己一点也不习惯，但还不是乖乖做了，有什么办法？"

"我在历史书上看到，这些人和他们的走狗常常把你们从行人道推到水沟去，有没有这回事？"

"最少有一个人推了我一次，现在想来就好像昨天才发生似的。那天晚上是'赛船夜'，闹得真不像话。我在莎夫茨伯里街上跟一个笨蛋迎头碰个正着。他穿得可体面，白衬衣、礼帽、黑大衣。他走路时左弯右拐的，冷不提防，我就撞到他了。他说：'你走路不带眼睛？'我说：'这条路是你买下来的吗？'他说：'你再敢放肆，看我扭不扭断你的头。'我说：'你醉了，等会儿我送你去警局。'嘿，想你也不相信，他一手放在我胸口，狠狠地一推，几乎把我推到一部正驶过来的公交车底下去！那时我血气方刚，真想还手，只是——"

温斯顿越听越觉得拿他毫无办法。这位老先生记忆中的东西，都是毫无意义的细节。再听他讲一天，也听不出什么究竟来。党的历史记载，这样说来有点道理了。说不定不但有道理，而且全部可能是真的。

但他还要最后试一次。"也许我的话没说清楚，"他说，"我的意思是这样：你活了一段长长的日子，你在革命前的社会长大，是不是？就说在一九二五年吧，你已是成年人。凭你的记忆，你比对一下，一九二五年时的生活比今天要好还是坏？或者说，如果由你选择，你要过今天的生活呢，还是回到旧时？"

老头若有所思地看着投镖板。他把啤酒喝完，动作比先前慢了点。他张嘴说话时，颇有哲学家洞明世事的神气，好像啤酒已使他变得温顺起来。

"我晓得你要听的是什么话，"他说，"你希望我说：'唉，要是能够再年轻一次就好了。'是不是？大多数人都会这么想。年轻人身壮力健，你如果活到我这把年纪，就会知道身体上没有一样是对劲的。我的腿不听我指挥，膀胱呢，那更不用说了。每天晚上要起来六七次。可是，你要听我说，年纪大了也有些好处的，至少要烦心的事就与年轻人不同。譬如说，不必再愁怎样去讨好女人，那可省了不少事呵。你相不相信，我差不多有三十年不近女色了？想也没想过。"

温斯顿背靠窗台而坐。再谈下去也不过是白费时间而已。他正要准备再买一份啤酒时，老头突然站起来快步走到厕所去。那额外的半升酒显然发生效果了。温斯顿默默地对着面前的空杯子发呆。过了一两分钟后，他不自觉地就跑了出来。不到二十年后，他想，像"革命前的日子比现在好过吗"这种极其简单但再重要不过的问题，再也没有人可以回答了。其实，现在他回答不出来，因为剩下的几个遗老已无法把新旧两个世界的情况作什么比较。他们记忆中的东西，琐碎无聊：哪天跟同事吵了架，丢了的自行车气筒怎样找回来了，一个死去多年的姐妹脸上的表情，或七十年前一个多风的早晨卷起的沙尘旋涡。但关系最大的事件，他们却一无所知。他们真像蚂蚁，眼前除了芝麻小事，别的一概视而不见。到大家记忆消失而文字记录全部订正后，党说革命后生活水平提高，你也只好相信了，因为除了目前的生活，再无任何其他生活标准给你作比较。

他紊乱的思绪突然停止，停下步来举头一望，原来已走到一条狭小的街道上，两旁除了住家外，还有几家零零星星的小商店。在他面前的一家，悬着三个褪了色的铁球，看样子以前是镀金的。这铺子似曾相识。怪不得！这就是那家卖日记簿给他的旧货店呵！

此时他有点害怕起来。到这儿来买那本簿子已是冒险不过的事，自己不是发过誓永不涉足此地吗？可是脑袋犹豫不决的当儿，两条腿已不由自主地走到这儿来。他开始写日记的动机，原是为了防止这种自杀性的冲动。差不多二十一点了，这店还是开着。他想到站在行人道上反惹人注目，干脆就踏进铺子去。要是巡逻警察盘问，他可以说是来这里买刀片的。

店主刚点上油灯，要挂起来，气味虽不好受，但予人一种温暖的感觉。他约摸六十岁，身体瘦小，背有点驼，鼻子长而周正，眼镜片厚厚的，但仍掩盖不了柔和的目光。头发几乎全白了，但眉毛还是浓黑的。他的眼镜，他温柔得近乎吹毛求疵的举动，特别是他穿的那件陈旧的黑天鹅绒外套，都多少带有一种知识分子的气质。他可能是个文人，或者是音乐家吧？他的声音软得近乎飘逸，口音不像一般无产者那么粗鲁。

"你站在门口时我就认得你，"店主对温斯顿说，"你就是那位跟我买那本小姐用的纪念册的先生！那册子的纸张可漂亮呵。从前，那种纸张叫'粉纸'，这一类东西少说也绝迹五十年了。"说到这里，他的眼睛越过了下垂的老花眼镜，打量了温斯顿一下，然后问道，"你想到了要买些什么东西吗？或者只是随便看看？"

"我路过这里，随便进来看看，"温斯顿胡乱应对着说，"没有什么特别的东西要买的。"

"这也好，因为我实在没有什么东西会令你满意。"他摊开柔软的掌心，带歉意地说，"你也看到了，铺子空空的，是不是？不妨坦白对你说，古董旧货这门生意也快完蛋了。根本没有几个人要买旧东西。要买也没有现货供应。家具、瓷器、玻璃，破得烂得也七七八八了。金属做的器皿呢，不消说，都熔掉来做别的东西。说来我也多年没看见过黄铜制的烛台了。"

事实上这店子里面摆满了各式各样的东西，只是几乎没有一样值钱的就是。地板的空间尤见狭小，因为墙壁的四边堆满了尘封的画框。窗台上放了一盘盘的螺帽、螺栓、破凿子、缺口的小刀、年久失修的手表和其他杂七杂八的东西。只有靠角落一张台子上摆着的小玩意儿里——如漆鼻烟盒子、玛瑙胸针等——也许还有值得一看的东西。温斯顿缓步走过去时，视线为一个圆滑物体吸引，这东西在油灯下发着柔和的光辉。他捡起来看。

这是一块沉甸甸的水晶玻璃，一边扁平一边隆起，差不多是半球状。它的色泽与结构都很别致，给人一种雨水的滋润般柔和的感觉。玻璃块隆起部分的作用等于一面放大镜，他因此清楚地看到此物里面有一个弯卷起来的东西，像玫瑰，也像海葵。

"这是什么东西？"温斯顿问，迷住了。

"珊瑚，"店主说，"一定是从印度洋来的。他们以前爱把这东西镶在玻璃块内。我想这是一百年前的工艺品吧，看样子还不止一百年呢。"

"真美。"温斯顿说。

"嗯，真美，"店主赏识地附和着说，"可是今天有这种眼光的人也不多了。"他咳了一阵，随后又说，"喏，你要买的话，就付四块钱吧。我记得以前像这么一块东西，最少也可卖个七八镑——唔，八镑等于今天多少钱，我也不会算了，总之不少钱就是。可是现在谁还有兴致买古董呢？实际上剩下来的也没有几件了。"

温斯顿连忙掏出四块钱给他，接着就把这心爱的东西放入口袋。令他着迷的，固然是这东西的美，可是更吸引他的，却是它氤氲着的思古幽情。这种油光水滑的玻璃，他生平没有见过。论实用价值，这东西派不上什么用场，虽然他猜想得到当时的人大概多用来压纸张文具。但温斯顿觉得它特别可爱的地方，正是它毫无显著的实用价值这一点。这东西塞在口袋里重死了，幸好并没有怎样鼓起来就是。无论如何，一个党员收藏这样一块东西，不但有点怪怪的，同时也可能会惹祸上身。任何旧的东西、美的东西，都会引人注意和怀疑。那老店主从他手上接过四块钱后，面露喜色。温斯顿这才想到，给他三块，甚至两块，他也肯卖的。

"楼上还有一个房间，你有没有兴趣看看？"老店主问，"除了几件家具，也实在没有什么东西了。如果你要看，我得点灯。"

他又点了一盏油灯，弓着背拾级走上陡狭破旧的楼梯。通过一条窄小的走道后，就到了一间背对着街道的房间，窗前是石砌的后院，可以看到一连串烟囱的管帽。温斯顿注意到房间家具的各种摆设，都给人起居如常的样子。地板上有一条地毯，墙上挂了一两张画，靠壁炉处还有一张脏兮兮的扶手椅。壁炉架上是一个十二小时计时的玻璃钟，滴答滴答地响着。临窗的一角，是一张大床，占了全屋差不多四分之一的面积，床垫还保留着。

"我太太逝世前我们都住在这里，"老店主用近乎抱歉的口吻说，"现在我打算把家具零售出去。喏，如果你把臭虫弄掉，这张床还很漂亮，红木做的呢。可惜就是笨重了点。"

说着，他把油灯提高了一下。在柔和的灯光下，这房间可真诱人。温斯顿突然想到，要是每周肯花几块钱，就可以租下这间房间。问题是他敢不敢冒这个险。这主意实在有点荒唐了，他一下子也就放弃了。但这房间的一切，又一次引起他思古之幽情，勾出他一些久远的记忆。他想象得到以前的人坐在这样一个房间里是什么滋味。壁炉里生着火，你瘫坐在扶手椅上，双腿搁在壁炉前面的围栏上，铁架上吊着一壶开水。只有你一个人，却有充分的安全感，因为你知道没有人会监视你，没有声音跟踪你。房间里除了水壶喷出来的音乐与玻璃钟的滴答滴答声音，一片宁静。

"没有电幕啊。"温斯顿忍不住低声地说。

"哦，我从来没买过这类东西，"老人说，"太贵了，再说也不需要。你看，这边还有一张折叠式的桌子，只是你要用时得装上新的铰链就是。"

　　另一角落还有一个小书架，温斯顿如获至宝地走过去。架上摆的，都是废物。搜查与焚烧旧书的命令执行得非常彻底，无产者区域也不例外，你在大洋邦各地再也难找到一本在一九六〇年前出版的书了。老店主在床对面挂在壁炉旁边的一张装在红木框架内的图片前站着。

　　"你对旧图片有没有兴趣？"他试探性地问道。

　　温斯顿走过去看看。那是一张钢板雕刻画：一座椭圆形的建筑物，窗子长方形的，前面是一个小塔。这建筑物的四边装有扶手栏杆，后面看似是个雕像。他凝望了好一会儿，觉得好像在哪儿见过，虽然记不起那雕像是谁了。

　　"这架子是嵌在墙上的，"老人说，"当然，你要的话，我可以把螺丝钉取出来。"

　　"我认得这座房子了，"温斯顿终于说，"现在已经塌了。就在正义宫外面那条街的中间，是不是？"

　　"对啦，法院的外面，多年前炸毁了。以前是教堂，圣克莱门特教堂。"老人带着歉意笑了笑，好像自己也知道所讲的事有点荒谬。接着，他又哼着说："橘子与柠檬，吟着圣克莱门特的钟。"

　　"那是什么？"温斯顿问道。

　　"哦，橘子与柠檬，吟着圣克莱门特的钟——这是我小时候唱的歌谣。其余的记不起来了，结尾倒没有忘记，是这样的：'这是亮你床头的蜡烛，那是断你人头的砍刀！'小孩子边唱边舞，手连手拱起来让你从下面穿过，唱到'那是断你人头的砍刀'时你刚好在下面，他们就松手把你抓住。这歌每句都提到教堂的名字，全伦敦的主要教堂都在里面。"

温斯顿很想知道圣克莱门特教堂究竟建于哪一个世纪。伦敦建筑物的年代实在不容易弄清楚。任何宏伟的建筑物，只要样子还算新的，党一定说是革命后的建筑。而任何较古旧的房子，一定是中世纪黑暗时代的遗物。资本主义当道的那几百年，什么有价值的建筑物也没有留下来。你要从建筑物认识历史？那等于要从书本获知古旧世界的真相一样不可靠。雕像、题词、碑文、街道的名字——凡是可以使人联想到过去的痕迹，都经有计划的改头换面了。

"我一直不知道那房子原来是教堂。"温斯顿说。

"剩下来的教堂，实在还不少，"老人说，"只是现在再没有教堂就是。好吧，那首歌谣还有什么句子？呀，我记起来了！

> 橘子与柠檬，吟着圣克莱门特的钟，
> 你欠我三法新，响着圣马丁的铃。

我记得的，也就是这么多了。法新是硬币，和现在的一分钱差不多。"

"圣马丁教堂在哪里？"温斯顿问道。

"圣马丁？呀，今天还在呢，就在胜利广场嘛，与画廊并立，就是三角门廊、前面有不少柱子和一道长长的石阶的那栋。"

温斯顿晓得了。现在的圣马丁是博物馆，陈列着各式各样的宣传资料，如火箭弹和浮游堡垒的模型、描述敌人残忍无道的蜡像等。

"以前那地方叫'在田间的圣马丁'，虽然我从来没有在那附近看见过什么稻田。"老人补充说。

温斯顿没有买那张钢板雕刻画，这东西比刚才买的水晶玻璃更惹人注目。再说，除非把框架除下，根本无法带回家。他又在店里盘桓了几分钟，相谈之下，才知道店主不叫威克斯先生（店子门口刻着的姓名），而是查林顿。他是个六十三岁的鳏夫，在这店子已住了三十年。他一直就要把门口刻着的名字改过来，可是折腾到今天还没动手。温斯顿嘴巴虽忙着和查林顿聊天，心中却念着那几句快要忘掉的歌谣："橘子与柠檬，吟着圣克莱门特的钟；你欠我三法新，响着圣马丁的铃！"可真怪了，你心里念着时，就仿佛真的听到钟声——那个已经消逝了的伦敦的钟声，仍然在某个被遗忘的角落在你耳畔响着。从一个鬼影似的教堂的尖顶传到另一个尖顶，他好像听到了隆隆钟声。事实上就他记忆所及，他从未听过教堂的钟声。

他摆脱了查林顿先生，一个人走下楼梯。他不想让这老头看到他走出门前先察看街道四周。他已决定了在适当时机（大概一个月以后吧）再来这里。其实这比在公社中心缺席一个晚上也危险不了多少。最愚蠢不过的事，莫如跟一个完全不知是否可以相信的店主买日记簿，然后重临旧地。他已经做了。可是——

是的，他还要回来，还要买"美得可以"的废物。他要买圣克莱门特教堂的钢板雕刻画，从框架里拿出，藏在制服的上衣内带回家。他要继续发掘查林顿先生的记忆，把歌谣的全部内容学会。要把房间租下来的疯狂念头，又一次浮现于脑中。大概有五六秒钟之久，他兴奋得大意起来，出门前忘了先在窗口张望一下。他甚至把刚才听来的歌词即兴地乱哼起来：

橘子与柠檬，吟着圣克莱门特的钟，

你欠我三法新，响着——

还未唱完，心头已结了一层冷霜。在面前不到十米的地方，有一个穿着蓝制服的人朝他的方向走来。子虚科那个黑发女郎！灯光虽暗，但他一下子就认出她来。走到他面前时，她瞪了他一眼，然后又若无其事地快步跑开了。

温斯顿一下子觉得全身瘫软，动弹不得。好一会儿，他才转身往右边走，全没注意到他走的是和回家相反的方向。无论如何，他心中的疑团得到解答了。这黑发女郎在监视着他。她一定跟踪他到这儿来的。这里离任何党员的住宅区都有几公里，不可能说她在同一个晚上凑巧也在这样一些横街窄巷散步吧？那真是太巧合了。她是思想警察还是好管闲事的业余探子，这时已无关紧要了。她监视他、跟踪他，这才是问题的关键。说不定她还看着他走进酒吧。

走路非常吃力。每走一步，口袋里那块玻璃就擂他一下。他几乎忍不住要拿出来丢掉。更难受的是肚子的胀痛。在一两分钟内如果还找不到厕所，不如死了干净，他想。但这种地区是不设公厕的。幸好抽搐的痛楚终于过去，只剩下一种麻木的感觉。

温斯顿走的是一条死巷。他停了步，盘算了一下，然后掉头再走。他转身时才想到，那女郎三分钟前才和他擦身而过，如果他此刻加快脚步，说不定会赶上她。他可以尾随着她，到一个偏僻的地方再用石块把她的脑瓜打碎。身上带着的那块水晶玻璃正管用。可是这念头一下子就过去了，因为费劲的事连想一下也觉得吃力。一来他不能跑，二来连拿石块去击人的勇气都没有，再说她年轻力壮，准会还手。他也想过要不要赶回公社中心，在那儿流连到关门为止，这样最少会给自己留下半个晚上在场的证据。可是连这一点也办不到。他现在浑身慵倦，只想早些回家静坐下来。

他抵家时已是二十二点。电源的总开关二十三点半就关上。他直跑到厨房，倒了差不多一茶杯分量的胜利酒一口饮尽，然后再到桌子前坐下，从抽屉取出日记簿来，却没有翻开。电幕内有女人用黄铜似的声音高唱爱国歌曲。他的眼睛一直盯着日记簿的云石纸封面，尽力把这黄铜似的声音摒诸意识之外，但是一点气力也没有。

他们通常都在晚上抓人。最妥善的办法是在他们出现前自杀，不少人一定已这么做了。许多失踪的人，其实都是自杀死去。在大洋邦自杀需要无比的勇气，因为手枪等武器固然弄不到，就是快速有效致人死命的毒药也稀缺。他体悟到肉体感到的痛苦和恐惧多会摧毁人的意志，更认识到每每需要采取一种特别的行动时，自己的身体却不争气，一下子就整个崩溃。刚才要是他动作快一些，说不定就可以干掉那黑发女郎，可是一想到面临的危险，就失去勇气了。由此他更想到一个人面临危机时，要抵抗的通常不是外在的敌人，而是自己的身体。即使现在喝了杜松子酒，他的心情仍受到腹中麻木痛楚感的干扰，不能作有系统的思考。其他看来轰轰烈烈或悲壮感人的场面，也一定有这类考验吧。在战场、在刑房或在一条下沉的船上，你要为之牺牲奋斗的目标常会忘掉，因为你全部的精神和体力都集中到躯壳上。即使你没有被恐惧吓瘫软，你没有痛得呼天抢地，剩下来的生命也不过是每分每秒与饥寒斗争、与失眠纠缠、与闹肚子和牙痛交战的经历而已。

他打开了日记。一定得写些东西。电幕上那女人已换了一条曲子，她的声音好像玻璃碎片一样扎在他脑海中。他尽力把思绪转移到奥布赖恩身上去，这日记是为他写的，给他写的。可是他想到的，却是思想警察把他抓去后可能发生的事。如果他们一下子就把你蒸发掉，那没关系，反正抓到了就难逃一死。可是死前（没有人会提到这些事的，虽然谁也知道有这些事）总有例行的招供程序要抵受——匍匐在地，屈膝求怜，骨头折碎，牙齿断落，头发结着血块。既然结果都一样，你为什么要忍受这些？少活几天或几个星期不成吗？从来没有一个受监视的人逃得掉，从来没有人拒绝招供。一旦犯了"思罪"，总有一天会遭受到蒸发的命运。既然恐惧改变不了既定的命运，为什么要拖延着活下去呢？

他的思绪，慢慢终于集中在奥布赖恩的身上来了。"我们将来会在没有黑暗的地方见面。"对的，他对温斯顿说过这句话。他知道这话的意思，最少他认为自己听懂了。没有黑暗的地方就是想象中的未来，永远看不到的未来，但凭着一种神秘的预感，却可以参与。电幕的声音还在耳边嗡嗡地响个不休，他无法再思索下去了。他燃了一根烟，一不小心，半根烟的烟丝倒在舌头上。说"烟丝"不对，应说是"烟沙"，一沾在舌头上就不容易吐出来。老大哥的形象此时涌入脑海，取代了奥布赖恩。就像几天前一样，他从口袋摸出一个硬币，看了一眼。那张厚厚的脸往上瞧着他，冷静中带着关怀备至的神情，但谁晓得埋藏于黑髭后面的是一种什么笑容？那三句口号，又像丧钟鸣响一样激荡于胸中：

战争是和平

自由是奴役

无知是力量

Nineteen Eighty-Four

第二部

一

一天早上，上班的时间大概过了一半，温斯顿离开办公室到厕所去。

灯光明亮的长走廊里只有他一人。突然走廊的另一端有人出来，朝他这边走。黑发女郎！自那天晚上在旧货店门口遇见她后，已有四天没碰面了。她走近他身前时他才注意到她的右手悬着一条纱带，颜色与制服一样，因此刚才看不出来。准是她操作制造小说情节的万花筒机器时受伤了。在子虚科内，这种事常会发生。

离温斯顿差不多四米时，黑发女郎迎头摔了一跤，痛得尖声大叫。她一定撞到右手的伤口了。温斯顿停了步，她也半跪着站起来，脸色惨白，两片嘴唇看来更红润了。她乞援地一直望着温斯顿，但看来惶恐的神色比痛苦的表情还要明显。

温斯顿的心情一时难以分析。站在他面前的不正是要置自己于死地的敌人吗？另一方面，她也是人哪，受着痛楚的折磨，说不定骨头已经断了。他已本能地上前要扶她了，刚才看着她吊着纱带的手坠地时，好像自己的身体也感到疼痛似的。

"有没有摔伤？"他问。

"没关系。我的手臂……一会儿就没事了。"

她说话的声音有点颤抖，好像心脏跳个不停。脸色实在苍白得很。

"你没摔断骨头吧？"

"没有，真的没事，只痛了一阵。"

她伸出左手给他，脸色已开始恢复，看来好多了。

"没关系，"她又说一遍，"只是肘子震荡了一下。同志，谢谢呵。"

说完她就继续朝她原来的方向走，脚步轻快，好像什么事也没有发生过一样。此事从头到尾，也不过短短半分钟。面部不露任何表情，已成了大家本能的习惯。再说，他们刚才站的地方，正好是电幕前面。话虽如此，刚才温斯顿说不定露出一两秒钟惊奇的神色，因为他伸手扶那女郎时，她塞了一点什么东西给他。这准是她有意塞给他的。那东西很小，平平扁扁。他走进厕所时，就把那东西塞进口袋，用手指捏捏，原来是一张折成方块的纸！

站在尿池前面时，他设法把这方块在口袋里打开。一定是字条之类的东西。他几乎忍不住要进抽水马桶间打开来看，但最后还是忍住了，因为他知道这是愚蠢不过的事。如果你要指出一个电幕眼在二十四小时内都看着你的地方，那就是抽水马桶间。

他回到小室坐下，把那纸片随便地丢在桌上的一大堆文件上，然后戴上眼镜，把录音书写器拉到面前。等五分钟，他心里说，最少五分钟！他的心忍不住怦怦地跳动着，幸好他正在处理的文件是例行公事，订正长长一串数字，并不费神。

不管纸上说的是什么，总与政治有关就是。他能猜到的只有两个可能。一个可能是他一直担心的事：女的是思想警察。他想不

102

通思想警察为什么要用这种方式去传达命令。看来一定是有什么特别理由吧。如果这猜想是对的，那字条说不定是恐吓信、面谈的通知、要他自杀的指令，再不然就是要诱他进去的一种圈套了。想到第二个可能时，他激动得难以自制。那就是：这字条不是思想警察交给他的，而是一个地下组织的密件。这么说，兄弟会真的存在了！而那黑发女郎就是会员。当然，这想法荒谬绝伦，但他手上捏着字条的刹那，想着的正是这个。他开始推想其他的解释和可能性，还是两分钟以后的事。即使现在他的理智告诉他这字条不是什么地下组织的密件，而是思想警察的处决令，他还是不肯相信的。他不断盼望的还是那个悖乎常理的可能性最后变成事实。他的心怦怦跳着，费了一番气力才不让声音发抖，把订正的数字对着录音书写器念出来。

他把处理好的文件卷起，投入气筒。从厕所回来到现在，已过了八分钟了。他调整了眼镜，轻轻地叹了口气，又把另一堆文件拉近。那女郎塞给他的字条，就在这堆文件上面。他把它摊平，上面是三个不太工整的大字：

我爱你

他吓得瞠目结舌，竟忘了把这犯罪的证据随手丢在思旧穴。到他清醒后快要投进去时，还忍不住要再看一下，虽然明知这举动会让人怀疑他为什么对这字条发生这么大的兴趣。他要弄清楚究竟有没有看错。

那个上午剩下来的时间再难做什么事情了。要在电幕前面隐瞒你兴奋的心情，比集中精神去做无聊的差事还要困难。他觉得腹中好像有火球在滚动。到闷热、拥挤而又嘈吵的食堂吃午饭更是活受罪。他本来希望独个儿吃完就走，谁料偏遇到柏森斯这大笨蛋，一屁股就坐在他旁边，他的汗臭几乎掩盖了碎肉汁的气味。话匣子一开就说个没完，说的都是有关仇恨周筹备的事。他讲得特别热心的，是他女儿所属那个探子团为这活动特制的老大哥面具，据说有两米宽。更要命的是在喧哗的人声中，温斯顿没全听懂这家伙在说什么，因此得三番五次地要他把无聊透顶的话重述一遍。这其间他只匆匆地看过黑发女郎一次。她在食堂远远一角的一张台子前，旁边还有两个女孩子。她好像没有注意到他，而他再也没有往那边瞧了。

下午的一段时间就比较好过了。午餐回来后气筒马上就传来一份得费相当心机处理的文件。即使把别的东西搁在一边先办这事，也得花好几个钟头。温斯顿的任务：一个显要的内党党员有问题了，他得伪造一连串两年前的生产报告，使这内党头子名誉扫地。这正是温斯顿的看家本领，因此两个钟头内他埋首工作，居然没想起黑发女郎来。但工作完成后，她的面孔又在他脑海出现了。他多希望能够有一个独自沉思的机会，好好地把这事情的发展想一番。今天晚上他得去公社中心，因此在食堂又一次胡乱把肚子塞饱后，就到那边报到去了。他参加了形式庄严无比但内容愚不可及的所谓"小组讨论"，打了两局乒乓球，灌下几杯杜松子酒，听了半小时的演讲。演讲题目是"英社与棋戏的关系"。连他的灵魂也闷得要出窍。可是今天晚上是他平生第一次没想到要开小差。自看到"我爱你"三字后，他求生的意志突然加强，冒小小的风险他也认为太不值得了。一直等到二十三点钟他回家睡在床上后，他才真正找到沉思的机会。在黑暗中，只要你不做声，电幕也看不到你，你就安全了。

　　要解决的是个实际问题：怎样才能与那女郎联络和安排约会？现在他不再怀疑她是引诱他入圈套了，因为她塞字条给他时，情绪激动，这不是装得出来的。显然她怕极了。谁不怕呢？要不要拒绝她的追求？他想也没有想过，虽然五天以前他才动过要用石块砸破她脑袋的念头。这些都无关紧要了，他想着的是她赤裸青春的胴体，一如在梦中所见。他曾经把她看作和其他的人一样，一脑袋谎言与仇恨——一肚子冰块！一想到自己说不定会失去她，失去那洁白的少女胴体，心头急得发热。他最担心的倒是如果他不能马上跟她联络上，她就会改变主意了。但要跟她接触，谈何容易呵。这等于在棋盘上给人将死后还想再跳一步。你走到哪里，电幕眼跟到哪里。事实上，看了字条后的五分钟，什么可能跟她联系的方法都一下子掠过脑际，只是这个时候他才有时间逐一检视一番，犹如审视楼上摆着的一堆工具，看看哪件合用。

　　不用说，今天早上那种"邂逅"的方式不能重演了。如果她在记录科上班，那比较容易办。子虚科在这栋大楼的位置，他实在模糊，再说他也没有借口到那儿去。如果他知道她住在哪里，知道她的下班时间，也许可以想办法在她回家的路上"巧遇"一次。但如果要在真理部门口等她出来再跟她回家，那就危险了，因为在门口闲荡会引人注意。通过邮局写信给她呢？那更不用考虑了，因为所有信件都经检查，这已成公开秘密。事实上今天的人已很少写信了。有什么消息要转达的话，那你去买一张上面早已印好各种日常用语的明信片，把合用的句子勾出来就是。即使要写信给她也办不到，因为他不知道她叫什么名字。最后他决定还是在食堂跟她联络最安全。如果能有机会碰到她一个人吃饭，只要台子在食堂中央

（也因此离电幕远一点），只要四周的人谈话的声音不断，只要上述这三种条件能够持续半分钟，那么，他就有把握跟她交换三言两语。

此事发生后的一个星期内，他简直坐立不安。第二天午餐时间，她一直到温斯顿听到上班信号响起要离开时才出现，看来她掉换了晚一班的班次。他们碰面时眼色也不交换一下就各走各路。第三天，她在平常的午饭时间出现了，但一来她坐的台子靠近电幕，二来她还跟三个女孩子在一起。这以后她整整三天没有出现，害得他好像患了一种特殊的敏感性，浑身脆弱紧张，不但一举一动觉得痛苦，就是跟人说话或听任何声音都变成难以忍受的折磨。梦中他也无法忘记她。那几天的日记一片空白。如果还有些微安慰的话，那只有在工作时间碰到需要他特别花脑筋的任务，使他暂时忘记这黑发女郎。究竟发生了什么事呢？他毫无头绪，又不能向人打听。她可能蒸发掉了，可能自杀，可能调到大洋邦另一边去。但更可能是她改变了主意，决定躲避他。

第二天她出现了，臂上的纱带已除，只是手腕上裹了一条胶布。他兴奋之余，忍不住正眼看了她好几秒钟。接着的一天午饭时，如果不是一个不速之客突然出现，他差点就有跟她说话的机会。他到食堂时，她一个人坐着，台子也不靠近墙壁。时间尚早，食堂里还没有几个人。排队吃饭的行列节节上前，可是温斯顿快到柜台时停住了，因为前面有人抱怨说还没有拿到糖精。到他拿到盘子，移步到她的方向时，她还是一个人坐着。他一边漫不经心地走着，一边打量着她附近有无空台子。她与他的距离只有三米了——还差两秒钟就大功告成。一个声音在后面招呼他，他装着没听见。"史密斯——"声音喊得更响亮了。躲不过了，他只得向后转。原来是一个叫威尔舍的傻头傻脑的年轻人，笑着请他到旁边的空位子坐。他跟这金发青年并不熟，可是他不能拒绝。人家既跟你打了招呼，你怎可以弃他不顾走去跟旁边无伴的女人坐？那太显明了。他只好笑着坐下。威尔舍对着他傻笑。温斯顿突生幻觉，看到自己用鹤嘴锄朝他的傻样子锄去！黑发女郎的台子一下就坐满了人。

　　但她一定注意到他的举动了，说不定已了解他的用意。第二天他提早来，果然，她已在那儿，在昨天附近的台子前一个人坐着。排队时站在他面前的是个甲虫类的小块头，手脚灵活，两粒多疑的小眼睛在坦平的脸上滚来滚去。温斯顿在餐盘盛了食物转身要走时，看到甲虫人一直往女郎的方向走，自觉希望又落空了。前面不远的地方就有一个空位，但温斯顿从他的外貌可以看出，这甲虫人顶会照顾自己的利益，因此准会选最空的台子坐下。温斯顿跟在后面走，心头重得像铅块。除非他能单独面对她，否则什么计划也没法实现。前面突然轰的一响，只见甲虫人四脚朝天，餐盘舞汤如飞碟，咖啡和肉汤在地板上汇成两道小川。甲虫人挣扎起来后狠狠地瞪了温斯顿一眼，他心中一定以为这是后面跟上来的人的恶作剧。幸好他瞪瞪眼就算了。五秒钟后，温斯顿终于坐到女郎的台子来，心还扑通跳个不停。

　　他并没有正面看她，只默默地把餐盘上的饭菜放到台上来，马上就开始吃饭。当务之急就是马上跟她说话，否则别人就坐到旁边了。可是他实在担心得很。从她塞条子给他到现在，已有一个星期了，她可能已经改变主意。不，她一定已经改变主意。这种事不可能成功的。在现实的人生中，这种事根本不可能发生。如果不是这时看到耳朵长着长毛的诗人阿普福思，一瘸一拐地托着餐盘踱来踱去找空位子坐，他说不定一句话也不敢开口。阿普福思对温斯顿满有好感，如果看到他旁边有空位子，准会坐下来。能够采取行动的时间，大概只有一分钟。温斯顿和那女郎默默地低头喝着扁豆汤。温斯顿开始喃喃说话。两个人仍然是低着头忙着吃东西，就靠着一呼一喘的空当儿，面无表情地交换了下面几句话：

"什么时候下班？"温斯顿问。

"十八点三十分。"

"在哪儿见面？"

"胜利广场，靠近纪念碑。"

"到处都有电幕。"

"只要有一大堆人，就没有关系。"

"用什么暗号？"

"不用。除非你看到我四边都围着人，否则别接近我。别盯着我。只要站在我附近就行。"

"什么时间？"

"十九点。"

"好吧。"

阿普福思没看到温斯顿，他在别的台子坐下来了。黑发女郎匆匆吃罢，就走了。温斯顿燃了一根香烟。他们没再说一句话，而两人虽面对面地坐在同一张台子前吃饭，居然瞧也不瞧对方一眼。

温斯顿十九点前就到了胜利广场。他在老大哥铜像的支柱附近走着。老大哥的目光瞧着南边的天空凝望，因为在"一号航道战役"中击败欧亚敌机进犯，就在那方向（前几年，进犯的敌机是东亚国的）。老大哥铜像对面的一条街上也有一个骑着马的雕像，大概是英国名将奥利弗·克伦威尔吧。十九点零五分，她还没出现。温斯顿不觉又担心起来。她不来了，改变主意了。他信步走到广场的北面去。呀，这是圣马丁教堂，就是当年钟声吟咏"你欠我三法新"的地方！他因自己有这种识别能力而微感得意。就在这时，他看见她了，在纪念碑下念着（或假装念着）一份贴在柱子上的招贴。他不能走近她那边，人潮还未出现呢。这儿四边的墙壁都装有电幕。幸好不久就听到了左边传来一阵吆喝声和隆隆的汽车声。女郎迅速地绕过纪念碑下的狮子铜像，跑向涌来的人潮。温斯顿也跟着跑。他一边跑，一边听着旁人喊着叫着的话，才弄清楚原来有一批欧亚国的俘虏要在这里经过。

一下子广场的南边已挤满了人。温斯顿平日虽然看到人潮就朝相反方向走的，此刻一反常态，拼了命地向人头挤拥的地方钻。几乎伸手就够得上那女郎站的地方了！只可惜前面有一对看似夫妇模样的无产者，两人块头大得如日本的相扑勇士，严严实实地堵住他的过路。温斯顿只得侧着身子，光着肩膀，拼了九牛二虎之力穿过这道人肉屏障。他的内脏快要被两个肌肉结实的屁股压得粉碎了，幸好挤了没多久，出了一身汗，终于杀出重围。黑发女郎就在他旁边，两人紧贴着肩膀，两眼直视前面。

一队大卡车在前面经过，车上四个角落都有手执冲锋枪、面无表情的卫兵站着。卡车内就是个子矮小的黄种人俘虏，穿着褴褛的绿色军装，挤在一起蹲坐着。他们忧郁的蒙古人种的脸朝向车外，但一点也没有显得好奇的样子。车子偶然颠簸一下，你就听到当啷当啷的响声，因为俘虏都戴着脚镣。一卡车一卡车忧悒的眼睛从温斯顿前面经过。女郎的肩膀和胳膊紧贴着他的，面颊也靠近得几乎可以让他嗅到她的气息。一如她在食堂时所表现的当机立断能力一样，此刻她马上把握形势，用同样毫无感情的声音，嘴唇动也没动似的呢喃着。卡车声和人声一下子就可以把她的声音掩盖。

"你听不听得到我说话？"

"听得到。"

"星期天下午走得开吗？"

"可以。"

"那小心听着，别忘了。你去帕丁顿车站——"

接着她就告诉他要走的路线和方向，周密得如军队部署一样，令他吃了一惊。坐半小时的火车；出车站后左转；走两公里；到了上面缺了横梁的大门，进去；越过田野小径；穿过杂草丛生的巷子；走过矮树中的小道；看到长着苔藓的一株倒在地上的枯树……仿佛她的脑袋里面是张地图！最后她问："都记得吗？"

"记得。"

"你先左转，再右转，然后再左转。那道门上面缺了一道横梁。"

"记住了。什么时间？"

"十五点吧。可能你要等我一下，因为我从另外一个方向来。真的记清楚了？"

"不错。"

"那马上离开我。"

其实不用她说他也知道，只是目前实在无法抽身。卡车还没过完，观众还是百看不厌的样子。刚开始时有人"呸"声不绝，但这仅是几个党员的行为，而没多久他们也自动停止了。现在大家只是好奇。外国人，不论是从欧亚国来的或从东亚国来的，都是新奇的动物。除了以囚犯的面目与人相见外，他们根本不会在大洋邦出现。即使这样，你能够看到他们的机会也不多，总是短短的一瞥一瞬而已。他们的命运也没人知道，其中一些以战犯的罪名处了绞刑，其余的就失踪了，大概是下放劳改营吧。蒙古人脸形的俘虏已陆续过去，接着出现的看似欧洲人，脏脏的，满面胡子，显得筋疲力尽。他们的目光从长满短须的面颊上方向温斯顿这边投来，有时给人一种奇异的炽热感觉，但一下子又消逝了。俘虏卡车快过尽了，在最后一辆卡车上，温斯顿看到一个脸上须发斑白的老人站着，双手交叉在胸前，好像早已习惯了这种束缚似的。该是他和女郎分手的时候了。在最后的一刹那，趁着人潮还在围着他们的时候，她摸到了他的手掌，迅速地捏了捏。

他们手捏着手的时间，顶多不过十秒钟，感觉却似永恒。就在这短短的时间内，他已熟悉了她手掌的细节——修长的手指，整齐的指甲，因干粗活而磨出来的掌心硬皮，还有手腕部位的细嫩皮肤。他虽然没看到，但这么抚摸了一下，已感觉到好像亲眼看到过一样。就在这时他想起了一件事：他不知道她的眼睛是什么颜色。褐色吧？但黑发的人的眼睛通常是蓝色的。他不敢转头去望她，太危险了。在人肉屏障内，他们紧握着手，直视前方。他看到的不是女郎的眼睛，而是须发斑白的那个老俘虏神伤的眼睛。

二

　　温斯顿沿着小巷走。阳光透过树荫，洒满一地斑点。那些树叶遮盖不到的地方，看来真像一个个金黄色的池塘。树荫下左边的地面，遍布风铃草。这是五月二号，空气柔和得使人的皮肤有被吻的感觉。附近的森林里传来斑尾林鸽的嘤鸣声。

　　他来得早了一点。沿路都顺利得很，女郎又是识途老马，否则他说不定会担心起来。她选这地方来约会，准会安全的。一般而言，乡下并不一定比伦敦安全。电幕是不见了，但谁知道四边有没有安放隐蔽的麦克风？再说，你一个人旅行难免受人注意。一百公里以内的活动虽然不必申请什么证件，但巡逻警察常在车站附近出没，遇到党员就要盘问。幸好这次他们没有出现，而从车站步行到这里时，他特地偶尔回望一下，看看有没有人跟踪他。火车满载无产者，因为天气像夏天一样暖和的关系吧，显出一片假日气氛。温斯顿坐的那节木椅子车厢，就给一家人坐满了，老的有牙齿全掉的曾祖母，小的有包着尿布的婴儿，据说是赶到乡下跟亲戚共度一个下午。"也乘便买些黑市黄油来涂面包。"他们毫不隐瞒地对他说。

　　小巷的路面宽阔起来，没多久他就到了她说过那条夹在灌木丛中的小径，看来是牲口的过道。他没有表，但猜想还未到十五点。风铃草长得密密麻麻的，走路时难免踩踏到。他跪下来摘这些蓝色铃状的小花，一来为了打发时间，二来他心中动了一个念头：等一下见面时送她一束花！他摘了一大束，正拿到鼻子前去嗅嗅那微微的不好闻的香味时，听到背后有人踩着地上的树枝前来，吓得浑身发抖。他决定装着没听到，继续采下去。来者可能是女郎，也可能是跟踪他的人。这时回头望去，就表示你心中有鬼。他一朵一朵地摘着，一只手轻轻地搭在他的肩上。

他抬头，是那女郎。她摇着头，显然是警告他不要做声，然后拨开矮枝步入林中。她对这小径的地势熟悉得很，因为遇到地上的水滩时她瞧也不用瞧就跳过去了。温斯顿在后面跟着跑，手上那束花还紧抓着不放。他看到女郎时第一个反应是如释重负。可是现在看到她苗条结实的身体在前面移动，腰间系着的猩红贞操带刚好把她臀部美好的线条显露出来，不由得生出强烈的自卑感。即使在这一刻，如果她转过头来看他一眼，决定离他而去的话，他也不会觉得奇怪。甜得像蜜糖一样的空气与绿油油的树叶令他自惭形秽。这种感觉从离开车站时就产生了。五月的阳光令他觉得自己既肮脏又苍白，一个长期身处室内的人，连皮肤上的毛孔里也藏着伦敦的煤烟。对的，她大概还没有在室外光亮的地方看过他一次。他们已到了她说过的那株倒在地上的枯树旁。她跳过去，拨开荆棘。初看时，这地方并无出口。温斯顿跟着她走了一会儿，才发觉别有洞天，原来他们已到了一个长满青草的小土墩，四边有高高的树苗围绕着。女郎这时停了下来。

"我们到啦！"

她离他身边还有几步，可是他却不敢上前。

"刚才我在巷子内没有说话，就是怕那里装有麦克风，"她接着说，"照我猜想，那不大可能，但谁敢担保？要是给那些猪猡认出我们的声音，那就完了。这儿是没问题的。"

他还是不敢接近她，只是机械地重复她的话："这儿没问题？"

"对，你看看这些树枝。"那是不久以前砍过的桫木，现在重新发枝，最大的一棵也没有手腕那么粗。"藏不下麦克风，是不是？再说，我以前已来过这里。"

他们只是找话来说而已。他现在距离她更近了。她挺直地站在他面前，脸上挂着一个近乎嘲弄的笑容，好像怪他行动拖泥带水的样子。他手上那束风铃草好像是闹性子的样子，全滑到地上来。他执着她的手。

"你相信吗，"他说，"这一分钟以前我还不知道你的眼睛是什么颜色。"淡褐色，他注意到了，睫毛却是黑的，"现在你已清楚看到我是什么样子了，很失望，是不是？"

"谁说的？"

"我三十九岁了，还有一个摆脱不了的老婆。脚上患了静脉曲张，嘴巴里装了五颗假牙。"

"那有什么关系。"女郎说。

下一分钟，她已在他怀中，也不知是谁采取的主动。起先，他除了半信半疑外，别无其他感觉。那充满青春活力的胴体紧贴在他胸前，一头浓密的黑发摩擦着他的脸颊。呀，她别过脸来让他亲吻那两片红润的嘴唇！她两手搂着他的脖子，"蜜糖"、"甜心"地叫着他。他把她扭到地上，她一点反抗的意思也没有。本可以为所欲为的，只是除了肌肤的接触外，他一点冲动也没有。他现在还是半信半疑，但同时也觉得有点骄傲。虽然生理上不能反应，但最合他

114

高兴的是这种事居然发生了。事情也实在太突然，她的青春和美丽令他害怕，但他说不出害怕的理由来。也许长久以来他已习惯了没有女人的生活。女郎站了起来，从头发上扯下一根风铃草。她靠着他坐下，搂着他的腰。

"别担心。不急，反正整个下午都是我们的。你说这是不是理想的幽会地方？这是我在一次公社郊游时迷了路找到的。谁闯过来你百尺以外也可以听到脚步声。"

"你叫什么名字？"温斯顿问。

"朱丽亚。我知道你叫温斯顿——温斯顿·史密斯。"

"你又怎样知道的？"

"大概我查根究底的能力比你强吧。好，现在告诉我，我交字条给你前，你对我的印象怎样？"

他觉得没有任何理由要骗她。一开始就挑最坏的来讲，也是表示爱情的一种方式。

"我恨死你了，"他说，"我想过先把你强奸，然后再杀你。两个星期前，我真的考虑过要用石块砸破你的头。你真的要知道的话，那我不妨对你说，我曾经怀疑过你是否与思想警察有关系。"

朱丽亚听后，乐得大笑起来，显然觉得这是对她掩人耳目高超技术的恭维。

"把我看作思想警察？不可能吧？"

"也差不多了。你站在我的立场看看。你的外貌、一举一动——就说你的青春、健康、活泼这些特质好了——都使我不禁想到你可能——"

"你以为我是个模范党员？言谈举止纯洁，举大旗参加游行，喊口号，热心参加公社各种活动，是不是？你一定以为我只要找到半个借口，就检举你是思想犯，把你干掉，是不是？"

"唔，差不多是这样。你也知道，不少年轻的女孩子干的就是这种事情。"

"就是因为这劳什子的东西。"她边说边把腰间那条猩红的"反性"带子解开，一扔扔到树梢上去。然后，好像刚才解腰带时提醒了她什么东西似的，她伸手到制服的口袋去摸了一片巧克力出来，折了一半分给温斯顿。他还没接过来就从气味晓得这是一块身份不寻常的巧克力，糖质黑得发亮，包在锡纸内。普通买到的是暗淡的棕褐色，容易折碎，气味如同烧垃圾的烟火。可是过去他也尝过类似刚才朱丽亚给他的那种上好巧克力，那阵芬芳的气味唤起了他的回忆，什么时候记不清楚了，只是现在想来印象还鲜明得令人惆怅就是。

"哪里弄来的？"他问。

"黑市。"她一点也不在乎地说，"其实表面看来我确实是你所说的那类女孩子，精于各种游戏，以前还做过探子团的队长哩。一个星期我志愿替青年反性联盟服务三个晚上，到全伦敦的街头去替她们贴那些屁话连天的招贴，游行时举大旗总有我的份。做什么事都自告奋勇，兴高采烈。这是人云亦云、永不落后的表现，对不对？但这也是自保的唯一办法了。"

巧克力开始在温斯顿的舌头上融化，味道真叫人心畅神怡。可是刚才勾起的记忆还没有消逝，印象虽鲜明却又无法捉摸。最后他决定不再想下去了，因为他明白这是他要忘记而一直缠着他不放的心事。

"你这么年轻，"他说，"比我年轻十岁甚至十五岁吧。告诉我，我这样一个人还有什么吸引你的？"

"你脸上流露的气质与别人不同，因此我决定冒一次险。我鉴貌辨色，知道谁属于格格不入的那一类。我第一次看到你，就知道你是反对**他们**的。"

　　他们，看来就是指党，特别是内党。她话说得这么旁若无人，态度又表现得这么憎厌，虽然他知道这地方安全不过，也难免不安起来。最令他惊奇的一点是她提到有关**他们**的事，都用粗话形容——"这劳什子的东西"、"屁话连天的招贴"。党员照理说是不能讲粗话的，温斯顿自己就很少讲，最少在别人面前如此。朱丽亚却不同，每次提到党，尤其是内党，她用的字眼只有在横街窄巷的墙壁上看得到。温斯顿并不觉得讨厌，这不过是她对党和党所代表的一切的反抗姿态而已。不但不讨厌，他反而觉得正常得很，健康得很，犹如一匹马闻到了难以下咽的稻草打个喷嚏一样。他们离开了小土墩，在树荫下漫步，遇到小径宽阔得可以容纳两个人并肩走时，他们就互相搂着腰身走。温斯顿这才注意到，朱丽亚解下那猩红带子后，腰肢柔软多了。他们说话的声音低得像呢喃，因为朱丽亚说过，一离开空旷的地方就得留神了。他们已来到小树林的旁边，朱丽亚就阻止他了。

　　"别再走了，那边说不定有人。只要我们不离开树林就比较保险。"

　　他们站在榛树下。透过树梢洒下来的阳光，照到脸上还是热炽炽的。温斯顿向前面的田野遥望，不禁暗暗吃惊。这一切似曾相识。对了，被野兔咬得秃秃的草地上有一条小径，两旁不是有许多鼹鼠洞？越过草地不是一个久未修剪的围篱吗？里面的榆树浓密的枝叶随着微风轻荡，像女人的头发。虽然看不到，但离这儿附近不远的地方，一定有清溪汇流而成的小池塘，雅罗鱼嬉游其中。

"附近是不是有小溪？"他低声问。

"对啦，但不在这里，在另外一片田野的旁边。里面有不少大鱼呢，你在柳荫下可以看到它们在池塘内游来游去。"

"呀，那就是金乡了——我是说，几乎像金乡。"他沉吟着。

"金乡？"

"说着玩的。金乡是我在梦中有时看到的风景。"

"看！"朱丽亚轻唤着。

一只画眉鸟在离他们头顶不到五米的树丫上停下来，它大概没看到他们吧。他们在树荫里，而它在阳光下。只见它拍了拍翅膀，点了点头，好像要对太阳敬礼的样子，然后引吭高歌起来。在这阒无声息的下午，它的音量可真怕人！温斯顿与朱丽亚依偎在一起，听得出神。它一曲接一曲地唱下去，花样真多，从来没重复过，好像故意要在他们面前露一手似的。有时它停下来几秒钟，拍拍翅膀，又一鼓作气高歌起来。温斯顿一直望着它，态度竟然变得有点虔诚起来。它究竟为谁唱？为什么唱？它既无伴侣，亦无对手，为什么要到这孤独的林边来浪费自己的歌声？他实在怀疑这附近有没有装上麦克风。他和朱丽亚说话这么轻，是收听不到的。画眉鸟的歌声，那准是声声入耳。说不定在麦克风那边的甲虫人，静心听着的就是**这种歌声**。没多久，这种天然的音乐把他心中的顾虑都消除了。他好像全身沐浴于阳光温暖的液体中，再不思考了，只是感受。在他臂弯里的腰肢温暖而柔软。他一扳把她扳到面前来，胸贴着胸，她整个身躯软得要融解在他跟前了。他的手摸到哪儿，哪儿就像水一样驯服。他们深深地吻着，跟开始时强凑起来那种感觉截然不同。松开手后，两人都重重地叹了口气。那只音乐鸟吃了一惊，振翼飞去。

温斯顿贴在她耳边说："**现在来**，好不好？"

"这里不成，"她轻轻地回答说，"回到老地方去安全些。"

他们连忙举步回到小土墩，偶尔踩着枯枝，发出噼啪的声音。一到树苗围绕的空地，她就转过身面对着他。两人都喘着气，但她的嘴角已恢复了笑容。她瞟了他一眼，伸手去摸衣服的拉链，然后——对了，就像梦境里所见一样——一拉就把衣服脱光往地上一丢，其潇洒壮丽的姿势，好像足以把整个英社的文化毁灭掉！她赤裸的胴体在阳光下闪耀，但他的目光正在注视的，却是她那张微带雀斑、笑容坦率的面孔。他跪在她跟前，捧着她的双手。

"你以前这样做过吗？"

"当然，几百次了——最少也有几十次了。"

"跟党员来？"

"是的，常常跟党员来。"

"内党党员？"

"你说那些猪猡？老天，我怎会？但我告诉你，只要有半分机会，他们**就会**涎面求欢。你别看他们装出那种道貌岸然的样子！"

他的心激动得怦怦跳动。她已干过几十次了！他真希望是几百次！几千次！任何牵扯到腐败的事件都教他产生希望。谁知道呢？说不定党的内部已腐烂了。说不定表面看来煞有其事的牺牲奉献精神，其实是藏污纳垢的渊薮。如果他一个人能把麻风或梅毒传染给他们的每一个，他太愿意做了。他愿意干任何使他们腐化、堕落、崩溃的事。他把朱丽亚拉下来，两人面对面地跪在地上。

"你听着。你阅人越多，我越爱你，你懂吗？"

"再清楚不过了。"

"我憎恨纯洁，憎恨善良。我不要看到美德在任何地方存在。

我希望每个人腐败得无可救药！"

"呀，那我太合你的胃口了，因为我正是腐败得无可救药！"

"你喜欢做……这个吗？我是说不单跟我，而是事情的本身。"

"这是最过瘾不过的事。"

这就是他最想听的话了。爱情的力量，再加上动物本能的原始性冲动，已足够把党推倒了。他把她按在风铃草掉落的草地上，这一次再无生理上的问题了。过一会儿他们两人急速的呼吸已渐趋平伏，舒服地分开瘫卧着。阳光越来越猛烈，两人累得想睡了。他伸手拿来丢在地上的制服，给她半盖着身子。一下子他们就睡着了，睡了差不多半个钟头。

温斯顿先醒来。他坐着端详朱丽亚的雀斑脸。她还睡得甜甜的，头压在手上。除了她的嘴巴，她不算得怎么漂亮。你细心看的话，在她眼角还可找到一两条鱼尾纹。她的头发不长，可是出奇的柔软浓密。这时他才想到他还不知道她姓什么，或住何处。

面对着这个因熟睡而显得无援无助的青春健康的胴体，温斯顿不禁生出爱怜之感。但这种感觉，跟刚才在榛树下听画眉鸟唱歌时没头没脑涌现出来的柔情，却不大一样。他拉开盖在她身上的制服，仔细地欣赏她柔滑的腰身。在从前，他想，男人看了女人的身体，觉得实在可爱，那就成了。今天可不同。今天既无纯洁的情，也无真正的欲。没有什么感情是纯正的，因为总会夹杂着恐惧和憎恨的成分。他们合体的经过是一场战事、一个胜利的高潮。这是对党沉重的一击。这是一次政治行动。

三

"我们还可以再到这里来一次。"朱丽亚说,"通常来说,一个地方跑两次不会有问题,但要等一两个月后再来。"

她一醒来后,神态也改变了,说话果断,头脑清醒。她穿上衣服、系上贞操带后,就忙着安排回家要走的路。真是应该事事听她的,温斯顿所缺少的就是她这种世故与常识。她参加过无数公社举办的郊游活动,对伦敦附近的乡间了如指掌。她给了他归程的路线,与他来时走的颇有出入。他下车的车站也不同。"回家时千万别走相同的路。"她叮嘱说,好像发表一种放诸四海而皆准的理论。她要先走,半小时后温斯顿才能动身。

她指定了一个四天后下班相见的地方。地点在贫民区的一条街上,因为那儿有个公开市场,通常人头涌动,吵得很。她会在摊子前面逛来逛去,装着要买鞋带或纱线。如果她看到他时附近无可疑人物的话,她就会擤鼻子,否则他就装着没看到她。运气好的话,在人堆中总可以谈十来分钟,安排下次约会。

"我得走了,"一等到他把所有的细节弄清楚,朱丽亚就告诉他说,"我十九点三十分得报到,替青年反性联盟发两小时的传单或做其他劳什子的事。你说这是不是狗屁冲天的事？给我拍拍身上的灰尘，好不好？我的头发上有没有什么树叶树枝的？真的没有？那再见了，爱人，再见了！"

她一扑扑到他怀中，使劲地吻着他，接着就拨开树丛，几乎是不声不响地隐没于林中。他现在还不知道她姓什么、住哪里。也没关系了，因为他们根本不可能在室内会面，或交换什么书信。

事实上他们没再回到那小土墩去。在整个五月份里，他们只有一次机会再发生关系。地方又是朱丽亚找的——三十年前被原子弹炸毁的教堂钟楼上。那教堂位于已无人烟的乡间一角，虽是理想的幽会地方，走到那里却险象环生。其余的时间，他们只能在街头见面，每次地点不同，也从来不超过半小时。在街上碰头，总可以有一搭没一搭地说几句话的。他们挤在熙来攘往的行人道上，前后保持一段小距离，你不看我，我不看你，像灯塔与进港船只打的信号灯一样，你一句我一句地"聊"起来。一看到穿制服的党员或走到电幕的附近，就自动闭嘴。几分钟后，又把断了的句子说完。到了约定分手的地方，又马上中止。第二天见面时，旧话也没有重提就把上次未说完的话说完。朱丽亚好像对这种谈话方式非常习惯。她说这是"分期聊天"。她不用张嘴说话的能力，更是惊人。这样每天晚上见面差不多一个月了，只吻过一次。他们正在一条横街上默默地走着（朱丽亚离开了通衢大道就不再说话），突然一声巨响，仿如地裂天崩，温斯顿倒在路旁，擦伤了皮肉，人也吓呆了。火箭弹准是落在附近。惊魂甫定后，他才看到朱丽亚的脸只离自己几米，苍白如纸，嘴唇也是白的。她一定死了？他把她搂到身上来，吻着！原来她还活着！吻得他嘴里满是尘土。两人的脸上都盖着厚厚的一层灰泥。

有些晚上，即使他们到达了约会的地点，也得装着没看见，各走各路，因为刚巧遇到巡逻警察或头上刚有直升飞机在盘旋。不过，除了客观环境的困难外，时间也是个大问题。温斯顿一周工作六十小时，朱丽亚更长了。他们两人哪天有空，视乎工作的需要而定。能够凑巧空出来的时间实在不多。朱丽亚很少有一个晚上是完全空的，她大部分的工余时间花在听演讲、游行、为青年反性联盟发传单、为仇恨周准备旗帜、为节约运动收集款项这类工作上。这有好处的，她说，因为这就是掩护色彩。守小规破大戒嘛！她因此劝温斯顿一周牺牲一个晚上的时间，与其他忠贞的党员一起志愿去参加装备军火的工作。就这样，每个星期一个晚上，温斯顿就得花四小时去装炸弹的导火线。工作闷得怕人不在话下，工场建筑透风漏雨，光线不足，只听到榔头彼起此落，和着电幕播出的令人昏昏欲睡的音乐。

　　他们一到了钟楼就忙着把在街上未讲完的话说完。那天阳光猛烈，钟楼上的小室空气不通，更热得烤人。鸽子的粪粒，在阳光的暴晒下恶臭冲天。他们在尘灰和枝叶积得厚厚的地板上聊了几个钟头，不时站起来透过箭头形状的洞口看看有无来人。

　　朱丽亚二十六岁，和三十个女孩子同住一间宿舍。"你逃到哪里，都闻得到女人的臭味！哎呀，我受不了！"她说。他猜对了，她在子虚科工作，负责保养一座复杂的高压电动机。她说她并不聪明，只是手脚灵敏，特别喜欢操作机器。一部小说的生产过程，由计划委员会交下来的指示开始，到润色小组怎样去修改文字为止，她都可以讲得头头是道。但她对子虚科的出品一点也没有兴趣。"我不喜欢读书。"她说。跟果子酱和鞋带一样，书本只是一种产品。

六十年代早期的事，她都不记得了。她认识的人中，只有一个常常提到革命前的事。这人就是她的祖父，但在她八岁时就失踪了。念书时她是曲棍球队队长，一口气获了两年体育奖。她做过探子团头目，而在参加青年反性联盟前是少青队的分部秘书。她的操行记录清白无瑕。她在这方面的声誉可从此事得到证明：黄社看中了她，挑选她参加工作。在那儿工作的同志，称此单位为粪厂，因为他们专门生产低级黄色读物，供给无产者消费者。她干了一年，协助生产出来的成品包括《打屁股的故事》和《女校春宵》等。这些小书都是封好的，无产者青年偷偷摸摸地买来后，沾沾自喜，以为买了违禁品。

"这些书究竟是怎么一回事？"温斯顿好奇地问。

"哎，彻头彻尾的垃圾！闷死人了。全部只有六个情节，不时混杂掉换一下就是新书。不过，我负责的只是万花筒部分，没有在润色小组做过。我没有什么文学细胞呢，连欣赏那种'文学'都够不上。"

令温斯顿惊奇的是，除了头子外，所有黄社员工全是女孩。理由是：男人的性本能比女人难控制，耳濡目染后，就易受到污染。

"他们连结了婚的女人也不欢迎，"她补充说，"女孩子嘛，本应冰清玉洁——除了本人！"

朱丽亚的情史自十六岁开始，对象是个六十岁的党员，后来畏罪自杀了。"这倒好，"她说，"不然他们迫供时他就会泄漏我的名字。"自那次以后，她与不少人发生过关系。她心目中的人生简单得很。你要追求快乐，"他们"要阻止你，因此你得费尽心机去骗，去破坏规矩。她认为既然"他们"要剥削你追求快乐的自由，那你就应该尽力不要让"他们"抓到，这样才算公平。她对党深恶痛

124

绝，话说得再明白不过，但为什么恨，却无概念性的批评。除非涉及她自己的生活，她对党的理论毫无兴趣。温斯顿注意到她除了几个已变成日常用语的词外，一直没有说过新语。她从没听过兄弟会这回事，也不相信它存在。任何有组织的反党行动在她看来都是愚不可及的事，因为注定要失败。最聪明的事莫如在苟全性命的前提下钻法律漏洞。在年青的一代中，像她这种心态的人究竟有多少呢？温斯顿听后不禁问自己。这种人在革命中长大，以前的事一点也不知道，接受了党是像太阳运行一样不可改变的事实。既然不可改变，那就不必抗拒它的权力，但不妨摆脱它，犹如野兔逃避猎犬的追扑一样。

他们没谈到两人结婚的可能性。机会太渺茫了，何必费心思去想？即使凯瑟琳能够摆脱得掉，上头又怎会通过？这简直是做白日梦。

"你太太是个怎样的人？"朱丽亚问。

"你听过新语'好思'这个词吗？她就是这样一个人。生来思想正确，不会动任何邪念或坏主意。"

"我没听过那个词，可是我就知道她是那一类人，而且了解得太清楚了。"

他正要开始跟她讲自己的那段婚姻生活，奇怪的是，朱丽亚早已晓得其中细节了，好像她是个过来人一样。他一触摸到她的身体，凯瑟琳就浑身僵硬，是不是？她紧抱着他时，他的感觉是她正用全力推开他的样子，对不对？跟朱丽亚说着这些事，温斯顿没有觉得有什么难以启齿的地方。凯瑟琳带给他的痛苦经历，早已忘却，剩下来的只是不愉快的回忆。

"本来这种关系还能忍受下去，如果不是——"接着他告诉她凯瑟琳强迫他每周一晚遵守的仪式，"她恨透了，但天塌下来她也不肯放弃。她把这种关系叫作——你猜不到的。"

"对党的责任。"她想也不用想就替他说出来。

"你怎么知道？"

"傻瓜，我也上过学呵。十六岁以上的孩子每月得恭听一次性教育演讲，更不必说其他的青年活动了。他们耳提面命地灌输多年，对大部分人来说应该有效吧。可是也实在难说，大家都学会了装假嘛。"

朱丽亚的话题，由此展开。对她而言，什么话题到最后都与性有关，而她这方面的观察与见解也特别敏锐。她看到了温斯顿看不到的问题，譬如说党提倡禁欲思想的真正理由。党千方百计要消灭性的本能，倒不单是因为性行为自成天地，难受控制，最大的理由倒是性压抑有利于引导歇斯底里情绪的发生，而这种情绪稍一刺激，就可变成好战心态与领袖崇拜的狂热。

她的解释是："你做爱时，吃奶的气力都用尽了。事毕，你快乐无边，哪有心情去管别的事情？他们怎么受得了？他们要你一天二十四小时精力充沛。换句话说，游行示威、摇旗呐喊的行为，无非是性苦闷的发泄。如果你心中快乐，还有什么心情去理会老大哥？还会把三年计划、'两分钟仇恨'节目或其他去他祖宗十八代的玩意儿当作一回事？"

真有道理，温斯顿想。禁欲思想与政治的"道统"原有密切的关系。如果不是把性欲这股可怕的力量疏导，党哪有办法把民众的仇恨、恐惧和狂热控制自如，留为己用？性冲动足以危害党的统治，不得不收拾一番。他们对父母的天性也一样玩弄。家庭制度是消灭不了的，因此他们鼓励父母像在"旧社会"中一样疼爱儿女。

不同的是，孩子自小就受训练，监视父母的行动，检举他们的异端思想。家庭因此变成思想警察的延伸。如此一来，一天二十四小时看管着你、包围着你的，就是你最亲近的人。

一刹那间，温斯顿想到凯瑟琳。如果他有什么证据落在她手里，她会毫不犹豫地向思想警察告发他。只是她太笨了，没注意到他思想上不规矩的一面。他此刻想到凯瑟琳，也是有客观理由的。这一天的下午，闷热得令人喘不过气来，他额前的汗涔涔滴下。他告诉朱丽亚一件十一年前，在同样一个酷热的下午所发生的或几乎要发生的事。

他跟凯瑟琳结婚三四个月了。他们参加了公社旅行，在肯特区迷了路。他们本来只落后两三分钟，但不知怎的拐错了一个弯，竟跑到一个石矿的悬崖上去，十多二十米以下尽是石块。这地方根本找不到人问路。凯瑟琳一听到他们迷了路，就觉得忐忑不安。只要离开团体一分钟，她就觉得好像做了什么错事。她要赶来时的路，然后再到另一个方向找同游的人。就在这时候，温斯顿在脚下峭壁的夹缝中看到一簇一簇的黄连花。有一簇长了两种不同颜色：一是紫红，一是土黄。同一根茎上居然有此异样的色彩，他从没见过，因此忙招呼凯瑟琳来看。

"看，凯瑟琳，快来看看这些花！就在下面的那一堆。你看到了吗，两种不同的颜色！"

她本来转身要走了，听到他这么说，又勉强回来，探身到崖边去看他所指的地方。他站在她后面，手按着她的腰肢好让她站稳。这时他突然想到，在这悬崖上下只有他和凯瑟琳二人。树叶无声，飞鸟不鸣，在这种地方安置麦克风的几率微乎其微。即使有，麦克风也不是电幕，只能传播声音。这是下午最闷热、最令人昏昏欲睡的时间。太阳热辣辣的，汗珠流到脸上。他一下子居然动了那种念头……

"你为什么不顺手一推？"朱丽亚问道，"换了我，我准会。"

"我想你会的。如果我那时的想法跟现在一样，我也会。最少我是这么想，做不做得到又是另外一回事。"

"你后悔了？后悔没下手？"

"嗯。整体说来是这样。"

他们并肩坐在灰尘盈寸的楼板上。他搂着她，要她靠近自己一点。她把头枕在他的肩膀上，她的发香使他忘记了面前鸽粪的味道。她还年轻，他想，她还指望从人生得到点什么，不会了解到把一个碍手碍脚的人推下悬崖解决不了问题。

"实际上却没有什么分别。"他说。

"那你为什么后悔？"

"那是因为我觉得采取行动总比毫无作为的好。我们斗他们不过，最后注定是一败涂地，只是失败的方式，有一些比其他的好受一点而已。"

朱丽亚耸了耸肩，表示不敢苟同。每次他说话时意见与她相左，她都用这方式抗议。她不肯接受个人注定要失败这种说法，虽然她也多少了解到自己总有一天大限难逃，知道思想警察终归会抓到她，蒸发她。可是她脑海中的另一部分还没有放弃这种想法，认为她可以建立一个隐秘的世界，过随心所欲的生活，只要胆子大、够狡猾、运气好就成。她不知道在这种制度下根本无幸福可言。要把这种制度推倒并非全不可能，但实在遥遥无期，而那时说不定你早离人世了。她更不会想到，你哪一天向党宣战，哪一天已是半条腿踏进棺材的人了。

"我们已经死了。"他说。

"我们还活着。"朱丽亚木然地说。

"肉体还活着就是。活半年、一年、五年，谁晓得。我怕死。你年轻，你应该比我更怕死。当然，我们能多活一天就多活一天。不过这实在没有什么分别，如果人能够活得像个人，生死都一样。"

"荒谬！荒谬！你要跟谁睡觉？跟我还是跟骷髅？你活着不觉得高高兴兴？你不要有感觉吗？喏，这是我，这是我的手、我的腿，我是个有血有肉的人。你不喜欢吗？"

她扭动身子，挺着胸脯抵着他。虽然隔着外衣，他仍可感觉到她坚挺成熟的乳房，向着他的身体发射着青春的活力。

"我当然喜欢。"他说。

"那就别再说要死啦要死啦的，好不好？听着，老头子，我们得商量下次见面的时间与地点。我看我们还是回到树林里那小土墩去吧，也等够时间了。这一次你得走新路，我已经计划好了。你坐火车——好吧，我画个图给你看。"

她在地上拨了一些泥土，从鸽巢取下一根枯枝，在地上给他指引方向。

四

　　温斯顿已跟查林顿先生租下了他铺子上面的简陋房间。他四周打量了一下，靠窗的双人床上已有破旧的毯子和没有枕套的长枕。壁炉架上的老式钟滴答地响着。摆在角落里的桌子上面是他上次买来的玻璃镇纸，在昏暗中发着柔和的光辉。

　　壁炉铁栅前面是一个煤油炉、一口长柄平底锅和两个杯子。这都是查林顿先生供应的。温斯顿在炉子里生了火烧开水。他带了一包胜利咖啡和一些糖精来。那个老式钟的时针指着七点二十分，那就是十九点二十分。朱丽亚在十分钟内就要到。

　　愚蠢的行为，愚蠢的行为呵，他心里一直叫着。明知故犯、多此一举的自杀行为！一个党员所能犯的错误，以此最难隐瞒。最先令他动这个念头要租下这房子的，是那块水晶玻璃：他脑中老是升起这个镇纸放在折叠桌子上所生出的温馨感受。正如他所想象的一样，租房子的事，一拍即合。查林顿先生显然乐得每月增加几块钱的收入。还值得一提的，就是当他知道了温斯顿租这房子是为了跟情人幽会时，一点也不觉得惊讶，也不觉得受骗。这老先生识趣地顾左右而言他。他说不受干扰的自由实在是非常珍贵的。每个人在某些时间都应有一个完全属于自己的地方。要是他真的找到这种地方，知道底细的人应该懂得规矩，不替他宣扬出去。临离开前，查林顿先生还特意告诉温斯顿这房间有两个出口，除了经过他铺子的正门外还可走后院，通到横巷去。

窗子下面有人唱歌，温斯顿隔着窗帘探望出去。六月的阳光洒满后院，只见一体积庞然的妇人，腰间系着麻袋布围裙，展着肉腾腾的双臂，一步一陡地在洗衣盆和晒衣绳间踱来踱去晒孩子的白色方形尿布。她口里含着晒衣用的木夹子，但只要嘴巴一空出来，就用女低音哼着：

> 本来不存希望，
> 心事化作春泥。
> 谁人巧言令色，
> 使我意马难收？

这曲子近几个星期风靡伦敦。其实，这不过是音乐科一个小组为了迎合无产者嗜好而大量生产的无数歌谣之一。曲词是谱乐器的杰作，不经人手，本来肉麻低级不过，只是这女人唱得有板有眼，听起来不如想象那么难受。她的歌声温斯顿听得清楚。她鞋底刮磨石板地的声音，他也听得清楚。此外还有孩子在街上的呼喊声和远处传来的交通嘈杂声。但正因没有装上电幕，房间显得出奇的宁静。

愚不可及，愚不可及呵！他想。要是他们继续到这里来几个星期，准落网的！但他们实在需要一个完全属于自己的，而且又不用走得太远的房间。忍受不了这个诱惑，就把房子租下来了。自上次他们在教堂的钟楼见面后，一直没办法安排再单独聚会的地点。为了准备仇恨周的节目，每个人都得加班。事实上距离这一周还有一个多月的时间，但领导方面为了慎重起见，筹备工作也变得繁重而复杂了。好不容易他们终于安排了一个下午见面，而且说好了再到林中的小土墩去。在出发前一天的晚上，他们在街上匆匆地谈了一下。跟过去的习惯一样，两人在人群中迎面走着时，都装着看不到对方，但这次温斯顿看一眼就注意到朱丽亚的脸色比平时苍白。

"吹了，"她审视形势后，低声说，"我是说明天的事吹了。"

"什么？"

"明天下午我不能来。"

"为什么？"

"还不是老问题，这次早来了。"

他一下子气得要炸了。自认识她以来的一个月，他对她的欲望性质起了变化。起先，色欲的成分很少。他们第一次的性关系是靠意志力完成的，但第二次后就不同了。她的发香、她的红唇、她柔滑的皮肤好像已渗透了他身体的每一个细胞：她成了他日常生活不可或缺的一部分。他不但需要她，而且更觉得有权利占有她。因此当她告诉他不能来时，他马上就有被骗的感觉。就在这时候，路上的行人将他们一推一碰，他们的手无意地搭在一起。她匆匆地捏了捏他的指尖，他即时感应到这是柔情而不是欲念。这时他了解到，你既和女人相处，碰这种钉子不但正常，而且也无法避免。这么想着，心中突然生出一种对她从未有过的爱怜感觉。他真希望他们是结婚十年的夫妇。他希望他跟她像现在一样漫步街头，名正言顺地，不是偷偷摸摸地，一边闲话家常，一边采购家庭用具。但目前最大的希望倒是有一块可以让他们独处的地方，使他们不必每次见面就因觉得机会难逢而做起爱来。他正式考虑要租查林顿先生的房子，是第二天的事。他把这主意告诉她时，她马上同意了，爽快得令他觉得有点意外。两个人都明白这是疯狂的决定，好像故意向坟墓走近一步的样子。他坐在床边等候朱丽亚时，不禁想到迷仁部的牢房。这个早晚要降临的大限，就这么不讲理地在你的意识中时隐时现。逃是逃不了的，但或许可以拖延一下。可是难解的是，温斯顿不但没有拖延，还不时明知故犯，故意缩短这日子的来临。

有人疾步上楼梯。朱丽亚一闪身就进来了。她拎着一个褐色的帆布袋，他有时也看到她携着这袋子上班的。他上前要搂她入怀，但大概手上的东西还没放下，她马上就挣扎开来。

"等一下，"她说，"先让你看看我带了什么宝贝来。你不是带了些胜利咖啡来吗？扔掉吧，用不着了，看！"

她跪在地上，打开帆布袋，掏出了一大堆像扳手和螺丝起子之类的工具——工具下面，呀，原来是一纸包一纸包的"宝贝"。温斯顿接过了第一包，打开来看，里面是一些类似沙粒的东西，松松的，气味有点陌生，但也好像以前什么时候闻过。

"糖？"他问。

"糖！不是化学糖精！这是面包，白面包，不是我们在食堂吃的鬼东西。这是果酱。这是罐头牛奶！呀，这才是真正的宝贝！看，我包了好几层布，因为——"

她不用跟他解释理由他也知道，因为气味已氤氲全房。这是一种热辣辣的香气，唤起他童年记忆中的香气。不过，现在偶尔也会闻得到就是。有时这香气自走道的门缝传出来，有时在挤拥的街头轻轻地飘着，一会儿又消失了。

"咖啡，"他喃喃地说，"真咖啡。"

"内党专用咖啡，这儿足有一公斤。"

"怎样弄来的？"

"全是内党的东西。你想要的，那些猪猡应有尽有。这都是他们的用人顺手牵羊牵出来的。看，我还带了一包茶叶！"

温斯顿也在她旁边蹲坐着，打开茶包的一角。

"真茶叶呢，不是黑莓叶子。"

"最近茶叶倒多得很。听说他们占领了印度或是什么地方。"她淡淡地说，"听着，老头子，你转过身去三分钟。干脆到床的另一边去坐吧。别走到窗前，等我说'好了'你才转过头来。"

温斯顿心不在焉地透过麻纱窗帘往后院瞭望，那胳膊通红的女人还在洗衣盆和晒衣绳之间走来走去。她从嘴巴里取出两个木夹子后，就感情充沛地唱起来：

> 谁说时光最能疗创，
> 谁说旧仇转眼遗忘，
> 旧时笑声泪影，
> 历历在我心上。

看来她已把靡靡之音的曲词念得滚瓜烂熟。她的歌声随着六月甜润的空气飘荡，蛮悦耳的，快乐中微带伤感。你从她的声调可以猜到，如果六月的黄昏不老，如果要晒的尿布永晒不完，她可以站在那里快乐地唱上千年。奇怪的是，他从未听过党员自动自发地一个人在唱歌。这不但看来有点离经叛道，而且教人想到你性情古怪，就像自言自语的习惯一样。大概人只有处于饥饿边缘才有歌可唱吧。

"好了。"朱丽亚说。

他转过身，一下子几乎认不得她了。他本来以为她是会光着身子的，但她没有。眼前看到的转变使他更为惊异：她搽上了脂粉。

她一定溜到无产者区的店子买了一套化妆用品。口红搽了，双颊抹了胭脂，鼻子扑了粉，眼皮上还涂了点什么东西，使人看来觉得眼睛明亮些。她的化妆术并不高明，但温斯顿对这种事懂得本来也不多。他从来没看过女党员涂脂粉的，想也没有想过。她脸上的改变教人吃惊。这边一点那边一抹，不但人漂亮多了，而最要紧的是，更女性化了。她的短发和男性化的制服反而衬出这份女性的妩媚。他拥她入怀时，一阵仿紫罗兰的化学香味扑鼻而来。他想起了昏暗的厨房地下室和那女人的血盆大口。她用的就是这种廉价香水，但他现在也懒得计较这些了。

"还搽了香水呢。"他说。

"唔，怎么样？你猜我下一步要做什么？我要想办法买一套连衣裙。在这房间内我要做一个女人，不做你的同志。穿裙子、丝袜和高跟鞋，去他妈的制服！"

接着他们两人就脱下制服，爬上红木床。认识朱丽亚以来，这是温斯顿当着她的面脱光的第一次。他一直觉得自己虚弱苍白的身体见不得人，更不用说腿上的静脉曲张和足踝上的那块疤了。床上没有被单，但上面那张毯子已磨得光滑。这张床的面积和弹簧的弹性都给他们新奇愉快的感觉。"臭虫一定多得惊人，但管不得这些了。"朱丽亚说。今天除非在无产者家中，否则再难看到双人床了。温斯顿童年时偶尔睡过，但朱丽亚见也没有见过。

不久他们就入睡了。温斯顿醒来时，老式钟的指针快指到九点钟了。他没动，因为朱丽亚的头枕着他的臂弯。她脸上的脂粉，泰半已擦到他的脸上和枕头上去，但剩余的那抹淡红，正好衬托出她双颊的娇艳。落日的余晖投在床脚，照着壁炉，那儿锅中的水已沸腾起来。后院的歌声已逝，但街上小孩叫喊的声音仍微有所闻。温斯顿茫然地想着，在"旧社会"中，像他们这样子躺在床上，是不是一种寻常的经历呢？一男一女，在夏天一个阴凉的晚上，赤条条地躺着，要做爱就做爱，要谈什么就谈什么，不想起来就不起来，就一直躺在那里聆听街外寂寥的声响。不太可能有那种日子吧？朱丽亚醒来了，揉揉眼睛，撑起半个身子看看煤油炉。

"一半的水已经烧光了，"她说，"我起来弄点咖啡好了。我们还有一个钟头。你们的房子什么时候停电？"

"二十三点半。"

"我们宿舍是二十三点，但你还得早些进去，因为——嗨，滚开，你这臭东西！"

她马上俯身到床边捡了一只鞋子，抬臂一挥，直往墙角掷去。这姿势跟她在"两分钟仇恨"节目中把辞典扔到电幕上戈斯坦的画像上一样。

"什么事？"他吃惊地问。

"老鼠。我看到它从洞口探出臭鼻子来，不过，这已够吓坏它了。"

"老鼠？"温斯顿嗫嚅地问，"这房间有老鼠？"

"哪儿没有老鼠？"朱丽亚一点也不觉得奇怪，又躺了下来，"我们宿舍的厨房也有。伦敦某些区域简直就是个大老鼠洞，到处都是。你知不知道老鼠咬婴儿的？真的不骗你。住在鼠区的妈妈，半步也不敢离开孩子。咬人的都是褐色的大老鼠，而最讨厌的就是它们——"

"**别再讲了！**"温斯顿喊道，眼睛闭得紧紧的。

"哎呀，你的脸怎么苍白得这么厉害？怎么搞的？听到老鼠你就不舒服？"

"全世界最恐怖的东西，莫过于老鼠！"

她搂着他，手脚并用地全身裹着他，好像要用自己的体温向他保证老鼠不会伤害他。他并没有马上张开眼睛。一下子他好像又回到一生中不时重现的噩梦中去了。差不多每次都是这样：他站在一道黑暗的墙壁前，墙壁的后边有一样使他害怕得不敢面对的东西。在梦中，他老是自欺自骗，也许他实在不知道墙后面是什么东西。他知道如果他下定决心，忍痛地一拉，犹如把脑袋中的碎片挖出来一样，说不定就可以把那怕人的东西拖到亮处来。他每次惊醒后还是一片茫然，但现在意识到这一定与朱丽亚所说的事有关联。

"实在抱歉，"他说，"现在没事了，我就是怕老鼠。"

"不用怕，我们这里不会再有那些畜生。等会儿我们离开前先把碎布堵住洞口，下次来时我带些混凝土把洞口好好地封住。"

这么一说，温斯顿的恐怖感已消解了一半。现在他不禁为自己刚才的举动感到汗颜。他靠着床头的木板坐着。朱丽亚起来穿上制服后就动手煮咖啡。咖啡浓香扑鼻，他们只得把窗子也关起来，否则说不定就有好管闲事的人出现。咖啡香醇，不在话下，但拌了纯糖后的液体所产生的滑润感觉，是喝了糖精多年的温斯顿几乎忘记了的享受。朱丽亚一手插在口袋里，一手捧着擦了果酱的面包，在房间四边浏览着。她对书架并不注意，但对怎样修理桌子却有独特之见。过后，她就倒在扶手椅上，要看看是否坐得舒服。那个古老的钟她倒端详了好久，觉得它虽然古怪，却是满好玩的。她把那块水晶玻璃拿到床上来，要在较亮的光线下好好地看一番。温斯顿不

137

久就从她手上接过，因为他一直都被这块玻璃油光水滑的样子吸引着。

"你想这是什么东西？"朱丽亚问。

"我想这什么东西都不是。我的意思是说，这东西从来没有什么实用价值。这正是我喜欢它的原因。最少这是他们忘了删去的一块历史，也是一百年前的人留给我们的信息，如果我们看得懂的话！"

"那么那边那张画呢？"说着她向对墙挂着的那张钢板雕刻画点了点头，"那会不会又是一百年的信息了？"

"可能还要多一点。我猜有两百年吧，但也难说，今天凡与年代有关的事都拿不准。"

她走过去看了一眼，说："这就是那老鼠探头探脑的地方。"她用脚踢了踢雕刻画下面的墙壁，"这儿是什么地方？好像在哪儿见过。"

"教堂，最少以前是叫圣克莱门特教堂。"温斯顿答道。他想起了查林顿先生教他念的那首童谣的片段，接着带着怀旧的心情吟了出来："'橘子与柠檬，吟着圣克莱门特的钟！'"

令他大为惊奇的是，朱丽亚居然接了下去：

> 你欠我三法新，响着圣马丁的铃；
> 几时还我？哼着老贝利的铃——

接着，她又说："我也不记得后面怎样说的了。结尾是这样：'这是亮你床头的蜡烛，那是断你人头的砍刀！'就是这么多了。"

这歌谣真像一个秘密口令，你念一半，我念一半，就差了一点点："老贝利的铃"后面一定还有一句的。也许查林顿先生碰到什么灵感，会记起来的。

"谁教你的？"他问。

"祖父。我小时候他常常念给我听。我八岁时他蒸发掉了。最少是失踪了。柠檬究竟是什么样子的？"她随意地问，"橘子我见过，是一种厚皮、黄色、圆圆的水果。"

"柠檬的样子和味道我倒记得清楚，"温斯顿说，"五十年代这种东西相当普遍，味道酸得你嗅一嗅就牙齿发软。"

"那雕刻画后面准有臭虫，"朱丽亚说，"哪一天我把它拿下来好好地清理一下。到该走的时间了吧？得把脸上的脂粉拭掉。不忙，待会儿我就替你把口红抹去。真是多此一举，是不是？"

朱丽亚离开后，温斯顿并没有立刻起床。房间越来越暗了，他侧着身子凝望着那块水晶玻璃。最令他出神的不是里面那片珊瑚，而是玻璃本身。虽然它是透明的，然而里面却似深不可测。对了，它的外表真像苍穹，里面却蕴藏着无尽的天地。他觉得自己有办法挤进这个天地去——而实际上他已在这天地间。红木床、折叠桌、老式的时钟、雕刻画，甚至水晶玻璃本身也置身其间。这房间就是水晶玻璃，他和朱丽亚的生命就是里面的珊瑚，托命于永恒。

五

赛姆失踪了。一天早上他没来上班，当时还有几个没心眼的人提到此事，但到第二天，谁也没有再谈到他了。第三天，温斯顿跑到记录科前厅去看布告栏，其中一项是象棋俱乐部会员的名单，而赛姆是会员之一。这名单什么都没有改变——只是少了赛姆的名字。证据已充足了：赛姆已不存在。他从来也没有存在过。

天气热得怕人。真理部大厦虽然没有窗子，但有冷气，所以气温没有什么影响。但外面的走道热得令人脚板发烫，而上下班时间地铁车站的暑气与人体的汗臭熏人欲倒。仇恨周的筹备工作已进入高潮，各部门工作人员都得加班。游行示威、开会、军队操演、演讲、蜡像展览、纪录片放映、电幕节目，都得及时准备。此外还要搭楼台、制作要被烧被毁敌人的肖像、写标语口号、谱新歌、散布谣言和伪造照片等等。朱丽亚的子虚科，暂时不生产小说，集中制造描述敌人暴行的册子。温斯顿呢，除了固定的工作外，还得遍翻《泰晤士报》旧档，修饰将要为领导引用的新闻稿。到深夜时，爱凑热闹的无产者在街上逛来荡去，这个城市给人的就是一种奇异的如醉如痴的感受。火箭弹袭击的次数增加了。有时远处传来山崩地裂的爆炸声，可是究竟是什么爆炸了，大家都不清楚。大家听到的，只是谣言。

专为仇恨周制作的主题曲（名叫《天仇》）已经谱成，一天到晚在电幕上播送。音色野蛮、节奏粗野，实在不算音乐，只是鼓声的变调而已。乐起时千百个声音齐声呼喊，加上操演的步伐配音，真叫人毛骨悚然。可是无产者爱之有加，深夜在街头，《天仇》竟与《本来不存希望》分庭抗礼。柏森斯的两个孩子，夜以继日地用他们的梳子和厕纸含混吹奏着。温斯顿晚上的时间比以前更紧凑了。在柏森斯的领导下，成群结队志愿服务的人，忙着为迎接仇恨周而装饰街道：缝旗帜，贴招贴，在屋顶竖旗杆。他们也不考虑到危不危险，竟在街上两边房子间搭了铁线，用来悬挂长旗。柏森斯夸口说，单胜利大楼就有四百米长的旗布。搞这类活动，正中他的下怀。炎热的天气加上做粗活的需要，给了他晚上改穿短裤汗衫的绝佳借口。你跑到哪里都看到他的影子，推呀、拉呀、锯呀、捶呀的。他一会儿在这儿表演一下他权宜变通的长才，一会儿跟人家称兄道弟，要人加油。他身上厚得打褶的肌肉，看来都是流淌不尽的臭汗泉源。

新制招贴遍贴伦敦各地。这图片三四米高，上面是个手执冲锋枪、穿着巨型军靴、面无表情的欧亚国士兵。图片下并无说明。无论你从哪个角度看去，按照透视原理那个枪口都好像瞄着你准备随时发射。在伦敦街头，看到墙壁，就看到这蒙古脸的士兵，其出现的次数，比老大哥的肖像还要多。无产者一向对战争的态度冷淡得很，现在周期性的煽动就是要刺激他们的爱国情绪。好像为了配合敌忾同仇的气氛，火箭弹制造的伤亡也比以前大为增加。其中一个落在斯特尼戏院区，几百人就埋在那里。附近居民参加出殡的行列，走了好几个钟头。这葬礼也给了他们憎恨敌人的机会。另外一个则落在小孩玩耍的荒地，几十个孩子炸得血肉模糊。接着无产者就到街头泄愤示威了，焚烧戈斯坦的画像，把几百张撕下来的欧亚国士兵图片投入火中。也有人趁火打劫，到商店去抢东西。不久就有谣言传出，说这些火箭弹是间谍用无线电控制的。一对有外国血统嫌疑的老夫妇，房子被烧了，人也殉了葬。

只要找到机会，温斯顿和朱丽亚就到查林顿先生楼上的房子会面。天气热得难受，他们打开了窗子，扯下了毯子，脱光衣服并躺着。老鼠果然没再出现，可是臭虫在热天繁殖特快，多得令人恶心。这都无所谓了，干净也好，脏也好，这儿是天堂。他们一进来后，就把从黑市买来的胡椒在房子四边撒下，迫不及待地脱下衣服大汗淋漓地做爱，然后睡一觉。他们醒来后每见臭虫重整旗鼓，准备反攻。

六月中他们相会了四次，五次，六次——七次。温斯顿再没喝杜松子酒了，不再觉得有此需要。他体重增加，静脉曲张亦已痊愈，足踝的皮肤上只剩下一块褐色的疤痕。他早上的阵咳亦已停止。生活较前好受些，他已没有在电幕前做鬼脸或破口骂脏话的冲动。他们现在有了一个几乎可以说是家的会面地点，虽然不能常叙，虽然每次只能留一两个钟头，已觉于愿足矣。要紧的是这房子能够继续存在。只要它平安无事，就等于在那里长居一样。这房间是个给已绝了种的动物自由走动的史前遗迹。查林顿先生也是头绝了种的动物，温斯顿想。每次上楼前，他都会停下来跟这老先生聊几分钟。他好像很少出门，或根本不出门。也没见过有什么客人来。他好像幽灵一般生活着，活动的天地除了狭小黑暗的铺子外就是铺子后边那更狭小的厨房。除了烧饭的用具外，厨房还有一台古老的留声机，喇叭奇大。老头子很高兴有跟人说话的机会。长长的鼻子、厚厚的眼镜、天鹅绒的短上衣，半弯着背在废物堆中走来走去，他予人的印象不是生意人，而是艺术收藏家。每次看到温斯顿时，他就半热心地把一些破铜烂铁指给他看，像瓷器瓶子的塞子、破鼻烟盒子的漆盖、里面装着逝世多年的孩子头发的金色铜制饰盒或诸如此类东西。但他绝不是为了做生意，好像看到温斯顿也能欣赏到旧东西的价值自己也开心了。听这老先生谈话，感觉就像听古董八音盒子奏出的声音一样。令温斯顿高兴的是，他终于一点一滴地从查林顿先生模糊的记忆中学会了不少歌谣的片段。有一首是讲二十四只乌鸦的故事，另外一首讲的是一条母牛的角怎么弄弯了，还有一首是记述大公鸡罗宾之死。"我想你对这个有兴趣吧？"每次念出一个片段，老先生就不大有信心地笑了笑说。可惜的是，每首歌他能记得的也是一些零星的句子。

　　温斯顿和朱丽亚两人都清楚，这种日子不会维持多久。事实上他们心中一直有这个阴影。有时死亡的影子好像近在床前，随时要抓人的样子。每遇这种低潮，他们就拥得更紧，好像是判了死罪的犯人，在行刑前的五分钟拼命地把爱吃的东西塞到嘴巴去一样。但有时他们也有幻觉，不但觉得安全，而且相信目前的幸福永远也不会改变。他们觉得，只要走进这房间，别人就伤害不到他们了。走到这儿来既困难又危险，但一进了房间就仿如进了圣殿。这感觉就像温斯顿对着玻璃镇纸凝视时一样，他想自己可以走进这个玻璃世界，而一到了里面，时光就停顿了。他们不断地做着白日梦。说不定他们的运气绵延不绝呢？就这样可以偷偷摸摸地过一辈子。或者凯瑟琳突然死去，而他和朱丽亚用一些手段，最后顺利结婚。再不然就一同自杀吧。还有，他们双双失踪，改头换面之后再学无产者口音，然后到工厂去找工作，在冷僻的地区住下，不让别人认出身份，度过余生。这真是白日梦，他们太清楚了。在现实的环境中，他们是逃不了的。最实际的一个计划就是自杀，但他们不愿这样死去。有一天就活一天，有一星期就活一星期吧，凑合地过着毫无前途的日子。这是天性，自然得像肺的功能一样，只要还有一口空气，就吸一口空气。

有时他们的话题会岔到别的地方去，谈到怎样去参加反党的组织，但苦于不知从何入手。兄弟会即使存在，但请缨无路。温斯顿告诉朱丽亚他对奥布赖恩这个人所产生的亲切感。他说他当时几乎压不住心头的冲动，要走上前去对奥布赖恩招供："我是党的敌人，请你帮助我！"令他觉得意外的是，她并不觉得这种想法鲁莽。她惯于鉴貌辨色，因此觉得温斯顿只凭奥布赖恩眉目的表情而判断他可以信赖，实在没有什么奇怪的。再说，朱丽亚深信几乎每个人私下都憎恨党，一有机会就破戒犯规，但她不相信大规模的叛乱组织可以存在。她说有关戈斯坦的事情和他的地下组织，全是党为了配合实际需要编造出来的。当然，你得合作，装出深信不疑的样子。她自己就不知有多少次，在党的大会和群众示威游行中，声嘶力竭地叫着要杀死一些她从未听过其名字的人。而他们究竟犯了什么罪，更是天晓得。遇到公审时，少青队人马总会日夜不停地包围着法院。她当然循例参加，喊着"把卖国贼碎尸万段"的口号。在"两分钟仇恨"节目里，她骂戈斯坦的话都比别人到家。可是戈斯坦究竟是谁，她一直搞不清楚，更不用说他代表什么理论了。她是革命中长大的一代，对五十和六十年代意识形态的斗争非常模糊。要参加一个与党作对的政治运动，在她说来简直不可思议。党是战无不胜的。它永远存在，而且永远这个样子。你要反抗可以，但只能采取阳奉阴违的方式，极其量也不过是搞些独立的暴力事件，如暗杀哪个头子或炸毁某些建筑物。

对某些事情，朱丽亚的观察力远比温斯顿的敏锐，也更不容易受党的宣传所左右。有一次他不知因为谈到了哪些问题而附带言及与欧亚国的战争，她竟然对他说，以她的看法根本没有什么战争，每天落在伦敦的火箭弹可能就是大洋邦政府自己发射的。为什么？让大家害怕呀！像这种看法他想也没有想过。更令他听来觉得羡慕的是，在"两分钟仇恨"节目里，她最大的困难就是忍着不笑出声来！但除非党的教训影响到她的生活，否则她是懒得去问根由的。她随时准备接受党颁布的神话，因为反正在她看来党所说的是真的也好假的也好，都没有什么分别。譬如说，她相信党发明了飞机，因为这从学校学来。（温斯顿记得五十年代念书时，党只说发明了直升机。十多年后朱丽亚上学，党已进一步发明了飞机。这样推算下去，下一代的孩子就会听说党发明蒸汽机的故事了。）温斯顿忍不住告诉她，在她诞生前飞机早就有了，早在革命前就存在了。她一点也没有表示诧异。反正，谁发明飞机还不是一样？令温斯顿最为震惊的，还是从谈话中得知她完全忘记四年前大洋邦交战的国家是东亚国，不是欧亚国。虽说她认为这些战争都是骗人的玩意儿，但总不能没注意到敌人名称的改变呵。"我一直以为我们打的是欧亚国。"她淡淡地说。他实在觉得害怕。飞机在她诞生前出现，印象模糊也难怪她。但大洋邦交战的对象，才在四年前变换的呵，那时她已二十多岁了。他跟她争论了十多分钟，最后总算唤起她模糊的记忆，想到有一个时期大洋邦的敌人果然是东亚国，而不是欧亚国。可是她始终认为这问题无关痛痒。"管他呢，"她不耐烦地说，"今天不是他妈的打这个就是打那个，而所有消息都是假话。"

有时他跟她讲他在记录科的工作，特别是他自己所做的不要脸的订正工作。这些事似乎也没有令她吃惊，显然没有吓到她。她并没有觉得谎言变为真理有什么可怕。接着他告诉她有关琼斯、阿诺逊和卢瑟福的事，也跟她说了自己怎样一度握有可以证明党改变历史的证据。她听说后也没有表示怎么惊奇。起先，她完全不明白这件事的要点。

"他们是你的朋友？"她问。

"不是，我从来不认识他们。他们是内党党员，比我年纪大多了。他们属于革命前那一代。我好不容易才认出他们来。"

"那有什么好担心的？杀人和被杀是天天有的事，对不对？"

他想尽办法要她明白此事的意义。"这是一个特殊的例子，并不是有人被杀那么简单。你晓不晓得从昨天倒数的历史都被毁灭？如果过去还存在的话，那只在少数几样无言的物体中看到，如我们眼前那块水晶玻璃。我们常常提到革命，但对革命的实况一无所知，更不用说革命前的岁月了。每一份相关记录，要不是焚毁就是篡改。每本书都经改写，每张图画都经重绘，雕像、街道和建筑物都换了名字，每个日期都随意修订。这种偷天换日、改头换面的工作，每天每分每秒都在进行着。历史停顿了。除了党永远是对的这一永恒的现在外，什么东西也不存在。我自己当然**知道**他们伪造历史，可是我永远也拿不出证据来，虽然我自己也是个伪史专家。文件经订正后，不留什么作弊痕迹。唯一的证据只存在于我脑袋中，而我也实在无法知道除我自己外还有没有别人分担我这种记忆。在我的一生中，只有那么一次**在事后**，在事情发生了多年以后，掌握过确实的改史证据。"

"那有什么用处？"

"没有用处，因为几分钟后我就把证据毁了。但此事如果今天发生，说不定我会留下来。"

"我才不干呢，"朱丽亚说，"我也肯冒险，但得有些价值，不会为一张旧报纸去玩命。对了，你要是把报纸留了下来的话，可能派什么用场？"

"很难说，但那最少是个证据。如果我当时有胆量拿去示人的话，可能会撒下一些令人对党生疑心的种子。我相信我们今生今世改变不了什么事情，但反抗的势力也许会在一些角落诞生。先是几个人集合，然后慢慢壮大，说不定因此留下一些记录，让后世的人继续我们未完成的工作。"

"我对后世没兴趣，我只关心**我们**。"

"你只有腰身以下的一半才算叛徒。"他对她说。

她听后想了想，觉得此话机智风趣不过，高兴得扑入他怀中。

她对党理论的枝节问题全不感兴趣。只要他一提到英社的原则、双重思想、历史的伸缩性、客观现实之否定，或只要他一用新语，她就显得不耐烦，茫然不知所措。她说她从不注意这些问题。既然都是废话，何必浪费心血？只要她知道在什么场合应该喝彩叫好、什么时候该臭骂一番，就已经够了。如果他不知趣还要硬着讲下去呢，她有出人意表的法宝：倒头呼呼大睡。她是什么时候什么姿势都可以倒头便睡的那种人。从跟她多次谈话得来的经验，他知道要在她面前装腔作势地摆出一副思想正确的模样（虽然摆姿态的人自己也不真的了解思想正确是什么意思），一点也不困难。实话说，最易接受党的世界观的，就是那些对此一窍不通的人。稍经诱导，这些人就可以接受歪曲得最离谱的事实，因为他们从没想过要为此付出多大代价。另一方面，他们对世事也冷淡得很，从不注意身边以外发生了什么事。糊涂也有好处，最少他们不会疯掉。你告诉他们什么，他们就相信什么。而他们吞下去的东西，不留渣子，因此对他们没有害处，正如小鸟口中的一粒玉米不经咀嚼就吞下肚子一样。

六 ·

时机终于成熟了。他一直希望取得的信息终于出现，好像他一辈子就等着这件事情发生。

那天他在真理部的走廊走着，差不多到了朱丽亚塞字条给他的地点时，突然发觉一个身材比他高大的人跟在他后面。那人轻咳了一声，显明是要跟他说话的暗示。温斯顿猛地转身，原来是奥布赖恩。

好不容易等到这面对面的机会，温斯顿此刻却想拔腿就跑。他心跳得厉害，恐怕说不出话来。奥布赖恩上前，友善地拖着他的臂弯走。他说话礼貌中带着严肃，这就是他与大部分内党党员不同的地方。

"前几天在《泰晤士报》拜读大作，一直就想跟你谈谈，"他说，"你对新语一定很有研究了，是不是？"

温斯顿现在比较镇静了，乃回答说："谈不上什么研究，业余的兴趣而已。这不是我研究的范围，而且从来没有参加过编写的工作。"

"你文章写得漂亮呵，"奥布赖恩说，"这也不是我个人的意见。

最近我还跟你的一位朋友谈到，他倒是真正的专家……唉，怎么搞的，他的名字一时忘了。"

温斯顿心头觉得一阵绞痛。毫无疑问，这个"名字一时忘了"的朋友就是赛姆。赛姆不但死了，而且被删除了，是个"非人"。因此奥布赖恩不能提到他的名字，那太危险了。他提到温斯顿的朋友是新语专家，就等于给他一个暗示。这属于"思罪"的一种，奥布赖恩用暗号的方式告诉温斯顿他朋友赛姆的下场，无形中把他拖下水，变为自己的从犯。他们走了一段路后，奥布赖恩就停下来。他用惯有的亲善姿态推了推眼镜，继续说："我想告诉你的，就是你文章内用了两个已经作废了的字。当然，这是最近的事。你看了第十版的新语辞典没有？"

"没有。还没出版吧？我们在记录科工作的人用的还是第九版。"

"第十版还要等几个月才能正式发行，但试行本已在流传了。我刚好有一本，你有没有兴趣先看看？"

"那太好了。"温斯顿说。他已猜出后面的事情怎样发展。

"这一版改进的地方不少，都是别出心裁的。我想你会对怎样减少动词这一问题特别有兴趣。我看看，我差人给你送来好不好？怕的是像这种事我常常忘掉。我看最好是你哪个时候方便到舍下来一趟，你觉得怎样？等一下，让我把地址抄给你。"

他们正站在电幕前。就像一个善忘的人一样，奥布赖恩分别在两个口袋摸了摸，掏出一个小小的牛皮封面记事簿和一支金钢笔。就在电幕下面，好像谁有兴趣要看他写什么都欢迎一样，他撕下了一页纸把地址写下来。

"晚上我多数在家，"他说，"如果外出，用人会把辞典给你的。"

他走了。温斯顿手上那块纸片也用不着隐藏了，但他还是把地址默记，几个钟头后就连同其他文件一起丢到思旧穴。

他和奥布赖恩顶多只谈了两分钟。这事只有一个可能：奥布赖恩特别想出这方法让他知道他的住址。大洋邦不设电话簿之类的名册，除了直接交谈外你找不到谁的地址。奥布赖恩没有说出来的话是："你要找我，我就住在那里。"说不定辞典内还会藏了一些密件。这回假不了，他日夜想着的那个谋反集团真的存在，他已摸到边缘了。

他知道不久就要听从奥布赖恩的指挥了。说不定明天，说不定还要等一阵子。今天发生的事，其实是多年前开始的一个过程的延续。最先仅是一个不受控制的反动意念。第二个阶段是写日记。现在已由语言转到行动阶段了。最后的一步呢，就是踏进迷仁部的牢房去。他都接受了这些事实，在开始时就预见了后果。虽然这样，这事还是怕人。或者，再正确点说，他在预尝死亡的滋味，体验半死半活的情况。他跟奥布赖恩说话，弄明白他的意思后，心里不禁打了个冷战。他感到自己正一步一步走到阴冷的坟墓去。他知道坟墓早在等着他。

七

　　温斯顿醒来，满眼都是泪水。朱丽亚睡眼惺忪地倚着他睡，喃喃地问他："什么事？"

　　"我梦到——"他没说完就停下来。要告诉她的事复杂得语言难以表达。除了梦本身外，还有醒后几秒钟之间涌现的回忆。

　　他闭上眼睛再躺下来，梦境依稀还在。他梦到的东西非常清晰，历时也长。他的一生犹如一幅雨后仲夏黄昏的景色在他面前展开，玲珑剔透。所有事情都是在水晶玻璃里面发生的。水晶的外层是苍穹，里面的世界光线柔和，可以极目远处。他在梦中看到很多东西，其中包括他母亲手臂挥动的姿势，和三十年后在新闻纪录片中出现的犹太母亲在直升机炸死他们前用身体掩护孩子的姿态。

　　"你知道吗，我一直以为我母亲是被我害死的。"他说。

　　"你为什么要杀她？"朱丽亚说，几乎睡着了。

　　"我的意思是害死，不是杀死。"

　　在梦中他记得最后一次看见母亲的情形。醒后几分钟，前尘旧事都到眼前来了，这是他多年来一直要尽量忘记的事。究竟是哪一年的事，他记不清楚了，但事情发生时他最少也有十岁，可能是十二岁了。

那时他父亲已经失踪了，但究竟失踪了多久，他也忘记了。他只记得那个时候什么都是乱糟糟的，情况很不安定。空袭是常有的事。警报一来，大家都到地铁站去躲。市面郊区，一片疮痍。街头巷尾满贴告示，只是他那时不知道上面说些什么。青年人成群结队流荡街头，穿的都是同一颜色的衬衫。他还记得面包店前面长长的队伍和远处的机枪声。但印象最深的，还是从来不够东西吃。他跟其他男孩子常常花整整一个下午，徘徊于垃圾箱与废物堆之间，为的就是要捡人家丢了的卷心菜根茎或马铃薯皮。有时他连发了霉的面包皮也不放弃，把煤渣抖出就放到嘴里。除了捡垃圾箱的东西外，他们也站在运牲口饲料的货车必经之道，等货车经过。车子经过路面不平的地段时，一颠一簸的，有时会掉下一些油渣饼的碎片来。

他父亲失踪时，母亲既没有表示惊奇，也没有大哭大叫，但人显然转变了，整天都是无精打采的样子。温斯顿看得出来，她在等待着无可逃避的命运降临。要做的事情她都做了，烧饭、洗衣、缝补、整理床铺、打扫房间、拭擦壁炉架子，但手脚奇慢，好像一个走动的人体模型。她高大的身躯显得毫无活力。她可以抱着他妹妹，在床上一坐就坐上几个钟头，动也不动。妹妹那时大概两三岁，体弱多病，不爱说话，脸瘦得像猴子。有时母亲也会紧紧地搂着温斯顿不放，一句话也没说。虽然他年纪小，虽然他事事只想到自己，虽然他母亲从没提过，但他已意识到这一定与快要发生的事情有关。

他们住的房子阴暗而空气混浊，床上铺了白床罩，而房子的一半空间也就给这张床占去了。房内还有一个煤气灶，一个放食物的

153

壁橱。楼梯附近有一个棕色的陶器洗涤槽，几家共享。他还记得母亲站在煤气灶边用平底锅烧东西时的情形，大概因为他老吃不饱的缘故吧。饭桌真像战场，他老是缠着他的母亲，问她为什么东西总不够吃。他要么是又喊又叫，要么是哭哭啼啼，装出可怜巴巴的样子。目的都是一样：要多拿些吃的。（他还记得喊叫时的声调，先是咽呜，然后有时突然哇哇大吵大嚷一番。）他母亲总是多分他一点，因为她认为男孩子得多吃些。但不管她给他多少，他还是嚷着说不够。每次吃饭时，母亲总提醒他不要太自私，他妹妹生病，也得吃东西。但也没用，一看到她分饭菜的勺子在他盘子上停下来，他就野性突发，要把她手上的锅子抢过来，或把妹妹的饭菜倒在自己的盘子上。他知道这样做会把他母亲和妹妹饿死，但他还是做了，甚至相信这是应该的。他腹中的饿火让他觉得抢吃有理。在早晚两顿饭之间，如果他母亲没看到，他就到壁橱偷东西吃。

一天家里拿到了巧克力配给，这是几个月来的第一次。他还记得那是两盎司的一小片（那时还用旧制），理应分成三份。突然他脑中好像有人告诉他：你应该全部拿过来！接着他就大嚷大叫了。母亲对他说不能这么不知足。于是母子两人一个哄骗说理、一个又哭又啼地吵个不休。他妹妹双手搂着母亲，就像小猴子抱着母猴一样，转过头来用她大而悒郁的眼睛望着他。母亲最后把四分之三的巧克力分给温斯顿，四分之一给妹妹。妹妹接过后，傻傻地瞪着它，大概不知道这是好吃的东西。温斯顿看在眼内，突然一跃而起把她手上的巧克力抢过来夺门而逃。

"温斯顿！"他母亲在后面喊着，"快回来，把巧克力还给你妹妹！"

他停了步，但没有走回去。他母亲焦灼的眼睛一直凝视着他的脸。即使在这一分钟，她心中想着的还是那快要发生的事，但那时他不知道究竟是什么事。这时他妹妹知道东西被抢了，低声抽泣起来。他母亲搂着她，把她的脸紧贴自己胸前。他从这举动猜到，他妹妹快死了。他转身疾步下楼，手上的巧克力开始融化了，变得黏糊糊。

这是他最后一次看到母亲了。他吞下了那片巧克力后，觉得有点惭愧，在街上荡了几个钟头，直到肚子饿得不能再忍受了才回家。想不到他母亲已失踪了。当时"失踪"已渐渐普遍。除了母亲和妹妹不见外，房内什么东西都一样。她们没拿任何衣服，母亲那件大衣还在。到今天他还不知道母亲是死是活。说不定她下放到劳改营了。妹妹呢，可能跟他一样，送到孤儿营（他们称为感化中心）。这是内战后才建立起来的机构。但她也可能跟母亲一道去了劳改营，再不然就被丢在什么角落自生自灭。

这梦境到现在还异常鲜明，尤其难忘的是母亲环抱着孩子、呵护孩子的手势，似乎包含了这个梦的全部意义。他又想到了两个月前做的梦。坐的姿势相同，怀中也抱着妹妹，不同的是在那个梦中母亲不是坐在套上床罩的床上，而是在一条下沉的船上。他在陆上，而母亲逐渐下沉，一直抬起头来望着他。

他把母亲失踪的故事告诉了朱丽亚。她眼睛也没有张开，改换了一个睡姿，睡得更舒服一些。

"我想你小时候一定是个王八蛋，"她言语不清地说，"所有小孩都是王八蛋。"

"不错，但问题在——"

听她的呼吸声就知道她又睡着了。他真希望她能醒着听他讲有关他母亲的故事。在他的记忆中，她并不是什么特殊的女人，也不算聪明。可是她有一种纯洁而高贵的气质，这因为她奉信的做人标准都是发自内心的，外在的影响改变不了她。对她来讲，一个不实际的行动不一定是无意义的行动。你爱一个人的话，就认真地去爱他。到你一无所有，你还可以一样爱他。温斯顿把巧克力抢去后，她就紧紧抱着他妹妹。这没有什么用处，改变不了什么事实，也不能把巧克力讨回来，更不能逃过自己的或他妹妹的死亡命运，但她还是拥抱着他妹妹，好像这是天经地义的事。纪录片中那个乘小艇逃命的妈妈，也用自己的身体掩护孩子，虽然在机枪扫射下，她身体的掩护作用也强不过一张薄纸。党所干的事所以可怕，因为一方面它要让你看到天性与感情驱使的行动改变不了事实，另一方面，它剥夺了你对物质世界的任何权利。你一旦落在党的掌握之中，你的感觉如何，你有没有采取行动，事实上毫无分别。不管发生了什么事，你最后还逃不过烟消尘灭的命运。你的名字和你的行为，从此绝迹人世，在历史上一笔勾销。可是对上两辈的人来说，这实在有点不可思议，因为他们还没有修改历史的习惯。他们对个人奉信的道德价值从不怀疑。他们重视人与人之间的关系，因此一个苍凉无效的姿势、一搂一抱、一滴眼泪，或对一个临终的人说的安慰的话，都有其一定的意义。温斯顿这时突然想到，今天还抱着这种信念的，只有无产者。他们效忠的对象，不是党、不是国家，更不是一个抽象的观念。他们积极维持的，只是私人关系。有生以来温斯顿第一次觉得以往瞧不起无产者的态度是不对的。他们不但有突然一天觉醒起来改变世界的潜在力量，最要紧的是他们保全了人性。他们没变得铁石心肠。无产者还留存了人类原始的情感——温斯顿得重新用心学习的情感。想到这里，他记起了一件事：几个星期前空袭时，他在行人道上不是看到一只断了的手吗？他不是像踢卷心

156

菜一样，一踢就踢到沟里去了吗？

"无产者才是人，"他大声说，"我们不是！"

"我们为什么不是人？"朱丽亚醒来了，反问他说。

他想了想，改换了话题答道："你有没有想过，对你和我来说，最聪明的事莫如现在就离开这里，今后再不见面？"

"当然想过，而且还不止一次。但我不打算离开。"

"我们运气不错，但不可能永远靠运气。你年轻，看来又正常得很，纯洁得很。如果你不和我这类人来往，说不定还可再活五十年。"

"谢了，我想通了。你怎么做，我也怎么做。你也不必太泄气，我懂得怎样照顾自己。"

"我们也许再可以相处半年，甚至一年，反正谁晓得。最后总要分手的。你有没有想过到时我们多孤独？我们一被捕后，谁也帮不了谁。我招供了，他们固然枪毙你，但即使我不招供，他们也一样地枪毙你。不管我说什么、做什么，或者不管我怎样守口如瓶，也拖延不了你的死刑。到时我们谁也不知谁的死活。我们什么力量都没有。最要紧的是，我们不能互相出卖，虽然我也晓得到后来结果都一样。"

"你是说招供？"她问，"我们当然招供，谁被抓进去都招供不误。有什么办法，他们用刑折磨你。"

"我不是说招供。招供不等于出卖。你说什么做什么都没关系，感情才是重要的。如果他们能迫使我不再爱你，这才是出卖。"

她想了一会儿，然后肯定地说："这个他们做不到。他们可以迫你招认**任何事情**，但却不能迫你相信你讲的话是真的或假的。他们不能跑到你脑子里去。"

"这倒是真的，"他心中也因此燃起了一丝希望，"他们还不能够钻入我们的脑袋。如果你**觉得**保全人性是值得的，即使最后也发生不了什么效果，但在精神上来说，你已经把他们打败了。"

他想到了那不眠不休的电幕。虽然它二十四小时都监视着你，但如果你头脑能保持清醒，它还是闹不过你的。党的手段是厉害不过了，但还没有发明出可以测量你内心感受的仪器。要是真正落在他们的手上，事情就难说了。没有人晓得迷仁部里面的实际情形，但也不难想象：酷刑、药物、测探你神经反应的精密器具，然后关禁、夜以继日地审讯、不让你睡觉——直到你完全崩溃为止。如果他们要从你嘴里探听的是事实，那你无法隐瞒，因为他们总会不择手段要你供出来。但如果你认为人生的意义不是苟全性命，而是活得像个人，那么他们怎样对付你也没有什么分别了。你对某人某事的情感怎样，这是他们改变不了的，你自己想改变也不容易。他们可以把你说过、想过和做过的事的每一细节探究出来，但譬如说你为什么爱一个人，这种连你自己也会觉得玄妙的情感，那是没有任何力量可以攻得破的。

八

事情终于发生了。

温斯顿和朱丽亚现在站着的房子，是长方形的，灯光柔和。电幕声音很低。蓝黑的地毯，厚厚的，让人有踩踏天鹅绒的感觉。房间的尽头奥布赖恩正伏案工作。台灯的罩子是绿的，桌上堆着一大堆文件。用人带他们两人进来时，他连头也懒得抬起来。

温斯顿的心脏跳个不停，他真不知道自己是否还会说出话来。他现在能想到的，只是这句话：终于干上了！跑到这里来见奥布赖恩实在鲁莽，而带着朱丽亚一道来更愚不可及，虽然他们是分头来的，到这屋子的门前才一道走进来。像这样的地方，即便踏上一步也需要非常大的勇气。能够走进一个内党党员的住宅，实在是千载难逢的机会，平日连他们所住的区域也不轻易闯入。这一排排高楼大厦特有的气氛和气派、佳肴美食的香味、上好烟草的芬芳、快速宁静的电梯、来回穿梭着白制服的用人——看到的、听到的、闻到的都摄人心魂。虽然他造访的理由极为充分，走起路来还是提心吊胆的，生怕神出鬼没的黑衣警卫随时出现检查证件，然后撵他们出去。奥布赖恩的用人却一点也没有为难他们。这人个子矮小，黑发，着白制服，面部毫无表情，可能是个华人。他带他们走过的一条走廊，也是铺了厚厚的地毯，两边墙壁粉刷得一片乳白。这又是一种先声夺人的威势，温斯顿从来没见过一条走廊不是肮脏的。

奥布赖恩正全神贯注地看着手上的一份文件。因为他低着头，温斯顿看清楚了他额前到鼻子的线条。他宽厚的脸，显得既威严又智慧。约摸有二十秒钟的光景，他纹丝不动地坐着。突然他把录音书写器拉到面前，用真理部的行话念道：

"第一、五、七项照准建议第六项双倍加荒谬迹近思罪取消。未得正确机器费用估计前停止工程计划完了。"

念完后他才慢慢地站起来，踏着无声无息的地毯朝着他们站的方向走去。念完那段新语公文后，他的大官气派虽然稍敛，但表情却比平日所见严肃多了，好像工作受到打扰而不太高兴的样子。这时温斯顿既尴尬又恐惧。他会不会做了一件最愚蠢的事？他又怎知道奥布赖恩跟他是同路人？除了那短短一瞬的目光和一两句模棱两可的话，他还有什么证据？其余一切，都是想象出来的吧？到了这步田地，他原来到这里拿辞典的借口已用不上了。拿书何必两个人来？奥布赖恩这时走到电幕前，好像想起了什么似的，突然转身，按了按墙上的开关。啪的一声，电幕停了。

朱丽亚禁不住发出低声的惊叫。温斯顿虽然也吓得呆了，但这实在是意外，他也忍不住了，说："你的电幕可以完全关掉？"

"对的，我们有这种特权。"奥布赖恩回答说。

他已站到温斯顿和朱丽亚两人面前。高大的个子，居高临下地盯着他们，脸上的表情还是跟先前一样不可捉摸。他板着脸孔等着温斯顿先说话。但说些什么呢？奥布赖恩显然还是不高兴。他是个大忙人，而他们两人出现打断了他的工作。谁也没有做声。电幕关闭了以后，房间静寂无声，一分一秒仿若千年。温斯顿好不容易才能集中精神正眼看着奥布赖恩。过了一会儿，奥布赖恩的面色终于缓和了一点，用他习惯的姿势推了推眼镜。

"你先说还是我先说？"他问。

"我说吧。"温斯顿马上答道，"电幕真的关了？"

"关了。在这房子内说的话，只有我们三个人听到。"

"我们来这里，因为——"

他顿了顿，因为他自己也搞不清楚他来这里的目的。另一方面，他实在也不知道奥布赖恩能够帮他什么忙，因此也不能告诉他为什么找他。但既然自告奋勇要先说话，不得不勉为其难，虽然自己也知道对方听来一定觉得这种借口虚浮得很。

"我们来这里，因为我们相信你与一个地下反党组织有关。我们愿意参加。我们是党的敌人，反对英社的宗旨。我们是思想犯、通奸犯。我把这些事告诉你，无非也是要把我们的性命放在你手上。如果你要检举我们，我们只好认命。"

说到这里，温斯顿好像听到房门开了，转头一望。果然，那个黄脸孔的东方人连敲也不敲就打开门走进来。他捧着一个盘子，上面盛着玻璃瓶和几个杯子。

"马丁是我们的人。"奥布赖恩面无表情地说，"马丁，把盘子拿到这边来，放在台上吧。椅子够不够？好，那么我们大家坐下来谈吧。马丁，你自己也拉一把椅子来，我们谈的是公事，在十分钟内你不必做用人了。"

马丁依言坐了下来。他虽然没有显出局促的样子，但你还可以看出来他是个用人，一个享受着特权的用人。温斯顿从眼角觑他一眼。不消说，这人一生都在扮演一个角色，因此连一分钟也不敢放弃这角色应有的表现与性格。奥布赖恩拿起瓶子，把杯子盛满了深红的液体。温斯顿隐约记得许久以前好像在墙上或广告板上看过类似的东西：一个由小灯泡组成的大瓶子一上一下地移动把液体倒在杯中。现在面前的液体，由上面看下去是黑色，可是在瓶子内则闪亮如红宝石，味道酸酸甜甜。温斯顿看到朱丽亚拿起杯子好奇地嗅着。

"这东西是葡萄酒，"奥布赖恩淡淡地笑着说，"你在书上一定见过了。这东西供给外党享用的恐怕不多。"接着他的面色又严肃起来，举杯说，"我想我们应该先为我们的领袖伊曼纽尔·戈斯坦的健康喝一杯！"

温斯顿有点兴奋地举起杯子。用葡萄或其他果子酿制的酒，他在书本上见过，梦到过，就是没有尝过。像玻璃镇纸和查林顿先生所记得的歌谣片段一样，这东西是属于已经过去了的浪漫时代。在他的心底，他称那个时代为黄金时代。也不知什么原因，他一直以为葡萄酒是甜甜的，如黑莓酱，并且一到肚子就见酒力。事实并不如此，他喝了一口后就大感失望。可能是他喝了胜利杜松子酒多年，已尝不出这酒的真正味道来。他把空杯子放下。

"那戈斯坦真有其人了？"他问道。

"对的，真有其人，而且活着，人在哪里我就不知道了。"

"那么那个叛乱组织也是真的了？不是思想警察杜撰出来的？"

"不是，真有这个组织，我们叫兄弟会。可是除了兄弟会真的存在和你是其中一分子外，其他的事情你永远不会知道。我等会儿再跟你解释。"他看看腕表，又说，"我虽然是个内党党员，也不敢把电幕关上半小时以上。你们实在不应一道来的。离开时你们一人先走。这样吧，同志——"他朝朱丽亚点了点头，继续说，"你先走。我们能够谈的时间只有二十分钟，让我先问你们一些问题吧。大概地说，你们准备做些什么事？"

"任何我们能力所及的。"温斯顿答道。

奥布赖恩移动了一下身体，面对温斯顿。他好像觉得不必理会朱丽亚了，因为他假定温斯顿可做她的代言人。他半闭着眼睛，用低沉而不带情感的声音发问，大概在他看来，这正如教堂给人施洗礼时所做的例行公事，不待对方发言也知道答案是什么了。

"你是否愿意随时牺牲性命？"

"是。"

"愿意执行谋杀命令？"

"是。"

"执行可能伤及千百无辜性命的破坏工作？"

"是。"

"出卖你自己的国家？"

"是。"

"干瞒混欺骗、敲诈勒索的事以败坏孩子的心灵，分发毒品，迫良为娼，散布性病———一句话，你愿不愿意不择手段去破坏党的权力？"

"愿意。"

"举个实例。如果对我们的组织有利，你愿不愿意在一个孩子的脸上倒硫酸？"

"愿意。"

"你愿不愿意失去你目前的身份，一辈子做侍者或码头工人？"

"愿意。"

"如果我们命令你自杀呢？"

"愿意。"

"你们两人愿意分开，一辈子永不见面？"

"不！"朱丽亚插嘴说。

温斯顿等了好一会儿才答话。在那一刹那间，他好像失去了说话的能力。他的舌头翻滚，进出了一个音节，然后是第二个音节……在说出之前的一秒钟，他还不知是要答"是"或"不"。

他最后还是说了"不"。

"你说了实话，那很好，"奥布赖恩说，"我们什么都要知道得清清楚楚。"

他转过身去对着朱丽亚，然后用较有感情的腔调补充说：

"你知道吗，即使他将来能活下来，也会变成另外一个人。我们说不定要给他一个新的身份。他的行动、手足的形状、发色，甚至连声音也都改变了。你自己也一样。我们的整形专家可把任何人脱胎换骨。为了需要，我们有时得把一只手或一条腿割去。"

温斯顿听到这里，忍不住又偷偷打量了马丁一眼。他看不到什么疤痕。朱丽亚脸色变得苍白，雀斑也更明显了，但她勇敢地正面瞧着奥布赖恩，喃喃地好像说了同意的话。

"好，那就解决了。"奥布赖恩说。

台上摆着一个银盒子，里面是香烟。他心不在焉地把盒子推到他们面前，自己也取了一根，然后站起来来回踱步，好像这样比坐着容易思考。这纸烟烟草很好，结结实实的，纸质柔滑。奥布赖恩又看看腕表。

"马丁，你该回到厨房去了。十五分钟内我就得把电幕打开。你离开前把这两位同志的面孔牢记下来，因为你将来还要跟他们见面，我自己就说不定了。"

就像他们在前门时一样，马丁的黑眼睛在他们脸上打量了一遍，态度一点也不见得友善。他虽然在审视二人面部的特征，却对他们一点兴趣也没有，即使有也看不出来。也许一个整了容的面孔是难有表情的，温斯顿想。马丁一句话也没有说，也没有举手或点头为礼，就离开了，一声不响地把门关上。奥布赖恩来回地踱着步，一手插在黑制服的口袋里，一手捻着纸烟。

"你们要知道，"他开腔了，"你们是秘密作战，永远如此。你们收到命令，就要不问究竟地去执行。过些时候我会给你们看一本书，你们就会知道我们现在所处的社会是哪一种社会。这书也会告诉你们我们怎样毁灭它的方法。书看完了后，你们就是兄弟会的正式会员。但除了我们斗争的基本目的，你们永远不会知道其他细节，也不会知道摆在眼前的任务性质。我可以告诉你们兄弟会确有其事，却不能告诉你们会员是一百个或一千万。就你们的圈子来讲，你们甚至不知道兄弟会的人数够不够十个。跟你们接触的有三四个人，但下次再跟你们接触的，不会是同样的同志。马丁是你们接触到的第一个，因此不用更换。给你们的命令，都是由我发的。如果有需要跟你们联系，马丁就是线人。你们被捕后，就招供，但除了你们所做的事外，也没有什么可招的。你们能出卖的，极其量也不过是三四个无关紧要的人。大概连我你们也出卖不了，因为到时我不是死了，就是另外一个人、另外一个面孔。"

奥布赖恩还是不断地在柔软的地毯上踱着方步。他块头虽然硕大，动作却异常优雅，无论插手入口袋也好，伸手弹烟灰也好，都显出一种近乎飘逸的姿态。他予人的感觉，不但果断刚强，而且充满自信。还有一点：他言谈间还不时带着淡淡的讥讽意味。难得的是他态度虽然认真，却没有那种盲从附和的人惯有的偏执。他提到谋杀、自戕、性病、断肢和整容时，你总觉得口吻近乎揶揄，好像在说："这是无可避免的事，只得勉为其难。但环境改变了以后，人的尊严得到肯定了以后，我们就可洗手不干了。"温斯顿对奥布赖恩由衷地佩服，几乎可说是崇拜了。一下子他竟把戈斯坦忘了。你只要看看奥布赖恩坚强有力的肩膀、既粗糙又睿智豪迈的面孔，你不会相信他这个人会被击败的。他绝对是个事事洞悉先机、熟娴韬略的人。连朱丽亚也被他吸引住了，一直全神贯注地倾听着，连手上的纸烟也忘了抽。奥布赖恩又开始说话了：

"你们既然听过有关兄弟会存在的谣言，自然会对这个组织产生许多幻想。譬如说，在你们的想象中这是个庞大的叛乱组织，会员常在地窖聚会，在墙上传口信，或靠密语和手势互相招呼。事实上这都是传言。兄弟会会员无法认出对方是否同志。而除了几个线人外，任何会员都不知其他同党的身份。就算戈斯坦本人落在思想警察手上，也不能供出全部会员的名单，也不知哪里才可以找到全部会员的名单。很简单，根本没有这份名单。兄弟会不能一网打尽，正因为它不是一个普通的组织。除了一个不可毁灭的理想外，再没有其他东西把所有会员结合在一起。而这理想也是支持你们精神唯一的力量，因为你们没有同志爱，也没有什么鼓励和慰藉。你们出了事后，没有人会帮助你们，因为我们从来不援救会员。如果有绝对的需要不让一个被捕的同志讲话，我们也许会偷送一块刀片到狱中。你们要习惯过无希望和无结果的生活，因为工作一个时期后你们会难免失手，招供后就牺牲了。这就是你们能看到的唯一结果。我们一生中，没有可能看见什么转变。我们实际上是已经死了的人。真正的生命寄托于未来，但我们只能以尚未腐朽的几块骨头去参与了。问题是未来究竟有多远，谁都不知道。可能是几百年，可能是一千年。在目前，我们除了把清醒的范围渐渐扩大，也没有其他能做的事了。我们不能集体去做，只能以单独传播的方式，把我们的知识与经验向外推出，一代传一代地推出。在思想警察的阴影下，还有什么办法？"

他说完后又看了看腕表。

"也到了你该离开的时间了，同志，"他对朱丽亚说，"等一下，瓶子内的酒还未喝完。"

他把三个杯子倒满，然后举起自己的杯子。

"这次为什么而干杯呢？"他问道，口气还是半带嘲讽，"为愚弄思想警察成功而干杯？或为老大哥早归道山？为人类？为未来？"

"为过去。"温斯顿说。

"对，过去更重要。"奥布赖恩严肃地附和说。他们干杯后不久朱丽亚就站起来准备告辞。奥布赖恩从壁橱取下一个小盒子，拿了一粒扁平的白药片给她，要她放在舌上。他说不能让外面的人闻到她口中的酒味，那些开电梯的人看人很细心。门一关上，奥布赖恩就似乎忘记有她这个人了。他踱了两步，停下来。

"现在我们得解决一些细节问题，"他说，"我想你一定有什么可以躲过电幕的藏身之地吧？"

温斯顿就告诉他已租下查林顿先生的房子。

"那就暂时应付应付吧。过些日子我们再替你安排别的，要紧的是常常换地方。目前我要张罗的，就是怎样把**那本书**送到你手上。"温斯顿注意到，甚至奥布赖恩提到那本书时，也是加重语气的。"你明白吗，我是说戈斯坦那本书。我想办法尽快交给你，但说不定要等好几天。流传的也没有好几本了，想你也猜得到。我们印一本，思想警察就追查出一本。但这没关系，这本书是消灭不了的，如果最后一本也难逃劫数的话，凭我们的记忆，也差不多可以一字不漏地再印一本。你带公文包上班吗？"

"通常都带。"

"什么样子的？"

"黑色，破烂不堪，有两条带子。"

"黑色，破烂不堪，有两条带子——好。过几天——我不能给你确定日期——你上班时收到的文件中有一份会出现一个错字，你要求再送一份。第二天你上班时就不用带公文包。那天在街上，某个时候会有一个男人上前按按你的手臂说：'我想这公文包是你的。'他给你的公文包中就有戈斯坦的书。十四天后你就得归还。"

两人都沉默起来。

过一会儿，奥布赖恩打破沉寂说："还有两分钟你就得走了。我们再见——如果真能再见的话。"

温斯顿抬头望他，然后迟疑地问："在没有黑暗的地方再见？"

奥布赖恩点头，没有显出惊异的样子。"对，在没有黑暗的地方再见。"他说，好像懂得温斯顿的暗示，"但现在，在你离开前，有没有想说的话？有没有什么口信要我转交？或者有什么问题？"

温斯顿想了想，似乎没有什么要问的问题了，更不想唱任何高调。现在他想到的，倒是些跟奥布赖恩或兄弟会毫无关系的事。他脑中浮起的，是一幅合组的图画：她母亲最后住过的阴黑房子、查林顿先生店子楼上的密室、玻璃镇纸、钢板雕刻画和红木画框。他随口问道："你有没有听过这么一首歌谣？开始一句是这样的：'橘子与柠檬，吟着圣克莱门特的钟。'"

奥布赖恩点了点头，接着用近乎虔诚的声音把整段歌谣念出来：

橘子与柠檬，吟着圣克莱门特的钟；

你欠我三法新，响着圣马丁的铃；

几时还我？哼着老贝利的铃；

等我阔了，答着肖迪奇的钟。

"你还记得最后一行！"温斯顿惊奇地说。

"对的，我还记得最后一行。可惜的是，你得离开了。等一下，我得先给你药片。"

温斯顿站起来后，奥布赖恩伸出了手。他重重握着，温斯顿的掌心几乎给他压碎了。到门口时温斯顿回头一笑，但奥布赖恩似乎正准备把他这个人忘得一干二净似的。他的手指按着电幕的开关，等温斯顿离开。奥布赖恩的后面，是书桌、绿色的灯罩、录音书写器和堆在铁篮子内一沓沓的文件。事情结束了，温斯顿想道，半分钟内，奥布赖恩就会恢复刚才被打断的重要工作，继续为党服务。

九

温斯顿累得像块果汁软糕。对的，一点没夸张，这是他自自然然想到的譬喻。他的身体弱得发软，也变得透明。他觉得如果把手掌朝亮处举起，一定会透过光线。他的血和肉全被超额的工作抽干了，只剩下软弱的骨架、皮肤和神经。触觉特别敏锐。制服摩擦脖子、肩膀，石地使他脚板发痒。伸展一下手臂也令他觉得关节吱吱作响，痛苦异常。

在五天内他工作了九十多小时，在真理部的同事亦如此。现在大功告成，在明天早上以前，什么公事也没有了。他可以在查林顿先生的房子过六小时，然后还有九小时躺在自己的床上。午后的太阳异常柔和，温斯顿正朝通往查林顿先生铺子的昏暗街道走去。他习惯地东张西望，看看有没有巡逻警察在旁，但直觉地相信今天是不可能有人上前盘问他的。他手上拿着的公文包异常沉重，走一步就撞击他的膝盖一下，使他的腿又痛又麻。包内是**那本书**，他拿到手已有六天了，但一直没有打开，更不用说翻看了。

仇恨周到了第六天时，大家已受够了游行、演说、呼喊、歌唱、摇旗、招贴、电影、蜡像、击鼓、喇叭、顿足、辚辚的坦克声、呼啸而过的飞机声和隆隆的枪炮声。六天下来，民众的澎湃情绪已达顶峰，对欧亚国的憎恨亦到不共戴天的程度。这个时候，预定在仇恨周最后一天处绞刑的两千个欧亚国俘虏如果落到他们手上，准会被生吞活剥。可是不早不晚，消息传来，大洋邦的交战国不是欧亚国，而是东亚国。欧亚国是盟邦。

当然，这种事党是不会承认的。只是一下子，非常突如其来，大家都知道东亚国是敌、欧亚国是友就是。敌我交替时，温斯顿在伦敦市中心一个广场上示威。那是晚上时分，苍白的面孔与猩红的旗帜在灯光下对比鲜明。挤在广场上的有好几千人，其中有一千左右穿着探子团制服的学童。在满披红布的讲演台上，只见一个瘦小的内党党员声嘶力竭地致训词。他个子虽小，手臂却特长，脑袋也奇大，几根乱发在秃顶上飘呀飘的。他整个身躯活像仇恨的化身，一手执着麦克风，一手在头上的空中拼命指画着。透过扩音器，他的声音非常刺耳，一直数落着欧亚国的暴行——屠杀、放逐、掠劫、强奸、虐待战犯、滥炸平民、夸张宣传、恣意侵略、乱毁条约等等。只要在场听他演讲，你对他的话不得不由衷信服，继而觉得义愤填胸。每隔一两分钟，群众就受他的话煽动得群情汹涌。千万个喉咙，像野兽一般狂叫着，把他的声音也压下去了。喊得最轰天动地的是学童。他口沫横飞地讲了约摸二十分钟吧，突然有一个信差走到台上塞了一张纸条给他。他一边打开纸条来看，一边还是滔滔不绝地说话。他的声音和态度没改，内容也没改，但一下子敌国的名字改了。一句话也不用说，大家马上就知道这是怎么一回事。大洋邦的敌人是东亚国！接着秩序大乱，在广场悬挂的旗帜与招贴上的对象全搞错了，文不对题，照片中的人像一半以上已成了明日黄花。这还用说吗，准是戈斯坦那帮阴谋分子的破坏行动！马上就有人开始把招贴扯下来，把旗帜撕得稀烂，用脚践踏一番。探子团人马个个奋不顾身爬到屋顶，把悬在烟囱上的横幅剪下来。两三分钟后，大功告成。刚才在台上致训词的内党党员，还是那个模样，手执麦克风，身子靠前，另一只手在空中比画着，慷慨激昂地在数落着敌人的罪行。他不用说上一分钟，台下声讨敌人的声音接着就喊得震天价响。仇恨周活动如常进行，只是仇恨的对象更改了。

现在回想起来，温斯顿印象最深的，就是那内党党员看了那纸条后可以在完全不变换语法的原则下，由仇恨欧亚国一转转到东亚国，丝毫不露痕迹。但除了这偷天换日的一刻外，那内党党员还说了些什么，他就没注意到了，因为他的注意力刚好在这时候分散了。探子团和其他的人忙着撕招贴时，有人拍着他的肩膀说："对不起，我想这公文包是你的。"那人的面貌如何，他没看到。他也随手把公文包接下，一句话也没说。书是到手上了，但最少也要等好几天才有机会看。示威一告终后，他就马上回到真理部去，虽然那时已近二十三点。真理部其他员工，也一样匆匆赶着回去办公。电幕此时正催促着他们赶回所属单位报到，看来是多此一举了。

大洋邦正与东亚国交战：大洋邦一直就是与东亚国交战。五年来有关的政治文件，大部分也因此作废。所有的报告、记录、报纸、书本、手册、电影、录音带和照片，全部得火速订正。虽然没有正式的指示发下来，但大家心里都明白，记录科各主管都希望见到一个星期内，所有曾经提到与欧亚国冲突或与东亚国结盟的记录全部一笔勾销。这种差事本来已够繁重，且不说所牵涉的工作，又不能明明白白地说出来，使过程更形复杂。记录科的同事，一天工作十八小时，中间分两段时间睡觉，各占三小时。睡觉的地方就是从地窖拿上来的床垫，散布走廊各处。吃的是三明治和胜利咖啡，由食堂的员工推着手推车来回输送。每次温斯顿到走廊去打盹前，都尽量把手上的事情先做完。但每次睡眼惺忪地爬回来时，总看到新的文件如雪片堆在桌上，飘到地上，把半个录音书写器也埋了。因此他回来后第一件事就是把这些文件堆叠起来，腾出可以伏案的空间。最要命的是这种工作并非全部是例行公事的。有的只要更换一下名字就成了，但如果要写的是一份详细的报告，那要费不少心机和想象力。不说别的，单是要把战争从地球某点转移到某地，也需要丰富的地理常识呵。

到了第三天，他眼睛刺痛得难受，每过几分钟就得擦一下眼镜。这真像与一项劳人筋骨的苦差搏斗：你可以拒绝不干，但另一方面你又给什么东西迷住似的，急着要把事情做完才觉得满足。就他记忆所及，他并没有为瞪着眼说谎而不安，虽然他对录音书写器念的每一个字，或用铅笔删改的每一句话，都是欺神骗鬼的行为。他跟科里每个同事一样，一心一意地要把谎言说得天衣无缝。到了第六天早上，气筒吐出来的东西少了。曾经有一次半小时内什么文件也没有出现。过后再跳出一个筒子来，就从此中止了。在同样的时间段中，各单位的情形也一样。整个科的人都偷偷地舒了口气。一项无以名之的艰巨工作完成了。从此没有人能够拿出文字的证据来，说大洋邦曾经跟欧亚国交过锋。令大家意想不到的是，到了十二点，部里忽然宣布说下午不用上班了，明天早上再来。自七天前从那人手上接过了那公文包后，温斯顿一直与它形影不离，上班时夹在腿中，在走廊打盹时权充枕头。现在总可带回家去了。他刮过胡子后就洗了个盆浴。水是不冷不热的，但他几乎睡着了。

他攀上查林顿先生房子的楼梯时，觉得骨骼关节吱吱作响，但感觉是异常兴奋的。人还是累，但已无睡意了。他打开了窗子，燃起小煤油炉烧开水煮咖啡。朱丽亚一会儿就来，正好利用这时间看**那本书**。他坐在扶手椅上，打开公文包。

书皮是黑的，装订整脚得很，封面既无书名，也无作者名字。印刷的字体也跟常见的略有不同。书页的边上磨损很大，而且一不小心整页就脱下来，足见看过的人不少。扉页上的题目是：

寡头集体领导的理论与实践

伊曼纽尔·戈斯坦 著

（温斯顿开始阅读。）

第一章
无知是力量

有史以来，或者说，自新石器时代结束以来，世界上可分为三类人：上等、中等和下等。这三类人个别还有各种分类，称谓也各有不同，人数和一种人对另一种人的看法虽然各代不同，但社会上的基本结构却从来没改变过。虽然历经变乱，这基本的模式却不走样，正如陀螺仪一样，无论你朝哪边推得多远，最后还是会保持平衡。

这三类人的目标永难协调……

温斯顿看到这里，停了下来，主要是让自己知道，他是舒舒服服而又安全地看着自己要看的东西。他一个人在这里，既无电幕，钥匙孔外又不用担心有人偷听，更不用慌忙转过头去看看有没有人监视，然后马上用手按着书本。初夏甜润的空气吻着他的脸颊。远处传来小孩子嬉戏的声音。房间内除了老式钟的滴答声外，一切寂然。他舒服地靠着扶手椅背坐着，脚搁在壁炉的围栏上。这真幸福啊！突然，正如一般人拿到一本知道最后总要一读再读的书一样，他随意地跳着翻了一下，正好翻到第三章。他决定由此看下去。

第三章
战争是和平

　　世界分成三大超级强国，事实上在二十世纪中叶前就出现这个形势了。俄国并吞了欧洲和美国接管了大英帝国后，这三大国中的两个成员，也就是欧亚国和大洋邦，事实上已经成立了。第三个国家，东亚国，是经过混战十年后才正式出现的。这三个大国的边境，在某些地区是没有什么标准的。有时哪块地方属谁，要看战争的结果而决定，但通常来说是依据地理形势而划分。欧亚国的版图占了欧亚内陆的北面，由葡萄牙到白令海峡。大洋邦则由美洲、大西洋诸岛（包括不列颠群岛）、澳大利亚和非洲南部所组成。东亚国比其余两国小，西边的疆域还没有明确确定，以成员来讲则包括中国、南洋、日本群岛等地。

　　这三个超级大国，不时一国与另一国结盟，联手打第三国。如此混战下去，已有二十五年的历史了。应该指出的是，这个时候的战争，不像二十世纪初那种疯狂毁灭战争，三个国家打的都是有限战争，因为它们任何一国都没有力量摧毁对方。再说，它们也不是为了物质的理由打仗。论意识形态，它们也没有什么显著的分别。但这并不表示说，战争的行为和对战争的态度不像以前那么残酷了。事实正好相反。在这三个国家里，战争的气氛无日无之，可说已到歇斯底里的程度。对妇女强暴、抢劫、滥杀儿童、把整个地区的人民驱迫为奴隶、把囚犯活埋或用开水活活烫死作为报复行为，都视作等闲事。而只要干这种事的是"自己人"而非敌军，那就是英雄行径。以数字的观点而言，这种战争牵涉的人数不多，参与其事的大部分是训练有术的专家。死亡的人数也远比以前的战争少。真正的战事大多数在陌生的边境发生，而正确的地点究竟在哪里，一般人只能瞎猜一番。如果不是在边境地带交手的话，就在浮游堡垒防卫的海上战略地带。对居住于大都市如伦敦的人来说，战争除了经常造成物质短缺外，就是偶尔听到一个火箭弹坠地的声音，杀死了几十个平民。战争的性质事实上已经变了。再正确点说，打仗的理由是经过权衡事态的轻重而决定的。二十世纪初的几次世界大战，早有这个构想，只是其实际价值到现在才认识清楚，才认真实行。

　　要了解现在这场战争的本质（虽然结盟拆伙的事每几年就发生一次，实际上只有一场战事），首先得明白，这种战争是不会有决定性的。即使两国联手作战，也不能把第三国打垮。这三国鼎足而立，也势均力敌。它们的天然防御能力也各有千秋。欧亚国土地面积最大，大洋邦雄踞大西洋和太平洋，东亚国呢，人口稠密，居民辛勤努力。再说，从物质观点来讲，已没有什么东西值得动干戈了。过去几场大战是为了争取市场和资源而引起的，现在再无此需要了。三个超级大国已建立了自给自足的经济系统。如果三国为了经济的理由而交战，原因不是为了争取资源，而是人力。在这三大强国的边界间，有一个四角地区，分别接连四个港市：摩洛哥的丹吉尔、刚果的布拉柴维尔、澳洲的达尔文和南中国的香港。这四角地区合加起来的人口，占全世界的五分之一。三强就是为这四个地区和北极的所有权而常常冲突。事实上没有一个国家能够完全控制这个地区。今天你占了这一角，明天说不定就易手了。大洋邦每隔几年就化敌为友，或化友为敌，目的也不外是见风转舵，从中拿些好处。

　　这三国必争之地藏有丰富的矿物，有的地区盛产重要的植物原料如橡胶。不产这东西的寒冷地区，只好用化学物提炼，成本就高多了。但最有价值的莫如这地区所提供的廉价劳工。谁统治了赤道非洲，或中东诸国，或南印度，或印度尼西亚群岛，就无疑可以主宰千千万万廉价辛勤苦力的命运。这一带的居民，地位仿如奴隶，屡换主人。在统治者的眼中，他们的价值形同石油煤矿，是制造军火武器的燃料、侵略战争的马前卒、第二代劳工的工头。新一代劳工起来，制造更多军火武器、侵略更多领土……如此新陈代谢、周而复始地循环下去。我们应该知道的是，这三国的战火很少燃到这四角地区以外的地方。欧亚国的边境，就是伸缩于刚果盆地和地中海北岸之间。印度洋和太平洋各岛屿，不断为大洋邦和东亚国互相抢夺。欧亚国和东亚国在蒙古地区的界线，一直未稳定过。此外三强不断争夺的，就是北极人踪罕至的地带。这三个超级大国的势力，实在差别不大。战争都是在外围打的，战火从未蔓延到本土。靠近赤道地区的人的劳力虽受剥夺，但对世界的经济和财富并无贡献。他们生产的东西都消耗在战争上，而发动战争的目的就是要争取更多的人力物力，以作下一场战事的准备。如果这些奴隶还有什么建树的话，就是他们投入的劳力，使本来就一直进行的战事节奏加快。可是即使这些奴隶不存在，世界社会的结构，以及这结构运作的基本原则，大致上不会有什么差别。

现代战争的主要目标就是要在不提高人民生活水平的原则下，尽量消耗机器制造的成品。（根据双重思想的原理，内党的头子可以同时认识这一点的重要性，也可以完全不知有这回事。）自十九世纪末以来，怎样处理剩余消费品常是工业社会一大课题。现在世界上还有这么多人挨饿，这问题本来不应成问题的。即使不用焚烧倾倒的手段处理，剩余消费品的问题一样可以解决。今天的世界，与一九一四年以前的日子相较起来，是个荒芜、饥饿、破落的世界；与当时的人所幻想的未来世界比较，那更不知从何说起了。二十世纪初，几乎每个念过书的人想象中的未来社会，生活优裕，工作效率高，秩序井然：一个钢铁、玻璃和洁白混凝土建造起来的美丽新世界。科技发展日新月异，一般人也因此假定这种发展会继续下去。事实并不是这样。经过多年的战争与革命，国家与人民变得一穷二白，无余力发展科技。但另外还有一个原因：科技的头脑，全赖经验主义思想模式的培养，而这种思想习惯与集体训诫的社会生活方式格格不入。整体来说，今天的世界较五十年前落后。有些特别落后的地区稍见改善，而一些与战争武器或警察监视平民有关的技术也有进步，但重要的科技实验与发明，可说大部分停顿了。五十年代原子战争破坏的地方，一直没恢复过来。机器带来的危机与问题仍然存在。机器一开始出现时，有头脑的人马上想到，人类做牛马的日子已经结束了。人类既不用做牛马，不平等的现象也会跟着改善。如果机器真的用作改善人类生活的工具，那么饥饿、苦工、肮脏、文盲和疾病在两三代间就可以消灭。事实上，机器虽然没有特别为上述任何一项需要效命，但有了机器就不能不生产，生产的要是食物或消费品，有时也难免分发给平民受用。就为了这个缘故，从十九世纪末到二十世纪初的五十年间，机器的出现的确提高了一般人的生活水平。

但均富社会的存在，对统治集团是一种威胁。在某种意识而言，均富社会出现之日，就是等级社会崩溃之时。哪一天每个人的工作时间缩短了、吃饱了、住有浴室和冰箱的房子、拥有汽车甚至飞机，那么最显见的，也可说是最重要的不平等社会现象已经消失。大家有了房子车子，张三和李四的分别就不易看出来。照理论说，这样一个社会是可以存在的：**财富**（个人可以拥有私产和奢侈品）大家平分，**权力**则集中在少数特殊分子身上。但实际上这样一个社会不能维持多久。社会既安定，大家又有空暇时间，平日受惯贫穷折磨的民众就会念书识字，最后也学会了独立思想。有了教育基础，他们早晚会发现，那些当权的少数分子根本是尸居余气之流，因此就会把统治者推倒。以长远的目光看，等级社会只能靠无知与贫困维持。二十世纪初有些思想家梦想过要回到农业社会去，主意虽善，却不切实际。首先，这是反潮流的倾向，因为机械化的需要几乎已成了世界人民的天性。第二，凡是工业落后的国家，在军事上就不能自卫，最后终为先进国家所统治。

另一方面，如果为了让老百姓一辈子赤贫而限制物质生产，这办法也行不通。资本主义的末期（大约在一九二○至一九四〇年间吧），走的就是这条路子。许多国家故意让经济停滞，土地荒弃不耕，基本器材不添购，大部分人都失业，靠政府的救济金过着半死不活的日子。这种措施不但影响国防，而且由于大家很容易看出这些灾难都是人为的，日后自然就起反抗了。问题的症结因此是：怎样让工厂不停地生产而又一点也没有增加世界上的财富。货物可以制造，但却不能发行。要达到这目的唯一可行的办法就是不断制造战争。

战争的行为就是摧残，不但摧残生命，还毁灭劳力的成果。战争就是把大量本来可以改善人类物质生活的物资炸得片片碎，让其消失于太空，或沉埋于海底。不能把这些资源转给老百姓享用，怕的是他们最后变乖了，再不受控制。交战时的武器若被敌方毁坏了，那是正常的消耗。但把未动用过的武器作废，重新再做新的，也符合消耗劳力而不生产任何消费品的原则。举个实例吧，建造一条浮游堡垒的人力物力，足够制造几百条货船。浮游堡垒一旦作废，又得重新动用所有的人力资源再做一条。而浮游堡垒的存在，并没有改善任何人的物质环境。原则上，制造战争的目的是为了消耗供应国民的基本需求后剩下来的物资。事实上国民的基本需求从来没满足过，一半以上的民生必需品常常缺货。这是有好处的。政府的政策是故意要让即使算是既得利益阶级的人也稍尝一下物质缺乏的滋味，好让他们偶一得到些甜头就有飘飘然的感觉。再说，也只有这样才显得张三比李四神气。以二十世纪初的标准来说，即使内党党员过的也是刻苦的生活。可是正因为他们有特权享用一些奢华的东西，如宽敞的房子、较好的衣服料子、私人用的汽车或直升机，而除了吃的喝的和抽的烟草比别人高一等外，还有两三个用人使唤——这就与外党党员的生活有天渊之别。而外党党员比起不见天日的群众来——就是我们所说的无产者——又有不少的好处。整个社会的气氛就像个四面受包围的城市：谁能吃到一块马肉就是富人。另一方面，既然大家认识到国家处于战时状态（因此危机四伏），为了求生存，也只好把权力交托到少数的几个人手上了。

战争不但可以完成破坏的任务，还可以创造可供利用的心理状态。理论上说，要消耗世界上的剩余劳力是轻而易举的事。建教堂或金字塔、在地上掘洞穴然后再将它填满，这不是绝佳方法吗？再不然就是大量生产物品然后纵火付之一炬。但一个等级社会的根基，除了经济外还有情绪。无产者的士气如何无关紧要，只要他们继续像蚂蚁一样工作不懈就成。要紧的是党本身。照理说，即使是身份最卑微的党员，也是个能干、勤奋、在有限的范围内还可能表现小聪明的人。但这还不够，他还得是个言听计从的无知狂热之徒。整天支配着他的就是恐惧、憎恨、崇拜和胜利的亢奋感。换句话说，他应该经常保持一种处于战时状况的心态。是否真有战事发生？那不打紧。而既然现代战争无全面胜利的可能，前方战事处于顺境也好逆境也好，都无分别。最重要的只有一样：经常保持战时的心境。党需要党员一心二用已是极为普遍的事，而这种境界在战争情绪中最易臻善境。党员的地位越高，这种心态也越显著。因此内党党员对战争的歇斯底里情绪和对敌人的仇恨也特别强。内党党员职责在身，有时是需要知道有关战争的新闻报道中，哪一条是真的，哪一条是假的。有时他也知道整个战争都是托空的：要么是根本没有发生，要么是作战的目的与冠冕堂皇的官方宣言完全是两回事。但这完全无关系，因为他略施双重思想的法则，就可以把其中矛盾统一了。为此原因，没有一个内党党员怀疑过大洋邦跟敌国所动过的干戈，而最后光荣的胜利毫无疑问是属于世界盟主大洋邦的。

所有内党党员都把征服世界视为牢不可破的信念。怎样去达成目标呢？一是扩充领土，伸张权力。这是渐进式的征服。急进式是发明无可抵御的新武器。大洋邦政府因此非常热中发展新武器，而对有想象力与发明天才的人来说，研究新武器计划也成了少数的思想出路的一种。在今天的大洋邦中，"科学"一词，名存实亡。新语辞典中找不到这个词。过去所有科学上的成就都是经验主义思想模式的结晶，而这种模式是与英社的信条格格不入的。大洋邦即使在科技上有些进展，其目标也是为了削减人类的自由。在实用技术方面，如果不是大开倒车就是迟滞不前。耕田用牛马，写作用机器。但任何对党执政有利的事情（如战争与警察查人私隐的科技），经验主义的研究方式还是受到鼓励的，最少是可以容忍的。党的两大目标是征服世界和全面消灭任何独立思想的种子。有鉴于此，党因此列了两大课题：一是如何探知一个人的脑子正想着什么；二是如何不让对方有时间准备前，在两三秒间一鼓作气杀死好几亿人。今天的科学研究，就是集中在这两大课题上。而今天的科学家只有两种。一种是一身兼备心理学家的训练，又像法庭庭长一样热中追究别人根底的专家。他们把人类面部的任何表情、手足的动作和声音的腔调，都研究得清清楚楚。这就是"有诸内者必形诸外"的实验求证。此外他们研究药物、催眠术、震惊疗法和毒打的各种功用，寻求要犯人从实招来的最有效手段。

第二种是化学家、物理学家或生物学家，各尽所长地去研究与杀人有关的学问。在和平部庞大的实验室里，在隐藏于巴西森林的实验站里，在澳洲的沙漠地带，在南极洲的荒岛中，你可以看到这些科学家和其他专家孜孜不倦地工作。有些人忙着拟定未来战争的作战计划。有些人则要发明更大的火箭弹、威力更强的炸药和更难穿透的装甲钢板。也有人研究杀伤力更大的毒气，或是毒性极烈可以溶在水里的毒药，足以把整个洲的农作物全部毁掉。这一组专家还有任务：发明一种可以对付任何抗体的病菌，使所有药石失灵。军械专家负责的，是发明一种"潜地车"，可以埋藏于地下走动，一如潜水艇徜徉于深海一样。另外一个努力的方向是：发明一种可以停在空中的飞机，一如船只停于水中。还有一个特技小组的工作值得一提。他们要在太空设反光镜台，把太阳的热力浓缩成杀人武器。另外一个计划是，引导地心热力制造人工地震和海啸。

但上述计划，一个也没有接近实现阶段，三强中谁也没有比谁领先。我们要特别指出的是，三强早已拥有原子弹，一种比科学家正研究的还要恐怖千万倍的武器。虽然党依照惯例宣称原子弹是他们发明的，事实上早在四十年代初就出现了。第一次大规模使用原子弹大约是五十年代初的事。几百颗原子弹掉在各工业重镇上，主要受灾的地区是俄国的欧洲大陆、西欧和北美。这次灾难给全世界各国领导阶层一个很大的教训：再来几颗的话，全人类的社会组织就完蛋了。没有社会，他们就没有权力。自此以后，大家虽然没有签订什么条约或交换过什么口头承诺，原子弹战争就绝迹了。但三强还是不断地制造原子弹，相信决定性的一刻早晚要降临，这样它们就可以先发制人。别的方面，战争的方式三四十年来没有什么大改变。使用直升机的次数比以前多，因为轰炸机已渐为飞弹取代。军舰已经落后，代之而起的是几乎不可击沉的浮游堡垒。但除此以外就没有什么新发展了。坦克、潜水艇、鱼雷、机枪，甚至步枪和手榴弹还继续使用。报纸和电幕虽然对战况夸大，事实上伤亡的数字远比从前的战争少，那时候两三个星期内的死亡人数动辄以十万百万计。

　　三强尽量避免发动可能遭遇伤亡惨重的战争。如果它们要大举行动，通常是突击友军。这就是它们共有的战略。这战略是打打谈谈，一到时机成熟就用迅雷不及掩耳的手法把一连串包围着对手的基地夺过来，成功后就跟对手签友好条约。需要多少年才能解除对手对你的戒心，你就友好多少年。在这些年中，各战略据点都布满了装有原子弹的火箭，等候时机全部发射，让对手万劫不复，永无还手能力。一个对手解决了以后，又和剩下的唯一超级大国签友好条约，准备第二个攻势。这种策略不用说永无实现的可能，等于做白日梦。事实上，三强从未进攻过敌国的本土。所有的军事行动，都是沿着赤道至北极那些争执地带发生的。这就是三强的边界常常发生问题的原因。照理说欧亚国要征服英伦三岛，易如反掌。大洋邦若要把边界推到莱茵河或甚至波兰的维斯瓦河，也似探囊取物。但这样就会破坏有关国家的"文化整体"。这一不成文的规定，三强都一直遵守着。理由是这样，如果大洋邦征服了以前叫法国和德国的地区，要么是把当地居民全部杀光（那得花很大气力），要么是把差不多一亿人口同化。单从科技发展而言，这些人的成就与大洋邦国民不分伯仲。其余两国面对的，也是类似的问题。就它们的社会结构而言，国民除了偶尔遥望一下战犯或有色人种的奴隶外，绝对不能跟外国人接触。即使是暂时的盟友，也得以猜疑的目光看待。除了战犯外，一般大洋邦居民从未见过欧亚国和东亚国的国民是个什么样子。他们又不能学习外语。党怕的是，一旦与外国人接触，他们不但会发现外国人也有眼耳口鼻，而且最后总会知道，党告诉他们有关外国人的坏话都是一片谎言。这样，他们久居的封闭世界开了洞口，而他们赖以支持自己士气的恐惧、仇恨和自以为是的道德感就瓦解了。三国因此认识到，波斯、埃及、爪哇或锡兰易手多少次都无所谓，但除了互丢炸弹外，主要的疆界千万别越雷池一步。

除了这个不破坏"文化整体"的原则外，还有一个从不说出来但大家照行不误的事实，那就是这三大国的生活形式都是大同小异。大洋邦托身安命的哲学是英社；欧亚国当道的是新布尔什维克思想，东亚国奉行的信仰出于中文，通常译作"死亡崇拜"，但相信翻成"消灭自我"更为贴切。大洋邦的国民不准学习这两国的哲学思想，党指导他们对这些信仰口诛笔伐，斥为败坏道德与常识的野蛮言论。妙绝的是，这三种哲学一来难辨雌雄，二来它们所支持的社会制度又是同出一辙。大洋邦也好，东亚国或欧亚国也好，到处都是千篇一律金字塔式的建筑物。像大洋邦一样，其余两国也有老大哥型的领袖。它们的经济系统，也是为了维持连绵不绝的战争而存在。由此可以看出，三强若把任何一方并吞，不但没有好处，反而危及本身。它们像一个三脚架一样，你支持着我，我也扶持着你，大家互相依靠。就像大洋邦的内党党员一样，其余两国的统治集团既洞悉世界大事真相，又一无所知。他们献身于征服世界大业，同时也清楚战争不能停止，打仗不能希望打赢。既然本土永无被征服的可能，歪曲现实的勾当就可为所欲为。这不但是英社的特色，其余两个对手也各有一套掩人耳目的把戏。我们在这里得重复说过的话：连绵不绝的战争把战争的基本性质改变了。

在从前，战争之所以为战争，无非是它早晚有完结的一天，谁胜谁负，骗不了人。过去的战争也是人类社会直接接触现实世界的一种经历。不错，任何时代的统治者用尽各种手段去瞒骗老百姓，不让他们知道外间情况的真相，但这也有个限度。如果局势的发展牵涉到军事上的胜负，就不能再讲假话了。打败仗就会失去自由，就要接受其他悲惨的后果。统治者因此得对老百姓提出严重警告：我们不能吃败仗呵！现实世界不能装着看不到。在哲学、宗教、伦理和政治的范畴中，二加二可以等于五，但你设计手枪或飞机，二加二只能等于四。不切实际、毫无效率的国家迟早会被人征服的，而错觉与幻觉无助于效率精神的发展。一个国家要有效率，得要有鉴往开来的习惯，向历史学习。过去的历史书和报纸，难免有其歪曲与夸张的部分，但像今天那样伪造历史，却绝无仅有。战争的威胁可以帮助我们保持头脑清醒，而对统治阶级而言，战争也是个最严酷的考验。无论战胜战败，统治阶级都有责任。

上面说的是古老的战争。今天打的既是连绵仗，战争已无威胁可言，亦谈不上有什么军事需要。科技发展可以停顿，而最显明的事实可以否认或置之不理。我们前面说过，勉强可以称为科学的与武器研究有关的计划，还在进行着。但我们前面也说过，这类研究与做白日梦差不多。这是只问耕耘不问收获精神的写照。一切效率，包括军事的，都不重要。在大洋邦除了思想警察外，其他机构都是拖拖沓沓，懒散不堪。既然三强永远不怕被对手征服，因此各成独立天地，可以放手去散播自己的异端邪说而不用担心别人斥其谬误。只有在日常起居生活中你才会感到现实的压力：饿了要吃饭、渴了要饮水、冷了要穿衣、夜深了要找居室……还有就是提防别误饮毒药或不小心自高楼跳出窗户。当然，在生与死之间、肉体的快感和痛苦之间，还存在着明显的分别，但这几乎也是人类感觉中剩下来的唯一明显的分别了。大洋邦的居民既跟自己过去的历史和国外的世界隔绝，就无形中变成浮游于星际的太空人，真的不分南北与东西了。这类国家统治者的权力是绝对的，古埃及的法老王或罗马的恺撒大帝都无法望其项背。他们的责任是不让人民吃得太饱，但也不能让他们饿死得太多，否则自己就不好办事。事实上，他们要维持跟对手一样低的水平。这个最低的标准一旦达到后，他们就可为所欲为，把地球说成四方扁平的都无所谓。

三强所打的仗，如果我们拿以往战争的标准看，实在是装腔作势而已。这正如某种反刍动物打架时，头上的角的角度预先调好，所以看起来虽然搏斗得轰轰烈烈，实际上不伤皮肉。但装腔作势的战争，也有其意义。一方面它可以消耗剩余物质，另一方面又可维持等级社会所需要的精神状态。我们不难看出，这样的战争实在是内战的一个新花样。从前各国的统治者，大概认清了大家共同的利益，与敌国交战时也会手下留情，不把破坏面扩得太大。但他们真的打仗，战胜的一方在战后总会掠劫战败国一番。我们今天的战争可不一样，打的不是敌国的人马，而是自己的子民。战争的目的不是防止侵略或侵略别人，而是保持现存的社会结构一成不变。"战争"这名词因此容易使人误解，因为既然一天到晚都有战争，就等于无战争了。战争给从新石器时代到二十世纪初的人类那种特殊的负担已经消失，代之而起的是一种截然不同的压力。我们应该注意的是，即使三强从此互不侵犯，和平共存，各保领土完整，这种压力的效果仍然不减丝毫。因为在那情形下，各国还是自成天地，不会让令自己国民大开眼界的事物与影响渗进来。持久的和平就等于持久的战争。虽然大部分党员只是一知半解，但这就是党的口号"战争是和平"的精义所在了。

看到这里，温斯顿把手上的书放下。远处有火箭弹爆炸之声。在没有装电幕的房间闭门读禁书，这种幸福感仍在心中荡漾着。疲倦的身体靠着柔软的椅背，窗外飘来的微风拂着面颊，一个人安全地独处斗室，这真是一种刺激的感受。这本书把他迷住了，或者可以说这本书增加了他的信心。不错，书上所说的事，对他说来都不新奇，但这正是迷人的地方。如果他有机会把自己凌乱的思想组织起来，他要说的话大概也是这样。这书的作者的思想跟他接近，但气魄大多了，而且更有系统，更胆敢直言。最好的书就是描写你已经熟悉的事情的书，他想。他正要倒翻到第一章时，就听到朱丽亚在楼梯上的脚步声，乃连忙站起来迎接她。她把褐色工具袋扔在地上后就投到他臂弯来。他们已有一个多星期没见面了。

"那本书我已拿到了。"吻过后，他说。

"真的？那好极了。"她随口说，显然没有多大兴趣，接着就跪在煤油炉旁边煮咖啡。

他们在床上躺了半小时之后才旧话重提，谈到那本书。入夜凉意渐浓，他们拉起床罩盖着身子。楼下传来熟悉的歌声和皮鞋摩擦着石板路的声音。温斯顿第一天到这里时看到的那个手臂通红的结实妇人，好像是后院一个经常的摆设一样。只要还有一丝光线，你就可以看到她在洗衣盆与晒衣绳之间走来走去，口里不含着衣夹时就郎呀妹呀高歌一番。朱丽亚躺在一边，好像随时要入梦了。他伸手把地上的书捡起，靠着床头的木板坐起来。

"我们要把书看完，"他说，"我们就是你和我。兄弟会所有会员都要看。"

"你念吧，大声点。这方法最好，因为你念时可以给我一边解释。"说着，她的眼睛已闭起来了。

时钟指着六点，那就是说十八点。他们还有三四小时在一起。他把书摊在膝上念起来：

第一章
无知是力量

有史以来，或者说，自新石器时代结束以来，世界上可分为三类人：上等、中等和下等人。这三类人个别还有各种分类，称谓也各有不同，人数和一种人对另一种人的看法虽然各代不同，但社会上的基本结构却从来没改变过。虽然历经变乱，这基本的模式却不走样，正如陀螺仪一样，无论你朝哪边推得多远，最后还是会保持平衡。

"朱丽亚,你是不是还醒着?"

"我在听着呵,你念下去吧,精彩极了。"

他接着念下去:

这三类人的目标永难协调。上等人要维持现状;中等人要抢上等人的位子;下等人呢,如果还有目标的话,就是要消除等级的分别,创造人人平等的社会(但下等人有一特色:他们被劳役所缠,偶尔才会注意到自己日常生活以外的事情)。自人类有历史以来,一种轨迹大致相同的斗争反复发生。上等人掌权到一段相当长的时间后,早晚会突然失去自己的信仰,或怀疑他们是否还能有效率地统治下去,或两者一齐发生。这个时候中等人就假为自由和正义而战之名,把下等人拉到自己的阵线,推翻上等人。目标既达,中等人就把下等人一脚踢下深渊,让他们回到原来的牛马生活中,自己呢,就升格为上等人。今天有一个中等人集团从上等人或下等人阶级分裂出来,但可能两者都有,于是斗争又重新开始了。这三类人中,只有下等人从来没达成他们既定的目标。那就是说,人类没尝过一天人人平等的滋味。如果我们说有史以来人的物质生活从来没改善过,那未免夸大其词。即使在今天衰退的环境中,一个普通人的物质生活还是比几个世纪以前的祖先要好。但财富的增加、掌权人态度的改善、社会的改革或历经流血的革命,一样没有把人人生而平等这理想实现一分一毫。从下等人的观点看,历史上所有的变迁只有一个意义:主人的名字换了。

到了十九世纪末期,上述那种斗争模式越见显著。当时有不少新兴学派出现,认为历史的发展是周期性的,并肯定人类不平等的现象是无可改变的法则。这种说法自然古已有之，不同的是现在的表述方式和以前却有显著的分别。以前为等级社会存在的必要说话的，几乎全是上等人。除了王侯巨卿外，还有寄生在他们身上的神职界和法律界。他们的言论通常都提到天国之类的最后归宿，作为人生缺陷的补偿。中等人呢，只要他们还在夺权过程中，就常常引用"自由"、"正义"和"博爱"之类的字眼。现在可不同，只希望将来能掌权但实际尚无权力的人，一开始就攻击博爱这个观念。过去的中等人打着平等的旗帜去搞革命，虽然他们干的实在是以暴易暴的勾当。新的中等人集团更进一步，他们在闹革命前就公然露出自己暴政的面目。社会主义的理论出现于十九世纪初，是接连古代奴隶叛乱思想的最后一个环节，更深受过去乌托邦思想的影响。但一九〇〇年以后出现的社会主义各种门派都有这个共同点：差不多都扬弃了实现自由平等的理想。二十世纪中叶的运动，无论是大洋邦的英社也好、欧亚国的新布尔什维克思想也好、东亚国的死亡崇拜也好，无不着意奠定"反自由"和"反平等"的基础。当然，这些新运动是从旧运劲衍生出来的，除了沿用旧名外，还偶尔耍出它们的意识形态作幌子。但新运动背后当权者的真正目标是要抑止进步和在对自己有利的时刻冻结历史。跟旧例一样，历史的钟摆摇到一边，但这次不同的是，钟摆就停顿在那一边。过去的历史轨迹，也重演了一部分：上等人给中等人推翻；中等人变了上等人。但这一次飞上枝头的上等人出了奇谋，他们将永远盘踞高位，永远不被推翻。

　　社会主义之能够兴起，部分原因乃是我们的历史感日趋成熟，对历史的知识也日见丰富。这种情形在十九世纪前是不可能出现的。历史周期说的概念现在可以理解了。既然可以理解，就可以随意调整。但最基本的原因是这样：到了二十世纪初，人人平等这理想最少在技术上说来是可以实现的。不错，各人聪明才智有别，工作也因此有专门化，某甲比某乙待遇好些势所难免。但阶级分明、财富悬殊太大的情形，再无必要了。以已往历史发展的各阶段看，阶级区分不但无可避免，而且绝对需要。不平等的制度是追求文明得付的代价。机器发明了以后，这情形改变了。虽然不少其他工作还需要人来做，但这些人再用不着像祖先一样在社会上和经济上过着各种不同阶级的生活。从快要夺权的新中等人集团的观点看来，人人平等这观念再不是要追求的理想，而是需要避免的危机和威胁。在古老的社会中，因为正义和平的事实无法出现，大家都相信这样的社会可能存在。几千年来，人的想象力一直被"桃花源"式的乐土所吸引：居民过着守望相助的生活，无法律束缚，更无须替人家做牛马。这个憧憬对历代政权变迁后的受益者也一样有吸引力。就拿法国、英国和美国革命者的后代来说吧，他们谈到人权、言论自由和法律之前人人平等这些观念时，也多少相信自己是诚恳的，而他们的作为也多多少少受到这些观念的影响。可是到了二十世纪四十年代，所有政治思想的主流都是独裁主义的。正当在人间建乐土的可能性日渐成熟时，它却受到诋毁。所有新政治学说，异名同旨，都大开倒车，引导当政者回归到等级社会和高压统治。大约到了一九三〇年，"收紧"空气开始蔓延，许多放弃了多年（有些近几百年）的措施，又开始变得普遍起来：未经审判就抓人下狱、强迫战犯做奴隶、公开处决、严刑迫供、关禁人质和把整个地区的人口迁移。最令人意想不到的是，为这种措施辩护的人中，竟有不少自称为开明进步的人。

　　经过了十年的外战内战，经过了世界各地发生的革命和反革命活动，英社、新布尔什维克思想和死亡崇拜才慢慢演进成完整的政治理论。实际上，这些理论早在本世纪初各种独裁制度中萌芽。不但如此，三强日后划分的世界版图，亦早在那时看到轮廓了。哪种人最后统治世界，也一样看得清清楚楚。新贵族阶级大部分由下列各种人组成：官僚、科学家、技师、工会领袖、公共关系专家、社会学者、教师、新闻从业人员和职业政客。这些人要不是受薪的中产阶级就是工人阶级的精英，现在由中央政府和垄断企业把他们一一收买，为新政服务。与以前的相应阶层相比，他们的贪婪心没有那么重，也不那么容易受物质的引诱。可是，他们对权力的欲望却大得可以。最显著的分别还有一点：他们自知地位特殊，也因此更热中打击对手。最后种分别关乎重大。跟今天的独裁政权相比，以往的独裁者实在幼稚得像玩票。旧时的统治集团，常常或多或少受到自由思想所感染，什么地方出了漏洞，听其自然。他们也懒得理会其子民心中打什么主意；事情不表面化，从不紧张。以今天的标准衡量，中世纪时的天主教教会也显得有容乃大。过去政府对人民的钳制不像今天有效，其中一个原因就是当时的执政者没有可以二十四小时监视其子民的工具。印刷术的发明，方便操纵民意。电影和收音机出现后，更收事半功倍之效。电幕——一种可以同时播送和收听的机器——面世后，再无私人生活可言。每个公民（或者说每个值得监视的公民）的一举一动，尽收警察的眼底。党发动宣传攻势时，一天二十四小时你听到的就是播音员的声音。一个政府可以强迫人民乖乖地听话，可以叫他们以执政者的旨意为自己的意愿，这是人类有史以来前所未有的事。

五六十年代革命时期过后，社会又依上、中、下老例重组一番。但新的上等人集团不再像前辈那样依本能来统治，他们非常明白要保护自己的权势需要采用什么手段。他们老早就认识到寡头政治最稳定的基础是集体领导。由一个小集团拥有财富和特权，把守起来比较容易。本世纪中叶喊得震天价响的口号"消除私有财产"，其实际的意义是：把财产夺到少数人的手上来。我们得注意的是，这少数人是一个集团。从个人来讲，党员除了身边琐碎物品外，不能拥有任何东西。从集体来说，党拥有大洋邦的一切，因为它不但管制一切，而且还可以随意调动一切。革命后那几年，党在这方面所采取的措施没有遭受什么反对，因为他们把这种行为说成是捐私归公。大家都知道资产阶级一清算后，社会主义就跟着到来。资本家真的清算得一干二净：工厂、土地、矿场、房子、交通工具一一没收。既然这些东西再不是私产，于是就变成公产。英社由早期的社会主义运动衍生出来，承袭了这运动的名词术语，也是第一个执行社会主义公有化的政权。结果是事先预料到的：经济不平等现象永久化。

但要奠定等级社会的万世基业，可不这么简单。一个统治集团被推翻，只有四个可能性：国家被外国征服；管制不严，民众谋反；疏于防范，让强大而对现实不满的中等人集团坐大；最后一个是失去自信，无心恋栈权力。这四个因素很少独立出现，通常都是并发的，只是程度不同而已。任何统治集团如果能够防止上述四种问题发生，就可永远掌权。由此可见领导人的心态是党存亡的关键。

本世纪中叶后，第一个危险因素已不存在。三个分割世界的超级大国事实上谁也征服不了谁。假若其中一国的人口有缓慢的变化，那就会出问题，但政府权力既然无远弗届，这种人为差错可以防止。第二个可能性仅是理论上的问题。民众从来不会自动自发地去造反，他们更不会因为受到压迫而作乱。其实，他们既然与世隔绝，没有其他标准来比较，又怎会知道自己是受人压迫呢？旧时代常常出现的经济危机不但已无需要，而且不准发生。但这不是说再无脱节混乱的局面出现，而是出现了也没有什么政治后果，因为老百姓纵有冤情，也无路可诉。至于有关生产过剩的问题，可说是自工业革命以来一直存在于我们社会的问题。但这问题可用连绵战战略解决（详见第三章），连绵战对提高老百姓士气作用极大。因此从我们现在的统治者的眼光看，目前最大的危机是一个能干、权力欲强而又怀才不遇的新集团分裂出去。要是自由主义思想和哲学上的存疑精神散布到他们的圈子去，后果不堪设想。简单地说，这问题是教育性的。答案是：应该经常改造决策者和直属其部下人数较多的执行者。其余群众，只要给他们反面的影响就成，如女的唱靡靡之音，男的看色情书报，诸如此类感染。

既有这幅背景，你就可以推论出大洋邦是怎样一个社会。金字塔的顶峰就是老大哥。老大哥是全知全能、永不犯错误的。每一种成就、战果、科学发明，所有人间的学问和智慧、快乐和德行，都是拜老大哥的领导和启发才出现。谁也没见过老大哥，他是招贴纸上的一个面孔、电幕上的一个声音。我们几乎可以肯定地说老大哥长生不老。他在哪年生的，谁也说不清。老大哥就是党对外的代言人。他的作用是包罗爱、惧、敬各种情感于一身。这也对的，对一个人投射这种情感总比对一个组织容易。老大哥以下是内党，党内限于六百万人，或人数不得超过大洋邦人口的百分之二。内党之下是外党。如果内党是大脑，那么外党就是四肢了。外党之下是民智未开的群众，我们惯称无产者，人数约占总人口的百分之八十五。用我们前面提过的分类法称呼，无产者是下等人，因为赤道附近的奴隶人口，主子经常更替，不能作为大洋邦社会的一部分。

照理论讲，这三类人的身份并不是世袭的。内党党员的子女长大了不一定就是内党党员。入党是要通过考试的，应试的年龄是十六岁。党员资格不受种族限制，亦无地域偏见。犹太人、黑人、南美洲的纯种印第安人等均有在党内位居要职的代表。某一区的行政长官，通常都是在该区域产生的。无论你住在大洋邦哪一角落，你都不会觉得自己是殖民地身份的人，受首都的权贵遥遥控制。大洋邦根本不设首都，而挂名的领袖的行踪谁也不知道。语言方面，英语是大家通晓的语言，新语是官方语言，但除此以外再无其他限制。维持党的领导的力量，靠的不是血统，而是共同的主义。无可否认，我们的党骤看来阶级分明，形同世袭。一个阶级跟另一个阶级的人，极少往来，比资本主义当政时或工业革命前的日子有过之而无不及。在党的两个组织之间，偶尔也通信息，但目标不外是把内党的脓包踢开，或把野心勃勃的外党党员引进，不让他们因对现状不满而找麻烦。实际上，无产者是没办法升格到党内来的。他们中若有才华特别高的（因此也最可能成为不满情绪的核心），思想警察就格外留意，伺机清除。但这种事情也不是一成不变的，也与原则无关。党并不是旧时所说的"阶级"，也不会像从前那样把权力"传授"给儿女。因此到了真的无法找到最能干的人负责领导工作时，它是随时愿意从无产者圈子中招募新一代的好手。在非常时期，党的非世袭制度发生过很大消解反对势力的作用。老一派社会主义者，一生致力于反抗他们所谓的"阶级特权"。他们有这么一个假定：凡是非世袭的制度都不能持久。他们错了，没想到寡头政治的延续不靠父子相传那一套。他们更没有静下来想一想，世袭的贵族制度都是短命的。像天主教教会这种拔选继承人的组织反而绵延不绝。寡头政治的真义不在于个人的私私相授，而是某种世界观和生活方式的持久延续。这是一种死人控制活人的政治制度。统治集团之所以为统治集团，就是因为它有权提名继承人。党无意保留谁的命脉，它只要保全自己的政治生命。只要等级结构保持不变，**谁掌权都无关紧要**。

所有反映我们这时代特色的信仰、习惯、趣味、感情和心态，一方面固然是为了要维持党的神秘性，但更大的用意是不让人家看到我们现有社会的真相。武装造反，或任何造反的初步动向，现在是无可能的事。无产者是没有什么可怕的。你让他们自生自灭的话，他们将一代接一代地活下去，工作、繁殖、死亡。他们没有谋反的冲动，因为他们没有能力理解除了大洋邦外还有其他社会与国家。假若工业技术进步到某一程度，党非提高他们的教育水平不可，那时说不定会有危险。但是正如我们前面说过，大洋邦的军事和商业既无名副其实的对手，无产者的教育程度普遍下降。党的领导对无产者的意见是不屑一顾的。无产者可以享受知识自由——因为他们根本无知识可言。党员就不同，即使他们对鸡毛蒜皮的事稍持异见，党也不会放过。

党员由生到死都在思想警察的监视之下。即使他一个人独处，也不敢肯定真的再没有人看着他。不论他在哪里，睡着或醒了时，工作或休息时，在浴缸或在床上时——思想警察可以完全不让他知道地查清他的底细。他的一举一动，都不会被放过。他交的朋友、消遣方式、对妻子和孩子的态度、独处时脸上的表情、做梦时说的梦话，甚至他身体转动时特别的姿势，一一收入关心他的人的眼底。这还不算，除了他犯的过失他们查得出来外，他的怪癖（即使丝毫不伤大雅）、他突然改变的习惯、他紧张时的小动作（这可能是他内心冲突的征象），他们都观察入微。党员无任何选择的自由。可是另一方面，他的行动又不受任何法律或书面制定的守则限制。大洋邦不设法律。他的某些行动与思想被侦查出来后，难逃一死，但他并没有犯法，因为从没有人告诉过他这是犯法行为。同样，党历年搞的清洗、逮捕、刑供、监禁、蒸发等等，都不是为了惩罚他们所犯的罪，这不过是清除将来可能要犯罪的人。党员因此不但思想要正确，而且还要警觉。党要他们保持的观念与态度，从来不会明明白白地说出来，因为一说出来就难免露出英社内在的矛盾。如果一个人天生思想正确（新语叫"好思者"），那么在任何情况下他们不用思考也晓得什么是真正的信仰或正确的情感。但话又说回来，一个自孩提时开始就受严格思想训练的人——在新语所说"罪停"、"黑白"和"双重思想"范围内打转的人——长大后就不会愿意也不可能就任何问题深思熟虑了。

作为一个党员，应摒绝一切个人情感。他对党的事情热心不懈，对外国的敌人和国内的叛国者永远仇视。党的胜利就是自己的胜利。在党的权力与智慧面前，自己永远渺小，微不足道。任何因无聊、乏味的生活而产生的不满之情，都可由"两分钟仇恨"节目消解。任何因玄思的习惯可能产生的怀疑或反叛心态，都可由他早期所受的思想训练压制下去。这种训练的第一课简单不过，连小孩子都可接受，新语中叫"罪停"，意思是说危险思想还没进大脑前就有自动关闭思路的本能。笼统地说，受过这种训练的人都有"思无邪"的习惯。他们触类不会旁通，看到荒谬的逻辑错误可以视若无睹，听到对英社不利的言论可以故意误解，自己的思想若有走上歧途的危险时马上就会觉得面目可憎。简单地说，"罪停"就是保百年身所需的愚蠢。但光是愚蠢还是不够的，因为正确思想的全面意义有这么一个假定：你控制你脑筋活动的能力，应该像柔软体操专家控制自己的身体肌肉那么灵活自如。大洋邦社会就是依靠老大哥全知全能和党永不犯错这个信念支持的。事实上老大哥既非全知全能，而党也犯错误，因此处理事实时就需要处处因时制宜，经常保持灵活的伸缩性了。"黑白"一词，应运而生。和其他许多新语中的词一样，此词有两个自相矛盾的意义。用在对手身上，就是说某某有颠倒黑白的习惯，强词夺理，不顾事实；用在党员身上，这表示某某对党的忠诚，为了党的需要不惜把黑说成白。但这也表示某某有**相信**黑是白的能力，有**承认**黑是白的本性，他一股脑儿忘却自己曾经有过黑白分明的习惯。历史为什么要经常改写，其理至显。而这种改史的工作由受过黑白训练的专家担任，是名副其实的"得心应手"。黑白思维逻辑，在新语中叫双重思想。

改史的理由有两个。一是辅导性的，也可说是防范性的。原来党员的心理也跟无产者差不多，他们能够在现实生活中任劳任怨，无非是对过去的日子一无所知，因此无从比较。不让他们看清历史的理由跟把他们与外国人隔绝的道理完全一样，这样他们才会相信他们的生活比祖先过得幸福，而物质生活标准也经常提高。可是这还不算是最重要的理由。改史的最大任务是保证党永远不犯错误。单是订正演说词、统计数字和所有记录以证明党的估计与预测完全正确还不够，党规的改变或和别国缔约撕约的事，也得证明从来没有发生过。承认自己改变过主意或修订过政策方针，无疑是承认自己有弱点。譬如说，欧亚国或东亚国今天是我们的敌人，那么这一国家从来就是我们的敌人。如果事实不符，那么事实就得修正。真理部每天制造伪史，既为维持大洋邦的安定，也为方便迷仁部执行镇压与监视的工作。

历史可以重写是英社的基本信条。他们认为已发生了的事件，除了存在于文字记录或人的记忆中，别无客观存在的实证。记忆中的事情若与有关记录相吻合，那就是历史了。既然党不但控制了所有记录，也控制了每个党员的思想，因此党要历史怎么说，历史就怎么说。由此推演，我们可知历史虽然可以修改，但党从来没修改过历史。因时制宜的版本一创造成功后，这一版本就是历史，过去其他有关记载从不存在。明白了这一点，你就晓得同一事件常常在一年之内再三更改，最后变得面目全非的道理了。党永远代表绝对真理，而绝对的真理只能有一个面目。若要控制过去，就得调整记忆习惯。要让所有文字记录符合当时的正统思想，只是纯技术性的问题，不难解决。要紧的是我们把自己的记忆训练到只记应该记的事情。如果我们发觉为了需要，得把记忆调整一下，或得把文字记录修正一下，那么我们不要忘了把这种过程也得**忘**了。正如其他心智活动一样，这种技巧是可以学习的。大部分党员都学会了，其他思想正确而又聪明的人当然也一样可以学习。在旧语的词汇中，坦白地说，这叫"现实控制"；新语中叫"双重思想"，虽然"双重思想"包括的范围还要广。

双重思想就是让两种矛盾的思想并存于脑中的逻辑。党内的知识分子既然知道自己的记忆中哪一部分需要调整，当然也明白自己在瞎改事实。但只要他稍一运用双重思想的逻辑，就可以安慰自己说：我并没有违背现实呵！他运用双重思想的过程中，一定得非常清醒，否则思想就缺乏逻辑。但清醒之中同时得带有几分糊涂，否则自己会因作伪而觉得不安。双重思想是英社的核心思想，党主要的信条因此是：清清醒醒地骗人、糊里糊涂地存真。因为对自己也不诚实是不会产生坚定信念的。这种习惯培养下来，大家都学会了这把戏：瞪着眼睛说鬼话，自己却相信这是真话；忘记任何对党不利的事实，但到有需要时又从记忆中勾回来，派过用场后又遣回去；否定客观的现实真相，但同时又不忘研究这个已经否定了的现实真相。这种种手段都是绝对需要的。譬如说，你提到双重思想这个观念时，就得运用双重思想的逻辑。为什么？因为你既用双重思想这个名词，无疑就承认自己会捏造事实，但只要用双重思想一"想"，就想通了。双重思想就是这么运用下去，谎话永远比真理走前一步。党就用这种手段去冻结历史的，而就我们所知，今后几千年还可能继续冻结下去。

　　过去的寡头政权失势的原因，可能是老化或软化。他们要不是昏庸无能、刚愎自用，因追不上时代而被推倒，就是后来变得优柔寡断，该用武力镇压时却手软起来，最后也被推翻。因此我们可把他们的失败归纳为两类：糊里糊涂型和自讨苦吃型。党的特别成就不外是创制了矛盾自动统一的思想系统。再没有任何知识基础可以像双重思想那么可保英社的万世功业。一个统治者要继续统治下去，就得把现实感转移。权术者，不外是糅合了对自己永远正确的信心和从过去的过失取得教训的能力。

　　不消说，双重思想的实践者中，最到家的莫如那些发明双重思想而又知道这是一套心智骗术的人。在我们的社会中，对世事懂得最多的往往也是对真实的世界茫然无所知的人。通常说来，懂得越多，迷惑的程度也越大；智慧越高，头脑越糊涂。这事实可用对战争的反应来说明。社会地位爬得越高的人，歇斯底里情绪也越高涨。对战争的看法最接近理性的人，就是那些居住在争端地区的奴隶。对他们说来，战争不过是连绵不绝的灾难，像浪潮一样，一个接一个地把他们的身体冲来冲去。他们对哪边取得胜利，实在毫无兴趣，因为新主人来了，除了他们的名字外什么都没有改变。他们的工作如常，所受的待遇也如常。比奴隶地位稍微高一点的就是我们所说的无产者。他们只是间歇性地记得战争的存在。有此需要时，你可把他们的恐惧与憎恨的情绪煽动起来，但如果你不管他们，他们一下子就可以忘记有过战争这回事。对战争显得最热心的，是党内各阶层，尤其是内党党员。明白征服世界是不可的人，却又坚决要征服世界。这种把两种相对的观念（知识对无知、犬儒思想对盲从附和）混为一谈的习惯，是大洋邦社会一大特色。即使无实际的需要，官方的意识形态也是充满矛盾的。譬如说，党打着的是社会主义的旗帜，却不遗余力地去排斥原是社会主义运动所褐橥的所有原则。党对工人阶级的藐视史无前例，可是它给党员穿的制服却是工人装。它一方面有系统地破坏家庭关系，可是自己的领袖却叫"老大哥"。直接管理我们生死的四个部门的名称，也是故意藐视事实的证据。和平部管理战争，真理部供应谎言，仁爱部用尽酷刑，裕民部出产饥荒，这些矛盾既非意外，亦非普通的欺诈行为：这是双重思想经过深思熟虑的结晶。只有矛盾统一了以后才可永保权力，也只有这样才可避免重蹈过去寡头政权执政者的覆辙。如果要永远压制人类平等的出现，如果上等人要永保其位，那么只好让半痴半醒的心态持续下去了。

可是我们一直忽略了这个问题：**为什么**阻止人类往平等的道路发展？假定上述我们交代过的各种手段都属正确的话，那么我们禁不住要问：为什么花这么大的心血在某一特定时间冻结历史？

这就是秘密所在了。我们上面已看到，党的神秘性，特别是内党的奥妙处，完全系于双重思想的逻辑。但这还是解释不了夺取权力的冲动、双重思想、思想警察制度的建立、无休无止的战争以及其他一切必要的附带措施。要了解此中原因，非先弄清埋藏于后面的动机不可。这动机就是……

温斯顿看到这里，发觉身旁的人动也没动过。人对新鲜的声音敏感，对沉静也一样敏感。朱丽亚侧着身子睡，腰以上是赤裸裸的。她一边脸颊枕着手臂，几缕乌丝垂到眼前，胸脯有规律地起伏着。

"朱丽亚？"

没反应。

"朱丽亚，你睡了？"

还是没反应，她睡了。他把书掩上，慎重地放在地上，然后扯起床罩替她盖起来。

他还是不知道那书所说的"秘密所在"是指什么。他只知道**怎么做**，却不知道**为什么要做**。就像第三章一样，第一章没有告诉他任何他以前不知道的事实，只是书上说的比自己想的有系统而已。这两章文字给他最大的收获就是：他知道自己并没有发疯。作为少数分子，即使是少数中的少数，不会令你发疯。事情有真假两面。如果你坚持真理，即使与全世界为敌，也不会发疯。一线夕阳的红光透过窗户，射到枕边来。他闭上眼。阳光照在脸上，加上朱丽亚柔滑的身躯紧贴着自己，使他除了睡意之外，还有一种坚强的自信心。他觉得很安全，不会出什么乱子。临睡前他还喃喃念着："一个人的头脑是否清醒，与统计数字无关。"好像这句话包含着无限真理似的。

十

温斯顿醒来时，感觉好像睡了好久，但看看那个老式钟，才二十点三十分。他打了一会儿盹。院子里又有熟悉的歌声传来，中气充沛极了。

> 本来不存希望，
> 心事化作春泥。
> 谁人巧言令色，
> 使我意马难收？

这懒洋洋的调儿一直大受欢迎，历久不衰，不像《天仇》那么短命。朱丽亚闻声而起，伸了个舒服的懒腰后就起床。

"肚子饿了，"她说，"我们做些咖啡吧！妈的，煤油炉熄了，水也冷了。"说着，她把煤油炉拿起来摇了摇，"油也烧完了。"

"大概可问查林顿先生要一点吧。"

"奇怪的是，我上床之前还是满满的。我先穿了衣服吧，有点冷了。"

温斯顿亦跟着起床，穿上衣服。院子里的歌声又飘到耳边来：

> 谁说时光最能疗创，
> 谁说旧仇转眼遗忘，
> 旧时笑声泪影，
> 历历在我心上。

温斯顿一面扣着制服的腰带，一面走到窗前。太阳一定沉在屋子后面了，院子里再没有阳光。石板路湿湿的，好像刚洗擦过一样。天空也是刚洗擦过吧，温斯顿想。你看，烟囱管帽之间的那片蓝，多柔和明朗！女歌手来回踱着，时唱时停，一块又一块地悬着尿布，一点没有疲倦的样子。温斯顿搞不清她是靠洗衣服维生的呢，还是二三十个孙子的奴隶。朱丽亚已站在他旁边，他们一起出神地看着院子内那个大块头。他遥望着这女人惯有的动作，她举着浑圆的手臂够上晒衣绳，牝马似的屁股翘得高高的。他第一次感觉到，这女人好美。他生平没有想过，一个年逾五十女人的身体，先因生儿育女而变得臃肿，后又因工作需要而受风吹雨打——居然还能看出美来。但既然他觉得这是美，那又有什么不对？这个结实如花岗石、皮肤发红的身体，也有过含苞待放的日子。如果少女的身体如玫瑰花，那么她就是蔷薇果，为什么她要受歧视？

"她真美。"他说。

"她的屁股少说也有一米宽。"朱丽亚说。

"这就是她美的特色。"

他轻搂着朱丽亚柔软的腰身。从臀部到膝盖，她半边身体紧紧地靠着他。他们两人合过体，但注定不能有儿女。这是他们绝不可以做的事，他们只能靠口信、靠心灵的相通传递这个秘密。院子里那歌手没有头脑，只有肌肉发达的躯壳、仁慈的心肠和多产的肚皮，他真想知道她究竟生了多少个儿女。少说也有十五个吧？她有过如春花灿烂的短暂时光，说不定有过一年娇艳如野玫瑰的日子。后来呢，突然发胖得有如施肥培养出来的果实，变得粗陋不堪。以后的生活就是在洗衣烧饭、擦地板、缝缝补补的日子中度过的。先替儿女做牛马，后来又替儿女的儿女做牛马，三十余年如一日，而她的歌声由头到尾没停过。温斯顿对她产生的一种神秘的虔诚感，渐渐竟然与烟囱管帽后面万里无云的天空混在一起了。大家都以为天空到处都是一样的，在欧亚国和东亚国如此，在大洋邦亦如此。而在日光底下生活的人，也是大同小异。普天之下，千万百万的人民就像在大洋邦一样，对别的同类的生活一无所知，为仇恨与谎言所隔离。但亦正如大洋邦的国民一样，尽管他们无知、不会思考，他们的心中和身体中却蕴藏着有朝一日可以改变世界的力量。如果还有希望，得寄托于无产者身上！他虽没有把**那本书**看完，但他猜想到这一定是戈斯坦最后的意思了。未来是属于无产者的。但他又怎么知道，无产者将来创造的世界不会像党所创造的世界一样让他感觉陌生？可能的，但最少那不会是个疯狂的世界。有真正平等的地方就不会有疯狂现象出现。力量最后变为理性，这是早晚要发生的事。无产者是不朽的，你只要看看院子内那勇者的形象就会深信不疑。他们觉醒的时日一定会到来。在此以前，虽然说不定要等一千年，他们会像鸟兽一样在各种逆境中生存，一个传一个地把党不能分享也不能消灭的原始精力遗传下去。

"你还记不记得我们幽会的第一天，那只在林边对着我们唱歌的画眉？"他问。

"它才不是对着我们唱歌呢，"朱丽亚说，"它是给自己唱歌。可能这也不对，它为唱歌而唱歌就是。"

鸟唱歌，无产者唱歌，就是党员不唱歌。在伦敦，在纽约，在非洲，在巴西，在神秘的边境以外的禁地，在巴黎和柏林的街道上，在无边无际俄国平原的村落里，在中国和日本的市集上——在全世界各地你都可以看到同样一个不可征服的无产者母亲结结实实地站着，虽因生儿育女和苦工的折磨而变得体态粗大，却一直歌唱下去。有觉醒性的一代一定是从这种强健的腰身诞生出来的。你已经死去，未来是他们的。但你若能像无产者保持身体一样保持精神，传递二加二等于四的真理，那么这个未来你一样可以参与。

"我们已经死了。"他说。

"我们已经死了。"朱丽亚漫应着。

"你们已经死了。"一个声音在他们后面冷冷地说。

他们马上跳开。温斯顿感到自己的心肝胆肺一下子化成冰雪。他看到朱丽亚眼角泛白，脸色变得奶黄，脸颊上残余的胭脂还在，吊得高高的，好像要脱离脸上的皮肤升起的样子。

"你们已经死了。"那个像铁石一样冰冷的声音重复一次说。

"在图画后面。"朱丽亚轻轻地说。

"在图画后面。"那个声音和着说，"站着别动，听候命令。"

大限终于到了。除了你眼望我眼，一筹莫展。他们连想也没想过要在别人出现前逃命。抗拒墙后的铁石声音是不可想象的事。咔嚓一声，好像是门把转动，接着就是玻璃坠地的声音。画框掉下来了，后面原来是电幕。

"现在他们可以看到我们了。"朱丽亚说。

"现在我们可以看到你们了。"那声音说，"站到房中间来，背对背，手叉在脑后，你们谁都不要碰谁。"

他们的身体没有接触，但温斯顿好像感觉到朱丽亚身子发抖，或者说不定自己在发抖。他勉强可以忍着不让牙齿打战，但两条腿却不由自主。楼下屋子内有皮靴踩踏的响声，院子里好像来了不少人。他听到有重物被拖过石板地的声音，妇人的歌声戛然停止。接着有一阵长长的好像是东西滚动的声音，似乎是洗衣盆被人一脚踢翻滚过庭院的样子。怒骂申斥的声响四起，一阵痛苦的呼喊过后，声音就停止了。

"屋子四面被包围了。"温斯顿说。

"屋子四面被包围了。"铁石声音说。

他听到朱丽亚磨牙的声音。"我们干脆就在这里说再见吧。"她说。

"你们干脆就在这里说再见吧。"那个声音说。接着一个不同的声音响起，这声音有点单薄，但相当文雅，温斯顿好像以前听过。这个新出现的声音说："对了，既然话已经说开了——'这是亮你床头的蜡烛，那是断你人头的砍刀！'还记得吗？"

有东西掉到温斯顿背后的床上来。一张梯子的前端已破窗而入，有人爬上来。一下子房间里就站满了身穿黑制服、足登镶铁皮靴、手执警棍的彪形大汉。

温斯顿已经不发抖了，眼睛也不转动游移。此时别忘记这一点：规规矩矩地站着，别给他们揍你的借口。站在他面前的就是一个下颚长得像职业拳师模样的汉子，拇指与食指间扭着警棍，等的就是显身手的机会。温斯顿看了他一眼。手叉在脑后，身体完全外露，这种感觉真像赤条条的，很不好受。那汉子伸出舌尖，舐了舐嘴唇，就走过去了。又有一声爆裂声，原来其中一个汉子捡起玻璃镇纸掷到壁炉的墙壁上去。

一块珊瑚的碎片，脆弱得像蛋糕上面糖制的粉红色玫瑰蓓蕾，在地板上滚动。这东西原来一直是这么渺小的吗？温斯顿想。他听到后面砰的一响，接着是"哇"的一声叫喊，而自己的足踝此时被人重重地踢了一脚，几乎使他失去了平衡而倒下来。朱丽亚的太阳穴被一个汉子搐了一记，痛得她弯下腰来，最后倒在地上，拼命地舞动手足，喘着气。温斯顿不敢转头看她，但她苍白的脸和喘气的样子好像就在他面前出现。他自己虽然惧怕得不得了，但朱丽亚承受的痛楚，他真的感同身受。痛苦当然难受，但朱丽亚目前马上要做的，是把呼吸恢复过来。两个汉子分别扳着她的腿和肩膀，然后像扛面粉袋一样扛了她出去。温斯顿侧眼看到她翻过来的脸蜡黄而微带痉挛，眼睛紧闭，颊上残留的脂粉犹在。这是最后的一瞥了。

他木然站着，还未挨打。一些毫无意义的思想不由自主地浮现于脑际。不知查林顿先生有没有落网？院子里唱歌的无产者母亲呢？不知他们怎样对付她？他小便急得不得了，也真怪，两三个钟头前才上过厕所。壁炉上的钟指着九点，那就是说二十一点。为什么天还没黑呢？八月的晚上到了二十一点应该黑了。是不是他和朱丽亚都把时间搞错了，一睡睡了一夜，还以为是二十点三十分，其实已是第二天早上的八点三十分。可是他不想推想下去了，一点意思都没有。

走道上传来轻快的脚步声。查林顿先生进来了，黑制服汉子的态度马上变得恭顺起来。查林顿先生的外表亦有转变，他的目光落在击得粉碎的玻璃镇纸上。

"把碎片捡起来。"他用命令的口吻说。

一个汉子应命俯身收拾。查林顿先生说话时再无浓重的伦敦口音。呀，这就是他刚才在电幕后听到的文雅口音！查林顿先生仍穿着旧天鹅绒外衣，但原来斑白的头发现在已变成黑色。对，他的眼镜也不见了。他目光凌厉地打量了温斯顿一眼，好像对他说"你没看错人"，然后没再理会他了。查林顿先生的外貌虽然还可辨识，但事实上等于换了一个人，身体站得挺直，连个子看来也比以前高大。他的脸整容的部分不多，但给人的观感却大大不同。原来浓浓黑黑的眉毛现在变得疏淡，皱纹不见了，因此整张脸的线条也随着改变。连鼻子也不那么像鹰钩状了。现在的查林顿先生是个年约三十五岁、冷静而警觉的人。温斯顿突然想到，这是他这辈子第一次正眼看到一个表明了身份的思想警察。

Nineteen Eighty-Four

第三部

一

　　温斯顿不知身在哪个部门。可能在迷仁部吧，但也难说。

　　狱室的天花板很高，没有窗户，四边的墙壁是闪亮的白瓷砖。灯光从哪里来虽然看不到，但映在瓷壁上寒气侵人。室内不时传来阵阵嗡嗡声，想是与调节空气的机器有关。除了进门的地方，墙壁四周是刚够屁股坐下来的板凳，或者说是木架。门的对面是个没有坐板的马桶。每一面墙都设有电幕。

　　他腹中隐隐作痛，自他们把他捆起用小型货车送到这里来后就一直没停止过。除了痛楚外，他也饿坏了。想来整整二十四小时没吃过东西。说不定还不止。三十六小时吧。他现在还搞不清楚（也许永远都不会搞清楚），他们逮捕他时究竟是白天还是晚上。总之自那个时候开始一点东西也没下过肚就是。

　　他双手搭在膝盖上，静静地坐在板凳上。如果你稍微移动一下，他们就在电幕上呵斥你。他只得乖乖地规规矩矩地坐着。饥饿越来越难忍，他多希望吃到一块面包呵！他忽然想到制服的口袋里可能还有些面包屑。腿部不时有些什么东西摩擦着皮肤，想来是一块不小的面包皮呢。最后他受不住诱惑，冒险伸手到口袋去。

215

"史密斯!"果然电幕上有人大叫说,"六〇七九号史密斯!手不准插在口袋里!"

　　他只得把手拉出来,搭在膝上。他们押他到这个地方前,先把他关禁在一处看来是普通牢房或巡逻警察的临时羁留所的地方。他不知道在那里究竟待了多久,但最少也有几个钟头吧。既无时钟,也不见天日,也就没有时间观念了。那地方不但嘈杂,而且气味难闻。他关禁的牢房跟现在的差不多,但肮脏多了,而且十多个人挤一个房子。这些人大部分是普通罪犯,但其中也有几个是政治犯。跟现在一样,他在那牢房中也是动也不动地坐着,背靠着墙。新押进来犯人肮脏的身体在他面前荡来荡去。虽然他心中恐惧,肚子又痛,再难有兴趣注意周围发生的事了,但党员罪犯和普通罪犯的举止分别实在太大了,他不用特别注意也看得出来。党员怕得不敢做声,无产者却是一无所畏。他们有胆量对狱卒破口大骂,自己随身的东西被扣押时吵得几乎要动起粗来,地上随处可以看到他们写下来的泄愤脏话。电幕上的指导员要他们遵守秩序时,反被他们奚落一番。他们还有其他的惊人之举:在衣服里偷运食物进来大饱口福。但并不是所有的犯人都对狱卒无礼。有些人实在跟他们亲热得很,交谈起来时直呼他们的诨名。有些人则跟他们说尽好话,无非希望获赏一两根香烟。狱卒对这些普通犯人可说是百般容忍,虽然职责所在有时难免下手重一点。温斯顿在这牢房内常常听到他们提到劳改营,大概是他们最后会被送到那里去吧。劳改营也没有什么可怕的,他想,只要你懂得门路,了解规矩。走后门、拉关系、偷鸡摸狗、男的断袖分桃、女的出卖色相,总之各式各样的勾当都在劳改营发生。你甚至可以买到用马铃薯酿造的私酒。在那儿掌权的,都是普通罪犯,特别是流氓和杀人凶手这类人物,他们可说是劳改营的贵族阶级。所有吃力的活儿都交给政治犯去做。

牢房诸色人等不断进进出出：毒贩、小偷、土匪、奸商、酒鬼和娼妓等。有时闯进来的酒鬼凶悍不堪，得由几个人联手才能制伏。温斯顿看见四个警卫扭着一个年约六十岁的老妇人进来。她两个下垂的乳房大得像葫芦，踢着喊着，一头白发因激烈的挣扎披到前面来。四个警卫扭下了拼命踢着他们的靴子后，就顺势把她丢在温斯顿膝上，几乎把他的股骨摔断。那妇人撑起上半身在他们后面破口大骂"操你们这些野种"。警卫离开后她才发觉自己坐的地方有些不平，连忙挪开屁股，坐到板凳上去。

"真抱歉呵，小心肝，"她说，"不是我坐在你身上的，你是看到那些野种把我摔下来的，是不是？他们真会欺负女人，对不对？"说到这里她顿了顿，拍拍胸脯，打了个嗝，接着又说，"抱歉，真失礼。"

她弯下腰往地上吐个不停。

"呀，舒服多了，"她闭着眼睛靠着墙壁说，"我说呀，别忍在肚子里，想吐就吐出来。"

她精神恢复过来后就打量了温斯顿一眼，马上对他产生了好感。她伸出粗大的手臂搂着他的肩膀，把他拉近身前，啤酒和呕吐的气味直喷他脸上。

"小心肝，你叫什么名字？"她问道。

"史密斯。"

"史密斯？怪了，我也姓史密斯。谁晓得，"她用慈祥的声音补充说，"我可能是你的母亲。"

可能的，温斯顿想。年纪差不多，身形也差不多，再说，劳改二十年以后的人的样子也会改变的。

除了这老妇人外，再没有人跟他说过一句话。令他奇怪的是无产者囚犯对同室的党员竟然不理不睬。无产者对温斯顿这类人不但没兴趣，而且还有点藐视，称他们为"吃党饭的"。党员自己害怕得不敢跟人说话，更怕跟另一个党员说话。只有一个小例外：有一次，两个女党员挤坐在板凳上，温斯顿在人声嘈杂中听到她们交头接耳匆匆低声地说了一两句话，说的是什么他听不清楚，但好像特别提到"一〇一室"。但一〇一室究竟代表什么，他也毫无头绪。

他们把他转移到这狱室来，想是两三个钟头以前的事吧。腹中的隐痛一直没停过，时好时坏，他的思绪也随着这肉体感受的变化而一收一敛。痛得厉害时，他忘记了一切，只想到食物；痛苦减轻时，心中就充满了恐惧。有时他预想将要发生的事，情况逼真得令他呼吸停顿。他几乎听到了警棍击打他肘子的声音，或镶了铁片的皮鞋踩踏他小腿的噼啪声。他痛得咬着打碎了的牙齿，跪在地上尖声求饶。他很少想到朱丽亚，因为他的思绪无法集中在她身上。他爱她，不会出卖她，但这仅是一个事实，一如他所知道的算数法则是个事实一样，没有感情的存在。他也很少关心过朱丽亚现在怎么样了。他倒常常怀着一丝希望地想到奥布赖恩。他一定知道自己被捕吧？对的，他早就说过兄弟会从来不搭救落难会员的，但如果可能的话就会送刀片进来。如果他要自尽，他大概有五秒钟的时间，因为狱卒一看到就会冲进来。刀片割血管时，将会给他一种又灼热又冰冷的感觉。拿刀片的手指，说不定也会受伤，刀锋直割到骨节。他原是个不能忍受任何肉体痛苦的人，一想到这里，浑身已觉得正受酷刑煎熬。即使刀片送到手里，他也不知道有没有勇气自杀。虽然明知最后难逃毒打，还是有一分钟就活一分钟吧。

为了打发时间，他试着数过墙上的瓷砖，可是每次数不到一半就把数字弄混了。他经常想着的是自己置身何处，或现在是什么时间了。一会儿他认定了外面准是大白天，可是转瞬间他又相信天已黑了。他的直觉告诉他，这地方的灯火是永远不会关闭的。这是个没有黑暗的地方。现在他明白为什么奥布赖恩这么快就听出他话中的暗示来。仁爱部整栋大楼是没有窗户的，他的牢房可能就在这建筑物的中心，但也可能靠着墙边。它可能处于地下十层，也可能在地面第三十层。他的思绪在这大楼内到处漫游，靠身体的感受去推测自己究竟是浮于空中呢，还是深埋于地底。

外面是皮靴操步走过的声音，接着钢门咔嚓一声打开了。一个年轻的警官步伐轻快地踏了进来，接着向几个狱卒打了手势，要他们把押来的犯人引进来。这警官一身剪裁适中的黑制服，皮靴擦得亮亮的，映在灯下，使人看来他整个人也沐浴于光辉中。他轮廓刚硬的脸，苍白得有如戴上了蜡制的面具。进来的犯人是诗人阿普福思。门砰地又关上了。

诗人怯怯地在房内来回踱了一下方步，然后停下来，好像猜想到这房子另有出口似的。不久他又开始踱步了。他没注意到房内还有别人，因为他的眼睛凝视着离温斯顿头顶约一米的墙壁。他没穿鞋子，又脏又大的脚趾从破袜子的洞口钻了出来。看来几天没刮胡子了，从脸部到颧骨长了密密麻麻的短髭。这种粗豪的流氓形象，与他神经兮兮的举动和瘦弱的大个子身材很不对称。

温斯顿勉强振作起来。他得冒着电幕喝止的危险跟阿普福思说一两句话，说不定兄弟会的人就是托他带刀片来的。

"阿普福思。"他招呼着说。

电幕居然没有干涉。诗人愣了一下，有点吃惊，目光慢慢转移到温斯顿身上。

"呵，史密斯！想不到你也来了！"

"你犯了什么罪？"

"不妨跟你说实话——"他笨拙地在温斯顿前面的板凳上坐下来，"罪名只有一种，对不对？"

"你犯了？"

"显然我犯了。"

他伸手揉了揉太阳穴，好像要回忆一些什么事情似的。

"这种事情很难避免，"他淡淡地说，"我想起了一个例子——一个可能当作例子的例子。我们正准备出版吉卜林诗集的确定本，而我在一行原诗的韵脚保留了'上帝'一词。这实在没办法呵！"他几乎有点气愤不平地补充说，抬头看着史密斯，"这一行不能改的，因为原韵是'棍棒'。你知道，我们的语言中只有十二个词可以压这个韵。我搜索枯肠多天，仍然没办法。"

说完后，诗人脸上的表情也转变了，先前烦躁不安的神色已逝，代之而起的是一种沾沾自喜的光彩。学究发现了一些毫无实际价值的证据时，露出的就是这种洋洋自得的满足神色。温斯顿感觉到阿普福思知识分子的热情，透过密密麻麻的胡子和污垢发射出来。

"你知不知道，"诗人又开腔了，"整个英诗的发展都受到英语缺少韵脚的限制？"

温斯顿没有直接回答他。他确实不知道，而他对这问题也一直没有注意。此时此地，像韵脚不韵脚这种问题，不但索然无味，而且无关紧要。

"你知不知道现在是什么时间？"他问道。

阿普福思显得有点吃惊，随后答说："哎呀，我想也没有想过。他们是两天前，也许是三天前，把我抓来的。"说着他的目光在四面墙壁上浏览了一会儿，好像要找窗户的样子，"白天也好，黑夜也好，有什么分别？我们在这里还能算什么时间？"

他们随便聊了几分钟，突然听到电幕喝令他们住口的声音。温斯顿马上静下来，交叉着手坐着。阿普福思块头大，在狭小的板凳上坐得老不舒服，因此老是改变坐姿，双手一时搂着这边膝盖，一时又转到另一边去。电幕里有人喊话，命令他坐得规矩些。时间静悄悄地过去——二十分钟、一小时，但谁算得清楚？皮靴踏步的声音又响起了，温斯顿的心脏几乎停顿。快了，快了，再过五分钟吧，这些皮靴声说不定就是冲着他而来的。

门开了，那冷面的年轻警官踏进来，向阿普福思招招手。

"一〇一室。"他说。

诗人笨拙地跟着几个狱卒茫然地走出去。

又过了一段漫长的时间。温斯顿腹中的痛楚又变本加厉了。他的思绪老是绕着这六个方向兜圈子：肚子的疼痛、面包、鲜血和呼喊声、奥布赖恩、朱丽亚、刀片。皮靴声又来了，他的肚皮又抽搐了一下。门开处，随着空气飘来一阵强烈的汗臭。柏森斯荡了进来，身上穿着卡其布短裤和运动衫。

这可令温斯顿惊异得张大了嘴巴。

"怎么**你**也来了？"他说。

柏森斯看了温斯顿一眼，既不觉得惊奇，也不显得有兴趣。他目光流露的，只是自己受苦受难的神情。一进来后他就没有安静过，还是那副跳跳蹦蹦的样子，但每次他把那圆胖胖的膝盖伸直时，你可以看出他实际在发抖。他眼睛张得大大的，好像无法压制随时随地要审视周围一切的冲动。

"你犯了什么罪？"温斯顿问。

"思想罪！"柏森斯几乎呜咽着回答说。他声音的腔调意味着两种截然不同的心态：一方面是承认自己的罪行，另一方面似乎连自己也不敢相信自己竟会犯思想罪！他站在温斯顿面前，恳切地向他陈情："照你看，他们不至于要枪毙我吧？对，他们不会杀只有思想有毛病，但无实际犯罪行为的人。你说对不对？思想嘛，有时自己也控制不了。我相信他们会给我公平的审判，这一点我有信心。他们有我过去行为的记录，对不对？**你**也知道我是哪类人，头脑可能简单一些，但办事热心呵！我为党服务，竭尽所能，对不对？照你看，劳改五年就成了，是不是？再不然就是十年。像我这种人劳改营也用得着的。生平的差错就是这么一次，他们是不会杀我的，对不对？"

"你有罪吗？"温斯顿问。

"当然有罪！"柏森斯面对电幕，装出一副卑屈的样子，故意大声呜咽道，"党怎会冤枉好人？"他的青蛙脸较前平静多了，现在用近乎虔诚的声音说，"思想罪可怕，防不胜防。你知道我怎样受害的？在我睡觉的时候！对啦，这是事实。我十年如一日地做着我分内的事，鬼才知道坏主意怎样钻到脑袋来。哎，我睡觉时竟说梦话！你知道他们听到我说了些什么？"

他压低了嗓子，表情就像一个病人为了健康的理由，不得不听医生的吩咐破口说脏话一样。

"我说了'打倒老大哥'。对了，一点不错，而且可能不止说了一次！我不妨告诉你，我真感激他们，因为他们及时救了我。你想想看，这心中的魔鬼不及早铲除，还得了？你知道我在法庭时要跟他们讲些什么话？我会说：'谢谢你们呵，你们及时救了我！'"

"谁检举你的？"

"我的小娃娃，"柏森斯伤感的声调糅合了骄傲的成分，"她通过钥匙孔听到了我说梦话，第二天就向巡逻警察告发。才七岁的小鬼，挺伶俐的，对不对？我对她不但不怨恨，反而以她为荣，这证明我给她的教育完全正确。"

说完后，他又恢复了先前坐立不安的动作，好几次把目光投在马桶上，然后把裤子拉下。

"别见怪，实在忍不住。"他说。

说时迟那时快，他肥大的屁股已盖在马桶上。温斯顿连忙以手掩面。

"史密斯！"电幕叫了，"六〇七九号史密斯！把手放下来！在牢房不准掩着面孔。"

温斯顿把手放了下来。柏森斯开始方便，哗啦哗啦地响个不停。碰巧马桶排水的设备坏了，室内臭得昏天黑地，历久不散。

柏森斯被移走了，新的犯人又来，不久又被移走。一个女犯人被押到一〇一室受审，温斯顿注意到她一听到"一〇一"的数字时，浑身发抖，脸色也变了。他不知道自己是什么时候押到这儿来的，如果是上午，那么现在该是下午了；如果是下午，那么这时是深夜。现在连他一起一共有男女犯人六名，都静静地坐着。温斯顿对面是个看来没有下巴的男人，因此牙齿特别突出，整个人就像一头柔顺的啮齿动物。他肥厚的双颊满是斑点，呈袋形垂了下来。里面准藏了吃的东西，温斯顿想。他浅灰的眼睛在各人脸上溜了一下，一看到别人对他注意时就连忙别过头去。

门开了，又有新犯人进来，温斯顿一看这男子的面貌，心里不禁打了个寒战。这人看来有点阴险，样子却是普普通通的，可能是个工程师或是个技工，但最令人胆寒的是他的脸瘦削得不见肌肉，简直就像一个骷髅头。正因为脸上无肉，嘴巴和眼睛大得怕人。他目露凶光，好像对某人某事怀着无可化解的仇恨似的。

那汉子在离温斯顿不远的板凳上坐下。温斯顿不再看他了，但那人瘦削痛苦的脸孔仿佛一直就在他眼前晃荡。突然他明白过来了：那人快要饿死了。除了温斯顿以外，其余的人似乎也同时认识到这一点，因为他看到各人的身子都不安地移动了一下。那没下巴的人的目光不断往骷髅头似的脸孔打量，看了一眼又别过头去，然后好像受到强烈引诱似的又看一眼。他在板凳上一直坐立不安。最后他忍不住站起来了，颤巍巍地走到骷髅头面前，探手到制服的口袋去，腼腆地掏出一片脏乎乎的面包来。

马上就听到电幕怒吼的声音。没下巴的人立即跳回原位。骷髅头也慌忙把手伸到背后，以证明自己的清白，并没有拿那片面包。

"巴姆斯特德，"电幕的声音喝道，"二七一三号巴姆斯特德，把面包放下来。"

没下巴的人就把面包丢在地上。

"就站在那里，对着门口，别动。"电幕的声音说。

没下巴的人应命站着，他那袋形的脸颊不由自主地颤动着。门开了，年轻的警官闪身进来后，接着就有一个虎背熊腰的狱卒出现，站在没下巴的人面前。警官以手示意后，就见狱卒使尽浑身气力，重重地朝没下巴的人的口鼻擂了一记。这一下打得好狠，没下巴的人身子倒地后，滑过半个房间，停在马桶的前面。他好像昏迷过去了，血自他的口鼻渗出来，嘴巴发着呜呜咽咽的声音。好一会儿他才摇摇摆摆地爬起来，口里冒着鲜血，两块假牙托子也掉在地上了。

其余的犯人静悄悄地坐着，手搭在膝盖上。没下巴的人爬回他原来坐着的板凳，一边脸孔已呈淤黑。他的嘴巴已肿胀成猩红的一块，中间是个黑洞，血水不时滴到制服的胸口来。他的眼睛还是溜来溜去，只是现在的犯罪感更显明了，好像要看看别人是否因他所受的侮辱而更瞧不起他。

门又开了。年轻的警官向骷髅头略一抬手。

"一〇一室。"他说。

温斯顿身边的人"呃"地喊了一声，倒跪在地上，双手合抱求饶。

"同志！长官！你用不着送我到那房间呵！我不是什么都告诉了你吗？你还要知道什么？我知无不言，言无不尽。你问我好了，我原原本本地告诉你。你准备什么供词，我都签名，但请不要送我到一〇一室。"

"一〇一室。"长官说。

骷髅头本来脸白如纸，现在竟变成了绿色，使温斯顿难以置信。

"你要怎么处置我，就请便吧！"他嚷道，"你们已饿了我几个星期，干脆就让我饿死算了！再不然，一枪把我毙了，或者把我绞死，或者判我二十五年徒刑！你要我检举什么人？你说名字吧，我什么都告诉你。我不管这人是谁，也不在乎你怎样折磨他。我除太太外还有三个儿女，最大的一个还不到六岁。你高兴的话，把他们全部带来，在我面前割断他们的喉咙，我不会哼一声。但请不要送我到一〇一室！"

"一〇一室。"警官说。

骷髅头发了狂一样环视室内各犯人一周，好像要找替身似的。最后他的目光落在刚才给他面包吃的没下巴的人身上，伸出瘦削的手臂指着他。

"这个才是你要的人，不是我！他挨打后背后说的话你们没听到，只要给我一个机会，我会一字不漏地告诉你。**他才是**反党的人，不是我！"狱卒上前，骷髅头又惨叫道，"他说的话你们没听到，电幕出了故障。我不是你们要的人，**是他！**"

两个彪形大汉低下身子挽他的手臂，可是他突如其来一个箭步走到板凳前面，躺在地上，紧握着一条板凳的铁脚不放。他像野兽一样喘气吼着。狱卒上前要把他扭开，可是他紧握着铁柱的手力气奇大。三个人纠缠了约摸二十秒钟。其余犯人手搭膝盖静静坐着，直视前方。吼声停了，那人除了紧握铁柱外，连叫的气力也没有了。不久突闻凄厉的呼声，原来其中一个狱卒用皮靴一脚踢断了他一只手的手指，接着就把他拖起来。

"一〇一室。"警官说。

骷髅头踉跄地跟着出去了，低着头看着踢伤了的手，再无任何抗拒的气力了。

又过了一段很长的时间。如果骷髅头离开时是午夜，现在该天亮了；如果是早上，现在是下午。室内只剩下温斯顿一人，已经好几个钟头了。在窄板凳上坐了这么久，痛苦不堪，他只得站起来走动。幸好电幕没有喝止。那片没下巴的人丢下来的面包仍在地上，开始时他忍不住频频往地上看，后来觉得口渴更要难受。嘴巴胶着，气味难闻。空气调节机的嗡嗡声和室内一直未转换过的光源，使他有点晕眩，脑袋空空的。骨痛难忍时他站起来，但马上又坐下，因为晕眩得实在无法站定身子。肉体的痛苦稍微减轻时，恐惧马上又占据他心中。他寄予奥布赖恩的一丝希望还没有死去，尤其是他说过的那块刀片。如果他还有东西吃的话，刀片可能就藏在食物内。有时他也会模模糊糊地想起朱丽亚来。她一定在什么地方受折磨吧，而且可能比他还要痛苦，这一分钟说不定就是她大声嘶喊的时候。如果我增加我的痛苦可以救朱丽亚一命的话，我愿不愿意

226

做？会的，我愿意——他想。但这仅是一个理智上的决定，他愿意为她多受苦难，因为他知道应该这么做。可是他心中并没有这种感觉。在这里除了痛苦和预知痛苦快来，你什么感觉也没有。还有一个问题：正当你受苦时，你可不可能为了某种原因希望增加自己的痛苦呢？这问题目前还没有答案。

皮靴的声音又起了，门开处，奥布赖恩走进来。

温斯顿吃惊地站起来。奥布赖恩出现得太突然了，使自己完全失去警戒之心。这是多年来他第一次完全忘记电幕的存在。

"他们把你也弄到手了！"温斯顿惊呼。

"他们老早就把我弄到手了。"奥布赖恩用一种近乎歉意的嘲弄口吻说。他说完后站在一旁。后面是个裸着上身的警卫，手执一根长长的黑棍子。

"温斯顿，别骗自己，你老早就知道有今天的结果的。"奥布赖恩说。

对的，他现在明白过来，他老早就知道有今天的，只是现在没时间想了，注意力全集中在那根黑棍子上。这东西随时会击到天灵盖、耳边、肩膀、手肘——

手肘！他颓然倒下，跪在地上，用另一只手握着受伤的肘子，几乎全身瘫软，眼前的东西都冒着黄光。真是不可想象呵，一棍下来竟教人这么痛苦。黄光渐散，他看到奥布赖恩和那警卫俯视着他。警卫看到他因痛苦而扭弯的身体狞笑起来。这一闷棍最少解答了一个问题：不管为了什么理由，你绝不能希望增加自己的痛苦。受折磨时你只期望一件事情：停止痛苦。世界上没有比肉体痛苦更难受的事情了。"在痛苦面前是没有英雄的。"他抱着受伤了的左手在地上痛苦地打滚，心中还想着这句话。

二

他躺着的地方好像是一张行军床，只是离地面颇高，而他手脚被缚，不能动弹。强烈的灯光照在脸上。奥布赖恩站在他旁边，密切注视着他的反应。站在另外一边的是个穿着白外衣的男子，手执皮下注射器。

他现在眼睛虽然张开，却没有马上打量四周的环境。他觉得自己好像是从另外一个世界游到这房间来的，那是一个深埋水下的海底世界。自己在那世界待了多久，他就不清楚了。自被捕以来，既没见过阳光，也没见过黑夜。再说他的记忆也是无连贯性的，有时他的意识完全空白，连做梦时那种残存的意识也没有；空白过后，意识又恢复过来。但这片空白的时间究竟是一周、一日或仅仅几秒钟，他就无法知晓了。

打在手肘上的那一棍，是噩梦的序幕。他后来才了解到，提堂审讯不外是种形式，每个犯人都得经过。罪名多得很：为敌国搜集情报、从事破坏活动等，这是每个犯人都循例招认的罪名。虽然招供是种例行手续，但皮肉之苦却是真的。温斯顿一共被打过多少次，每次打多久，已记不起来了。但他记得每次都有五六个穿黑制服的人一同出现施刑，有时用拳头，有时用木棍、铁杆或皮靴。他像一只不知廉耻的野兽在地上打滚，本能地要躲过皮靴的踏踢。这一来对方踢得更多更狠，踢在肋骨、肚皮、手肘、小腿、腹股沟、阴囊和背后的尾龙骨上。他就是这样接二连三地抵受皮肉之苦。到了最后，他觉得最残忍和最不可原谅的事情，倒不是这些汉子心狠手辣，而是自己怎么不会昏死过去。有时他的神经完全失去控制，拳头未下，他已开始求饶，把已犯过的和想象出来的种种罪行一一招供。但有时正好相反，他下定决心拒绝招供，如非痛楚难忍，一字不吐。有时他预先准备了要让步，对自己说："招供是逃不了的，但慢慢来，能多忍受一分钟就多忍受一分钟。他们再踢两三下，那个时候我才招认。"有时他被揍得再站不起来，那些汉子就像摔一袋马铃薯的样子把他丢在牢房的石板地上，让他休息几个钟头然后从头再来。有时他们让他恢复体力的时间会长一些，虽然实在有多久他自己也不清楚，因为他要不是昏迷不醒就是睡着了。他记得自己被关在一个小室内，有木板床，墙上有个突出来的架子，有锡脸盆。吃的有热汤和面包，有时还有咖啡。期间，有一个脾气暴躁的理发匠进来给他剪过发、刮过胡子。穿着白制服的人也进来过，职业性地按了按他的脉搏，测量了他的神经反应，翻了翻他的眼皮，探手摸他的身体看看骨头有没有被打断，检查了以后就在他手臂上打一针让他睡觉。

毒打的次数减少了，但威胁性仍然存在，温斯顿怕的就是自己说的口供万一不令人满意，又落在那几个汉子手上。问他话的人，不再是穿黑制服的老粗，而是戴着眼镜的党的知识分子，长得矮矮胖胖，行动却异常敏捷。他们轮班来折磨他，每次总有十或十二小时吧，他想。这些戴眼镜的讯问人，虽然照样要他受皮肉之苦，但他们真正的用心显然不单是要在肉体上折磨他。他们掴他耳光、扭他的耳朵、扯他的头发、命他单腿站着、不准他小解、用最强烈的灯光照他的脸使他眼泪直流，但这仅是一种手段，目的在于奚落他和摧毁他思考与争辩的能力。他们最厉害的武器倒是疲劳审讯，一个钟头接一个钟头地问下去，一方面要他自露破绽，另一方面又把他说的话扭曲一番，让他把谎言看成真理。到最后，他竟放声哭出来。精神疲劳固然是个原因，但对自己感到惭愧也是原因之一。有时审讯一次，他会哭上六七次。大部分的时间他们用污言污语侮辱他；他回答时略一迟疑，他们就恐吓说要把他送回老粗的地方去"修理"。可是有时候他们的腔调一变，称他"同志"，以英社和老大哥的名义去感化他，问他现在对党的忠诚如何，希不希望有机会洗去以往的罪行等等。经过连续几小时的疲劳审讯，神经已临崩溃，所以即使这种温言温语也一样引出他的眼泪来。疲劳审讯的方式果然比黑衣汉子的拳脚有效。他的意志力全部垮了，他们要他说什么他就说什么，要他签什么他就签什么。他目前最关心的是他们要他招认什么罪行，一猜到就在他们发问前先供出来。因此，他的罪名包括：暗杀党内显要党员，散发煽动性传单，盗用公款，出卖军事情报给敌国，还有各式各样的阴谋颠覆行动。他招认了自一九六八年以来就做了东亚国的奸细，招认了自己奉信宗教，崇拜资本主义，是个在性行为上有堕落嗜好的人。此外，他还招认了自己是个杀妻罪犯，虽然他和审问他的人都知道凯瑟琳还好好地活着。在口供上，多年来他跟戈斯坦过从甚密，是个地下组织的会员，会员包括了所有他认识的人。招认所有想象得出来的罪名、拖每个认识的人下水，实在是轻而易举的事。再说，这也没有冤枉自己，他不一直就是党的敌人吗？在党的眼中，思想与行动是不能分开的。

在他模糊的记忆中还有其他断断续续的片段，连贯不起来。

他在一个小室里，是暗是亮已记不起来了，因为他除了一双眼睛外什么也看不见。附近有一个仪器，规律性地滴答滴答响个不停。那双眼睛越来越大，发着亮光。突然他自椅子上浮起，滑入那双眼睛内，被吞没了。

他被缚在一张椅子上，灯光刺眼，四面是钟面形状的控制盘，有一个穿白衣服的男子在看管。门外有沉重的皮靴声，门开处，那冷漠的警官带着两个狱卒进来了。

"一〇一室。"警官说。

那看守着控制盘的男子没有转身，也没有看温斯顿一眼。他只看着控制盘。

温斯顿在一个金光耀眼、一公里宽的特大走廊里滚下来，疯狂地笑着，大声地把自己的罪名叫出来。他什么都招了，连苦刑也逼不出来的话也说了。他对着已熟悉他一生的听众复述自己的身世。在走廊上滚下来的，还有狱卒、讯问者、奥布赖恩、朱丽亚和查林顿先生。他们也像他一样，疯狂地大笑着。有些预料到将要发生的恐怖事情，不知为了什么原因，最后竟然没有发生。他已无问题了，不会再受折磨。他一生中的每一细节已经公开，也获得谅解和宽恕。

他好像听到了奥布赖恩的声音，拼命要从板床上挣扎起来。自受刑以来，温斯顿总觉得奥布赖恩就在他身边，只是自己看不到他而已。奥布赖恩犹如一部电影的导演。指挥黑衣老粗去毒打他的是奥布赖恩，及时制止他们不要下手太重的又是他。决定温斯顿该受多少折磨、哪时可以喘一口气、哪时吃饭睡觉、哪时接受皮下注射——都是他一个人发的命令。问题是由他出的，答案也是他提供的。总之，奥布赖恩是他的折磨者、保护人、审判官、朋友。有一次他听到一个声音在耳边说话，虽然他不知道自己是打了针后昏睡时听到的、正常睡眠状态中听到的还是清醒时听到的。这声音对他说："温斯顿，别担心，你在我手上。我监视你七年了。现在已到了转折点，我会救你的，会把你变成完人。"他不敢断定这就是奥布赖恩的声音，但可以肯定的是，这声音与七年前在梦中对他说"我们将来会在没有黑暗的地方见面"的声音完全一样。

盘问怎样结束的，他记不起来了。在黑暗的地方待了一阵子后，他就被移到现在这小室来。他平卧着，身体每一重要部分，包括脑后，都像被什么东西缚着，动弹不得。奥布赖恩带着一种既严肃又忧伤的神色俯视着他。从下面往上看，奥布赖恩的脸显得粗糙而憔悴，眼皮打褶，从鼻子到下巴尽是皱纹。他看来比温斯顿想象的老，大概是四十八至五十岁的样子吧。他的手下面是一个有把手的钟面控制盘，上面是数字。

"我对你说过，如果我们还会见面的话，地方就在这里。"奥布赖恩说。

"我知道。"温斯顿答道。

奥布赖恩也没有给他什么警告，手略一转动，温斯顿浑身刺痛。这种痛苦可怕极了，因为他看不到是怎么一回事，只觉得身体已受到严重的伤害。他不知道这种痛苦是真的，还是电波制造出来的。但不管真的假的，他觉得身体各关节慢慢脱位就是。额前一直冒着冷汗，但令他最觉得恐惧的却是脊骨会不会因此折断。他咬着牙，用鼻子深呼吸，决定能多挨一分钟就沉默一分钟。

奥布赖恩细看着他面部的表情，说："现在你害怕的是下一秒钟身体某一部分会折断,是不是?你最担心的是脊骨,你在脑中几乎可以清清楚楚地看到脊骨一节一节折断的情形,脊髓液跟着流光。你想着的就是这个,对不对?"

温斯顿没有搭腔。奥布赖恩扭动了转盘,痛楚马上消失了。

"刚才你受的痛苦是四十度,"奥布赖恩又说,"你可以看得出来,这转盘最高的数字是一百。好,你记着,等会儿我问你话时,你知道我可以随时有使你受苦的能力,而你痛苦的轻重也完全由我控制。如果你跟我说谎,或答话时支吾以对,或装糊涂——因为我知道你的知识水平如何——你马上就要吃苦的。这一点你明白了?"

"明白了。"

奥布赖恩听后,态度柔和多了。他推了推眼镜,踱了几下方步,说话声音温和,也显得非常有耐心,态度和口吻像个医生、教师或牧师,旨在劝导,不在惩罚。

"温斯顿,"他说,"我愿意在你身上花心血和时间,因为你值得我这么做。你自己也知道问题出在哪里。多年来,你对自己的情况自然了解,只是一直不肯承认而已。你的问题就是神经不正常,记忆力衰退,该记得清楚的事你记不起来,而从来没发生的事你却自以为是,挂在心上。幸好这种病是可以治疗的,你没有及早治好,只不过是你不愿意而已。其实,只需稍微调整一下你的意志力就成,可惜连这一点你都不肯做。我可以看得出来,即使在这一分钟,你还是不肯放弃你的病态思想,因为你以为那是一种了不起的德行。好吧,我们举一个实例。目前大洋邦跟谁作战?"

"我被捕时,是东亚国。"

"东亚国,对。大洋邦的敌国一直就是东亚国,对不对?"

温斯顿深深吸了一口气。他张开嘴巴要说话，但说不出来。他的眼睛一直看着控制盘上面的数字。

"温斯顿，说实话，说**你**知道的实话。"

"我记得的就是在我被捕前的一个星期，东亚国还是我们的盟友。我们的敌人是欧亚国，打了四年。在此以前——"

奥布赖恩举手制止他。

"我们举别的例子。多年以前，你产生的许多幻觉中，最严重的莫如你相信因叛国与叛乱罪名而被正法的党员琼斯、阿诺逊与卢瑟福死得冤枉。你认为你看过证据充足的文件，可以证明他们的供词全是伪造的。你看到了一张使你产生幻觉的照片，认为物证既在自己手上，假不了的。那张照片就像这个样子。"

奥布赖恩的手指捏着一张报纸的剪报。大约有五秒钟吧，温斯顿看得清清楚楚，对了，就是**那张**照片，不会错的——琼斯、阿诺逊和卢瑟福因党务到纽约开会的照片，十一年前他把玩了一下就马上销毁的照片。它在他眼前只出现短短的几秒钟，又消失了。可是要紧的是，他看到了，真正地看到了。他挣扎着要坐起来，可是丝毫也动不了。这一刻他连控制盘的恐怖也忘了，只希望能再捏着那照片半分钟，或者最少再看一眼。

"这证据是存在的。"他喊了出来。

"谁说？"奥布赖恩反问道。

他走到房子的对面。墙上有思旧穴，他拉开盖子，一声不响地把那张剪报投进去。纸片随着热流而下，顷刻化成灰烬。奥布赖恩转过身来。

"烟消灰灭，"他说，"这照片从来没存在过。"

"它存在过！现在也存在于我们的记忆中。你记得，我记得！"

"我不记得。"奥布赖恩说。

温斯顿的心不觉一沉。这是双重思想。这真令他陷于困境了。如果他知道奥布赖恩在撒谎，那还可解释。但要命的是，奥布赖恩真的可能完全忘记这张照片存在过啊！如果这假定不错，那么他已经忘记否认过照片存在这回事。当然，也忘记曾经忘记否认……你又怎能肯定这是欺诈的伎俩呢？也许人类的思想真的可以随时调整。他觉得已败下阵来。

奥布赖恩若有所思地望着他。他的神色越来越像一个善心诱导入迷途但素质极佳孩子的老师。

"党有一句有关控制过去的口号，"他说，"请你念出来吧。"

"'谁控制过去，就控制未来；谁控制现在，就控制过去。'"温斯顿应命念道。

"'谁控制现在，就控制过去。'"奥布赖恩认可地慢慢点头说，"那么，温斯顿，依你看来，过去有没有真正存在的证据呢？"

温斯顿又一次陷于困境了。他向控制盘瞄了一眼。他不但不知道为了减轻痛苦，究竟该说"有"呢还是"没有"，最苦恼的是：他连自己也不知道哪一个才是真正诚实的答案。

奥布赖恩淡淡地笑道："温斯顿，看来你也不是什么玄学家。我不问你，大概你也没有想过'存在'究竟是怎么一回事吧？好，我说得更具体点。过去会不会在空间里存在？过去会不会在某一个地方、某一个实际的世界继续发展下去？"

"不会。"

"那么过去如果存在的话，到哪里去找？"

"文字的记录，所有书写下来的有关记载。"

"好，还有呢？"

"在我们的脑中、人类的记忆中。"

"这说得有理。好吧，我问你，如果我们党控制所有记录、控制人类的记忆，那么算不算也控制了过去呢？"

"但党又怎能消灭人类记忆的习惯？"温斯顿嚷着说，又一次忘记控制盘的存在了，"记忆的习惯是与生俱来的，不由自主的，你们怎能控制别人的记忆？不说别人，我的记忆你们就控制不了！"

奥布赖恩脸色变得沉重起来，他的手按在控制盘的把手上。

"正好相反，控制不了记忆的是**你自己**。你被捕到这里来，就是为了这个原因。你既不谦虚，也不知自律。你不肯抛弃私见，服从大我，因此你选择的是疯子的道路，是少数中的少数。温斯顿，我告诉你，只有受过训练的头脑才看到现实。你相信现实是客观的、外在的、不求外证的、自成天地的。因此，你如果从幻觉中看到一样东西，就会假定在现实中也会看到同样的东西。可是，温斯顿，我要告诉你的是现实不是外的。现实只存在于人的脑中——但这'脑中'不是指个人的头脑，因为个人会犯错误，而且早晚要灭亡。党的头脑不同，它是集体的，因此也是不朽的。党认为是真理，那就是真理。除了用党的观点去看的现实是现实，此外再无其他现实。温斯顿，这就是你得从头学起的地方了。这牵涉到意志力的运用，因为你需要消灭自我。在你的头脑变得清醒前，你得否定自己。"

奥布赖恩说到这里顿了顿，好像要给温斯顿足够的时间去消化的样子。

"你还记得你在日记上写过的话吗？"他接着说，"'自由就是可以说二加二等于四'？"

"记得。"

奥布赖恩举起左手，伸出四个手指，大拇指屈起来，不让温斯顿看见。

"我竖起来的手指有多少？"

"四个。"

"如果党说不是四个，是五个——那你说有多少？"

"四个。"

话未说完，温斯顿已痛得喘着气。控制盘的指针指着五十五。他浑身冒着冷汗，吸进肺里的空气化作痛苦的呻吟声吐出来。他咬着牙，但一点也减不了身上的痛楚。奥布赖恩目不转睛地望着他，还是竖着四个手指。他按了按把手，温斯顿的痛苦稍微减轻了点。

"多少个？"

"四个。"

指针跳到六十。

"多少个？"

"四个！四个！你要我怎么说？四个！"

指针一定又跳高了，但这次他没有看。他看到的只是奥布赖恩严肃的面孔和他竖起的四个手指，手指像擎天的巨柱一样挺立在他眼前，有时朦胧且摇摆不定，但数目错不了的：四个。

"温斯顿，多少个手指？"

"四个！别再用那东西折磨我了！四个！四个！"

"温斯顿，多少个？"

"五个！五个！五个！"

"那没用，温斯顿，你在撒谎，你还是相信看到四个。好，再来一次，多少个手指？"

"四个！五个！四个！你要我说多少就多少吧，只要不让我受苦就是。"

他醒来时突然发觉奥布赖恩用手臂环抱着他坐着！缠绕着他身体的电线之类的东西已经松开了。他大概是昏过去几秒钟吧。冷极了，他身上一直发抖，牙齿咯咯作响，泪流满面。他像孩子依偎母亲一般靠在奥布赖恩粗大的臂弯里，出奇地感到舒服。奥布赖恩是他的保护人，痛苦从别的地方来，只有奥布赖恩才会及时制止他的痛苦。

"你学东西学得很慢，温斯顿。"奥布赖恩温和地说。

"我有什么办法？"他哭泣着说，"我的眼睛是看东西的，看到了四怎能说五？"

"有时二加二等于四，温斯顿，但有时是三，有时是五，有时同时是三、四、五。你还得努力学习，要清醒不容易。"

奥布赖恩又扶他躺下，他的身体又被缚得紧紧的。痛苦已略微减轻，也不再颤抖了，只感到虚弱和寒冷而已。

奥布赖恩用头向穿着白制服的人示意。这家伙一直站在旁边，没有哼过声，现在低下头翻了翻温斯顿的眼皮，按了按他的脉搏，听了听他的胸口，敲敲这里，摸摸那里，然后向奥布赖恩点了点头。

"好，再来一次。"奥布赖恩说。

温斯顿马上又全身陷于痛苦中。控制盘上的指针，大概指着七十或七十五的数字吧。他闭上眼睛。他知道奥布赖恩的手指还是竖着，还是四个手指。现在最要紧的事是忍着痛苦，等痉挛过去。他已懒得理会自己有没有叫出来。阵痛逐渐退去，他张开眼睛，看到奥布赖恩把转盘数字减低。

"多少个手指，温斯顿？"

"四个，我想是四个。如果可以的话，我希望看到五个，我现在正努力。"

"那你选择哪条路：教我相信你看到五个，还是真的看到五个？"

"真的看到五个。"

"再来一次。"奥布赖恩下令说。

指针上的数字是八十或九十吧，温斯顿一定昏过去醒过来多次，因为他只能断断续续地记起为什么身上受着痛苦。眼睑下好像出现了一个手指丛林，徐徐舞动，时而消失，转瞬复现。他试着数过这些手指，虽然自己也不明白动机何在。这些手指是数不清的，他自己也知道，因为这牵涉到四与五之间神秘的观念问题。痛苦又减轻了。他张开眼时，所见的还是刚才的印象：数不清的手指，如会走路的树在自己左右两边交错移动。他又闭上眼睛。

"我现在竖着多少个手指？"

"我不知道，真的不知道，只知道你再来一次的话，我就会死。四个、五个、六个——最老实的答案就是不知道。"

"有进步了。"奥布赖恩说。

白衣人在他的臂上注射了一针，温斯顿马上觉得有一股暖流透过全身，舒服极了，使他几乎忘记刚才的痛苦。他张开眼睛，感谢地望着奥布赖恩。看到他那张既丑陋又聪明的粗线条的脸，温斯顿禁不住对他产生敬爱之心。如果他能动的话，一定会伸出手搭在奥布赖恩的臂上表达这个意思。他对奥布赖恩的敬爱之情，从没像这时这么强烈过。这不单为了他制止了他的痛苦，他对这人原先的感情又回来了，那就是奥布赖恩究竟是敌是友都无所谓，要紧的是这人谈得来。也许一个人对知己的渴求，比爱情尤甚。奥布赖恩把他折磨得近乎疯狂状态，而他也知道，等一会儿自己就要受死，可是这都没关系。在某种意识来讲，他们的关系超越一般友情：他们的确是推心置腹之交。虽然谁都没有提到这点，但他相信他们将来总会在什么地方再见，然后好好地聊一番。温斯顿注意到奥布赖恩俯视着自己时，脸上有一种特有的表情，好像在说：你的心事我完全了解，因为我也这么想。奥布赖恩再开口说话时，神态悠闲得像在聊天。

"你知道身在何处吗？"他问。

"不知道，但我猜是仁爱部吧。"

"那你知不知道在这里待了多久了？"

"不知道。几天、几个星期、几个月——我想是几个月吧。"

"你知道我们为什么把犯人带到这儿来吗？"

"迫供。"

"不对，这不是理由。再试试看。"

"惩罪。"

"不对！"奥布赖恩叫道。他的腔调变了，面色虽然凝重，但掩盖不了兴致勃勃的神情。"我们带你来这里，既不为了迫你招供，也不是要惩罚你。要不要我说出来？你在这里，因为我们要治疗你，不让你发疯！你得明白，温斯顿，到这里来接受我们治疗的人没有一个没治愈。你所犯的各种愚笨的罪行，我们一点也没有兴趣。党注意的不是表面的行为，只关心行为后面的思想。我们不但消灭敌人，我们还要改造敌人。你懂吗？"

奥布赖恩弯下腰去看温斯顿。从温斯顿的角度看去，他的脸奇大奇丑，也许是距离太近的缘故吧。除了大与丑外，温斯顿还注意到他脸上的另一特征：一种你常在疯人眼睛里看到的亢奋。温斯顿的心不禁又下沉了。如果可以的话，他真想钻到床底。说不定他一时兴起，又转动控制盘了，温斯顿想。但奥布赖恩在这个时候却走开，踱着方步。接着他激动地说：

"你首先要了解，在这个地方是没有烈士和殉道者的。你一定读过历史上有关宗教迫害异端分子的记载吧，譬如说天主教在中世纪的大审判。那种行动注定要失败。目的在于铲除异端，结果正好相反，异端不但没有消灭，反因此连绵不绝。他们在刑架上烧死一个异教徒，成千成万的同类继之而起。为什么？因为宗教法庭公开杀害它的敌人，在他们没有悔过前就烧死。正确地说，正因为他们不肯悔过，不肯放弃他们真正的信仰，才会被烧死。自然，所有荣耀属于牺牲者，而恶名则由施刑者担当。二十世纪则有所谓极权主义者的例子，如德国的纳粹党和俄国的共产党。俄国人对付异端分子的手段，比天主教宗教法庭残忍得多。他们以为从历史上得了教训。平心而论，他们至少学会了这一点：不能制造殉道者。在提犯人公审前，他们用尽心机，摧毁了犯人最后一点尊严。他们施酷刑之余，还把犯人隔离关闭，直弄到每个落在他们手上的人都变得摇尾乞怜、面目可憎，要他们供什么就供什么。他们除了指控别人，也会辱骂自己。可是，过了几年后，结果又与宗教迫害异端分子一样。死去的人成了烈士、殉道者。他们当时受凌辱的过程，已为人淡忘。我们不禁又要问：为什么？首先，谁也看得出来，他们的供词是屈打成招的结果，因此不是真的。我们这里不犯那种错误。在这里吐出的供词，都属实情，因为我们要它变成实情。但最重要的一点是：我们不让死者有起来反抗我们的机会。因此，温斯顿，你不要做白日梦，以为后世会为你平反。后世永远不会知道你是谁。

你在历史上的痕迹将会被刮得一干二净。我们把你炼成气体，让你消失于太空中。你毫无痕迹留下：名册上没有你的名字，没有一个活着的人会记得你。过去没有你，将来也没有你，你从来没存在过。"

那为什么又要折磨我呢？温斯顿禁不住怨恨地想。奥布赖恩好像听到了他的心事似的，突然停了步。他的丑脸靠近，眼睛半眯着。

"你在想，既然我们打算把你毁灭得不留痕迹，既然你说的做的最后毫无分别，那么我们又何必花这么大的工夫盘问你？你心里想的就是这疑问，是不是？"

"是的。"温斯顿说。

奥布赖恩微笑着答道："温斯顿，你是我们模式中的一个缺陷，一个必须擦去的污点。我不是才跟你讲过我们跟过去的迫害者不同吗？我们对口是心非的顺从和可怜兮兮的驯服不会满意。到你最后向我们投降时，得正心诚意。我们不会毁灭一个抗拒我们的异端分子。他抗拒一天，我们就让他活一天。我们要转变他的信仰，控制他的思想，改造他。我们把他心中的毒素和幻想洗涤干净，把他诱导到我们这边来：不但表面属于我们，整个心灵也得认同我们。在我们杀他前，先把他变为我们自己的人。我们不能忍受世上任何一个角落有错误的思想存在，即使它是隐秘的、不会惹起问题的。即使在犯人就刑时，我们也不容许他犯错误。中世纪的异教徒踏上刑架时还是异教徒，大声说邪话，一副求仁得仁的嘴脸。俄国整肃知识分子时，也一样。犯人步上法场吃子弹时，满脑子都是反抗思想。我们不同，我们在犯人的脑袋开花前，先把他的思想洗得干干净净。古代专制政权的戒条是：'勿以身试法。'极权主义者叫的口号则是：'你应为我们的信仰牺牲。'我们比较干脆，我们会说：'你是我们的人！'不是吗？我们带进来的人，从没有一个抵抗过我们的。每个人都变得思想纯正。琼斯、阿诺逊和卢瑟福这三个可怜虫，你不是曾经相信过他们是无辜的吗？我告诉你，他们一一垮下去了。我审问过他们，因此亲眼看到他们的意志力怎样逐渐消失——他们匍匐在地，哭着，呜咽着。到最后，他们的表情再不是痛苦和恐惧，而是后悔。我们审问完毕时，他们只剩下了躯壳，除了悔意和对老大哥的爱心外再无其他感情。他们对老大哥的爱意，看了令人感动。他们最后要求尽早行刑，这样可以保证他们死时还是思想正确的人。"

奥布赖恩的声音变得有点如醉如痴，脸上露出的狂热仍然不减。他不是在演戏，温斯顿想。他相信自己说的每句话，因此不是个说谎的人。最令温斯顿受不了的，是相形之下觉得自己的智力渺小。他看着这个块头虽大，但姿态异常优雅的人在自己的视野内走来走去。奥布赖恩无论在哪方面都比自己强大，他想。没有一种他想过的或可能想到的观念不为奥布赖恩洞悉先机，不为他排斥。他的思想**涵盖**了温斯顿的思想。但如果这是真的话，奥布赖恩又怎会是疯子呢？一定是自己疯了，温斯顿想。奥布赖恩停下步来，俯视着他，声音又变得冷峻起来。

"温斯顿，你千万别做白日梦，以为你向我们无条件投降就可以挽救你自己。我们从来不放过走入歧途的人。即使我们让你度过余生，你也逃不过我们的掌握。你在这里经历的事，因此也一辈子摆脱不了。这一点，你得先弄清楚。我们将把你压得扁扁的，你永不能翻身。即使你活上一千年，也无法抚平烙在你身上的伤痕。你将永远不会体验到人类普通的情感。你的感情将如槁木，失去了对爱情友情的本能反应，失去了求知欲和道德勇气，因此也谈不到什么人格的完整了。总之，到时你连欢笑的能力也没有，因此也无法享受什么生命的乐趣。你将是个空洞的人，我们将你挤得空空的，然后把我们的成分将你填满。"

奥布赖恩说到这里顿了顿，向白衣人举手示意。温斯顿感觉到有什么仪器塞到他脑后来。奥布赖恩坐在他的床边，因此他的脸几乎与温斯顿的处于同一高度。

"三千。"他吩咐白衣人说。

两块微湿的垫子贴在温斯顿两边的太阳穴上，他吓得缩了缩身子。将要尝到另一种花样的痛苦了。奥布赖恩用一只手按着他，似乎要他不要担心，几乎很和善。

"这一次不会有什么痛苦，"他说，"你看着我的眼睛吧。"

温斯顿听到一阵轰天动地的爆炸声，或者可以说像是爆炸声，因为他不知道是否真的有声音发出来。但他看到刺眼的强光，这倒是假不了的。他没有受伤，只觉得好像被什么东西推倒了，虽然他本来就躺着的。他的脑袋亦受到影响。他的视力恢复过来时，他记得他是谁、身在哪里、面前凝视着自己的是谁，但在感觉上好像有一大片空白，恰似脑髓给人挖了一块一样。

"等会儿就好了，"奥布赖恩说，"望着我的眼睛。大洋邦跟哪一国打仗？"

温斯顿想了想。他知道大洋邦是什么意思，也知道自己是大洋邦的国民。他还记得有东亚国和欧亚国这两个国家，但谁跟谁打仗就搞不清了。事实上，他根本不知道有过战争。

"我不记得了。"

"大洋邦现在跟东亚国交战。你记起来了？"

"是的。"

"大洋邦一直跟东亚国交战。自你出生以来、自党存在以来、自有历史以来，我们一直与东亚国交战，战争从未停过。你记起来了？"

"是的。"

"十一年前，你创造了有关三个因叛国罪被判死刑囚犯的神话。你以为看到了一份可以证明他们无辜的文件。这份文件从来没存在过，是你杜撰出来的，后来连你自己也相信是真的。你还记得你最初伪造这份文件的情形，是不是？"

"是的。"

"刚才我举起手给你看手指。你看到五个，记得吗？"

"记得。"

奥布赖恩举起了左掌，大拇指屈在掌心。

"这里有五个手指，看到了没有？"

"看到了。"

他真的看到了，虽然时间不长，在他脑海中的景象还没改变之前。他看到五个手指，奥布赖恩的左掌一个手指也不短少。可是一下子眼前的景物变了，他只看到四个手指。正常的感情——恐惧、仇恨与迷茫，复现心头。但刚才奥布赖恩问他话时，确有一段时间（半分钟吧，他无法肯定），他对二加二等于五这类逻辑深信不疑。奥布赖恩的每一个提议，把他脑中的空白填满，变成绝对真理。二加二等于五不成问题，等于三也一样不成问题。虽然这种望四成五的能力转瞬即逝，虽然他无法再回到这种境界去，但这经历他记得很清楚，犹如一个人到了晚年忆起童年一些印象深刻的事情一样。

"现在你看清楚了，"奥布赖恩说，"二加二等于五是可能的。"

"是的。"温斯顿说。

奥布赖恩满意地站起来。温斯顿看到他左边的白衣人打破了一个注射剂瓶子，把针管插进去。奥布赖恩转过身，推了推眼镜，面带笑容地对温斯顿说："你还记得你在日记上说，不论我是你的敌人或朋友都无所谓，因为最少我懂得你，可以谈得来？你说对了，我爱跟你谈话，因为我对你的思想有兴趣。你的思想与我的相近，只是你疯了。你愿意的话，在这一节结束前，你可以提出几个问题。"

"任何问题？"

"对的。"奥布赖恩看到他的眼睛一直注视着控制盘，乃补充说，"已经关了。你的第一个问题是什么？"

"你把朱丽亚怎么处置了？"

奥布赖恩的脸上又露出笑容了。"温斯顿，她出卖了你，毫无保留、不经考虑就出卖了你。我没见过这么容易就范的人。你如果有机会再看到她，不会认得她了。她的叛逆性、狡猾性格、愚昧和脏思想，全被我们洗擦得干干净净。她的改变，完美得像是教科书上的例子。"

"因为你用刑迫她。"

奥布赖恩没有理会他。"下一个问题。"他说。

"老大哥存在吗？"

"当然存在。党存在，而老大哥就是党的化身。"

"他存在的方式，是不是跟我一样？"

"你不存在。"奥布赖恩说。

温斯顿又一次陷于苦恼中。他固然知道或最少可以想象出来证明他不存在的逻辑，但那不过是语言上或文字上的游戏，荒谬之至。奥布赖恩明明看到他，却说"你不存在"，这种话不就是逻辑谬误吗？但说出来又有什么用？一想到奥布赖恩会用一种无可反驳的疯狂辩证法把他击倒，他已经泄了气。

"我想我存在的，"他疲累地说，"最少我体认到我的存在。我坐下来，将要死去。我有手有脚，在宇宙间占据了一个独特的地方。没有别的东西可以同时占据这个地方。老大哥是否在这个意义上存在？"

"那无关宏旨，他存在就是。"

"老大哥会不会死？"

"当然不会。他怎会死？下一个问题。"

"那么兄弟会呢？存不存在？"

"温斯顿，这个你就永远不会知道了。如果我们把你的事办完后，决定放你走，即使你活到九十岁，你这问题永远不会有答案。你活一天，这就成为你脑中无法解答的谜。"

温斯顿无言地躺着，胸口起伏急速了一点。他还没问一开始就想问的问题。这非问不可，但话一到嘴边就胶着。奥布赖恩的脸上显现出一种近乎观看他表演的神色，连他的眼镜也露出嘲弄的光芒。他已经知道我要问的是什么了，温斯顿突然想。这么一想，话就漏了出来："什么是一〇一室？"

奥布赖恩脸上的表情没有变，冷冰冰地说："温斯顿，你知道一〇一室是什么。每个人都知道一〇一室是什么。"

他说完后就对着白衣人摆摆手，看来这一节完了。针头插在温斯顿的臂上，他几乎马上就睡着了。

三

　　"你的改造过程，分为三阶段，"奥布赖恩说，"那就是学习、了解和接受。你现在进入第二阶段。"

　　温斯顿像在第一阶段时一样，仰卧在床，但缚着他的带子比以前松弛些。除了脚可以略微移动外，他还可转头四边张望，手肘也可举起来。控制盘也没以前那么恐怖了。如果他思想敏捷些，还可以躲过它的袭击，因为奥布赖恩只有在他愚不可及时才动用控制盘。有时历时一节奥布赖恩也没有使出杀手锏。他不知道一共有多少节，总之全部过程好像无休无止就是。可能是几个星期吧。有时从一节到另一节要等几天，但有时仅是一两个钟头。

　　"你躺在这里，"奥布赖恩说，"一定觉得奇怪：为什么仁爱部要在你身上花这么多时间？我记得你还自由的时候也为同样的问题困惑过。即使我们释放了你以后，你还是解答不了这个疑团。你可以了解到你所处社会的运行程序，但你不会知道其基本的动机。你在日记上不是写过吗：'我知道**怎样**去做，却不明白**为什么**要做。'你一想到'为什么'时，就会怀疑自己的神经是否正常。你看过**那本书**，戈斯坦的书；即使没看完，也看了一部分。这书有没

248

有告诉你一些你从前不知道的事？"

"你看过了？"温斯顿问。

"书是我写的，或者说是我跟别人合作写的。你该知道，没有人可以单独写出一本书来。"

"那书上讲的是不是真的？"

"就其所描述的部分而言，可说是真的。但它所谈到的计划，都是废话。什么秘密地积聚知识，逐渐开导民智，最后促成老百姓造反，推翻党的领导等等——书不用看完，你也可以预想到这就是它要说的结论了。我告诉你，这都是鬼话。无产阶级永远不会造反！一千年一万年也不会。因为他们不能造反。我相信不用告诉你此中道理，你自己已知道。因此，如果你抱过什么平民起义的幻想，从此可以死心了。党是推不倒的，党的领导是千年万代的。你的思想应以此为出发点。"

他走近温斯顿的床前，又重复一次说："党的领导是千年万代的！好，我们现在回到'怎样'与'为什么'的问题。党**怎样**维持它的权力，你了解得很清楚。现在你告诉我，**为什么**我们抓着权力不放？我们的动机是什么？我们为什么要权力？说吧！"他看到温斯顿没有说话，催促他说。

温斯顿还是没做声，他的精神已疲倦不堪。相反地，奥布赖恩却越说越起劲，那种疯子特有的狂热又流露在他脸上。他猜得到奥布赖恩要说的话：党不是为了本身的利益而追求权力；党要权力，乃是为了群众的好处。群众是软弱的、无能的动物，既不能面对真理，又不会珍惜自由，因此必须受人统治，受比他们强的人欺骗。人类只有两个选择：一是自由，二是幸福。对大多数人来讲，幸福比自由重要。党是弱者的永远监护人，牺牲自己的幸福成全他人，背负做坏事的名声，为的就是日后给大家带来好日子。最可怕的是，温斯顿想，最可怕的是奥布赖恩要是对他说这种话，他自己一定也会相信。你从他的脸上就可看出来。奥布赖恩什么都知道。他比温斯顿知道得更清楚，世界的真实情况是怎么样的，老百姓过的是哪种非人的生活，而党又用什么手段与谎言去统治他们。奥布赖恩了解这些问题，也衡量了这些问题，觉得这不是什么大不了的事，因为既求目标，就不择手段了。你面对一个比你聪明的疯子，又有什么办法呢？温斯顿想。这疯子礼貌地听过你的申辩后，又继续坚持他的疯狂信仰。

"党是为了我们的好处才统治我们，"他软弱地说，"党相信人类无能管理自己，所以——"

他说不到一半，就几乎大叫起来。他浑身刺痛。奥布赖恩把控制盘的指针调到三十五。

"那是笨得不可以再笨的话，温斯顿！"奥布赖恩说，"你怎可以说这些蠢话？"

他把把手拉回到零位，接着说：

"现在我只好告诉你答案。你听着，党追求权力，完全是为了权力本身。我们对别人的利益一点也不感兴趣，我们只对权力感兴趣。财富、物质享受、长生不老或幸福的生活，一点不吸引我们——除了权力，赤裸裸的权力。什么是赤裸裸的权力，等下你就会知道。我们跟以前寡头政权不同的地方，就是我们知道我们所做的是什么。其余的人，就算他们跟我们有相像的地方，相较起来都是懦夫和伪君子。德国的纳粹党和俄国的共产党在方法上跟我们很接近，但从没有勇气承认他们的动机。他们假装——说不定他们自己也相信——他们是为了不得已的理由才夺权的，为时不会太久，因为只要他们执政不久，人间就会出现一个自由平等的天堂。我们跟他们不一样。我们深信，没有人会夺了权后自动放弃的。权力是目的，不是手段。没有人会为了捍卫革命而去成立独裁政权，革命的目标就是为了成立独裁政权。迫害的目的就是为了迫害。苦刑的目的就是为了苦刑。权力的目的就是为了权力。你现在开始懂我的意思了？"

温斯顿又一次为奥布赖恩疲劳憔悴的面容吸引住了。粗看来，它的特征没有什么改变，仍是那么坚强、粗豪、残忍，充满了智慧。你还可以看出他为了控制心中那股激情所作的努力。但他确是累了，眼底起褶，颊上皮肤松弛。奥布赖恩俯下身，故意让他看清楚自己憔悴的脸。

"你一定在想着——"他说，"这家伙的脸又老又憔悴，一天到晚讲权力，却无法阻止自己身体的衰老。你有没有想到，温斯顿，个人只是一个细胞？细胞的衰老正是有机体健康的明证。你把指甲剪去，人却死不了，对不对？"

说完后他又离开了温斯顿，一只手插在口袋里，踱着方步。

"我们是权力的祭司，上帝是权力。"他说，"目前对你来讲，权力只是个名词，因此你也该了解权力的真正意义是什么了。首先，你要知道权力是集体的。除非个人认同集体的意志，否则他就没有权力。党的口号你是知道的：自由是奴役。你有没有想过，这口号可以倒过来？奴役是自由！只手空拳的话，一个自由自在的人终被打败。这是改变不了的事实，因为人注定要死。这也是人类最大的挫折。可是如果他愿意与党合成一个整体，换句话说，放弃自己的身份与党完全认同，那么不但他的权力大得无法衡量，而且长生不老。第二件你得认识的事是权力就是控制人类的权力。控制人的身体固然是权力，但最重要的还是控制人的思想。控制事物，或者，如你所说控制外在的现实，并不重要。我们对事物的控制已到了随心所欲的绝对境界。"

温斯顿一下子忘了控制盘的威胁，扭动着身子要坐起来，结果徒劳无功，反弄得浑身疼痛。

"你们怎能控制事物？"他嚷道，"天气冷热，你们管得了？地心吸力的定律，你们打得破？还有疾病、痛苦、死亡——"

奥布赖恩举手制止他说下去。"我们控制了思想，就是控制了事物。什么是现实？还不是景由心生。温斯顿，你慢慢就会懂得的。我们没有什么不能做的事。飞天遁地，无所不能。如果我愿意，我可以把这层楼像肥皂泡一样吹起来。我没有做，因为党不需要做。你干脆把十九世纪的宇宙定律忘了吧，因为我们创造了自己的定律。"

"你们就是不能创造自己的定律！你们还不是这行星的主人！欧亚国和东亚国呢？你们还没征服。"

"那无关紧要。我们哪时高兴，哪时就征服他们。但即使我们按兵不动，那又有什么分别？我们可以把他们摒诸存在之外。大洋邦就是世界。"

"但这世界小如尘埃，而人更渺不足道。人的存在有多久？地球上荒无人迹的日子，有几百万年！"

"胡说，我们多老，地球就有多老。地球又怎可能比我们老呢？有人的意识存在，才有事物的存在。"

"但地球的地层里不是藏有已经绝迹生物的化石吗，如猛犸、柱牙象和巨大的爬行动物？人类那时还没出现呢！"

"你见过这种化石吗，温斯顿？当然没有。化石是十九世纪生物学家发明出来的。在人类出现以前，什么东西都不存在。如果人也有绝种的一天，到时什么东西也不存在。除人以外，再无东西。"

"可是宇宙在我们之外！你看看夜间的星星吧，有些离我们一百万光年，我们一辈子也接触不到。"

"什么是星星？"奥布赖恩漠然地说，"那不过是几公里外的光点。如果我们有需要，当然接触得到，或者干脆把它们抹掉。地球是宇宙中心，太阳和星星绕着地球行走。"

温斯顿又一次痛苦地扭动身体，可是这次他没说话。奥布赖恩好像听到了他无言的抗议似的，接着说：

"当然，为了某些目标，我们说太阳绕着地球运行是不对的。我们的船只在海洋行驶时，或者我们预言日食的时间，为了方便得假定地球绕着太阳走，也得相信星星离我们百万光年。但那又算得了什么？你以为我们不可以使用两种不同的天文学原理吗？看我们的需要而定，星星离我们可远可近。你认为我们的数学家做不来吗？你忘了双重思想的逻辑？"

温斯顿颓然瘫在床上。不管他说什么，结果总被对方一棒打回。但他知道，他心底**知道**，自己是对的。认为人的意识是唯一衡量现实的标准，这种说法一定有什么办法可以击破的。这种理论，不是老早就证明站不住脚吗？这套学说还有个名字，可惜一下又忘了。奥布赖恩嘴角露出浅浅的笑意，俯下头来看着他。

"温斯顿，我不是老早讲过，哲学不是你的拿手把戏。你要找的词是'唯我论'。可是你错了，我们的一套不是唯我论。如果你一定要找个名词，或者可以叫'集体唯我论'吧。但那也不对，事实上正好相反。但我们说得太远了。"他改换了口气说，"我们日夜争取的权力，真正的权力，不在于控制事物，而是控制人。"他顿了顿，然后又用小学老师对可造之材发问的语气问，"温斯顿，一个人要怎样使用权力才能教另一个人乖乖听话？"

温斯顿沉吟了一下，说："让他受苦。"

"对了，让他受苦。单是顺从还不够。除非一个人身上正受着痛苦，你无法知道他是跟着你的意志走还是我行我素。权力因此是使人痛苦，使人羞辱。权力是把别人的思想拆得片片碎，然后再按自己的模式重组起来。你现在开始了解我们要创造的是什么样子的世界没有？我们创造的世界，正好与旧日冬烘先生想象出来的乌托邦相反。乌托邦是极乐世界，我们的世界则充满了恐惧、背叛、痛苦，你践踏别人也被别人践踏——一个在转变过程中手段会**越来越**残忍的世界。我们世界中所说的进步就是痛苦的升级。以前的文化老爱自称建立于仁爱与正义的基础上，我们的则建于仇恨之上。在这个世界上，除了恐惧、愤恨、打倒别人的快乐和自羞自辱外，人类再无别的情感。因为我们将会把其余的情感废掉。事实上，我们已把革命前遗留下来的思想习惯改变了。我们割断了父母子女的亲情、人与人之间的道义关系。丈夫不敢信任太太，父母不信任儿女，朋友的定义已不存在。将来连太太与朋友都不需要。孩子一生下来就被党收养，一如我们从母鸡的窝中拿鸡蛋一样。性本能将被淘汰，繁殖行为是一年一次的公事，就像每年的配给证得重新签发一样。我们将会消除男女在性交时感受到高潮的能力。这方面的工作，我们的神经学家已着手研究。除了对党得要绝对忠诚外，任何人或事都可以出卖。要爱，就爱老大哥。欢笑的声音，只有一个人在看到对手倒下来时才会出现。艺术、文学、科学绝迹人间。我们哪天到了无所不能的地步，也就用不到科学了。美与丑也无分别。好奇心与享受生命的能力也将消失。所有竞争性的快乐也被消灭。

但温斯顿，别忘记，永远不会消失的快乐就是对权力的迷恋，而且会越迷越深，越来越微妙。任何时刻你都可以体验到胜利者的刺激感：踩着一个已无还手之力的敌人的刺激感。你如果想知道未来如何，就想象一下皮靴踩踏在一个人脸上的滋味吧。不是踩踏一下就收回来，而是永远踩踏下去。"

奥布赖恩停了下来，好像预料到温斯顿要发问似的。温斯顿真希望能够蜷缩在床，因为他的心好像冻结了。他没说话，奥布赖恩乃继续说下去：

"记住了，永远永远踩踏下去，因为那张脸一直等待着我们的皮靴。异端分子的脸、社会公敌的脸随时出现，也随时被击败、被凌辱。自你落在我们手上后所经历的一切，不但会重演，而且还会变本加厉。侦查犯人的行为、互相出卖、逮捕、苦刑、死刑、失踪——这种事永远不会停止。将来的世界既是恐怖的世界，也是胜利者的世界。党越强大，越不容异己。反对的势力越弱，镇压的手段越强。戈斯坦和他的邪说也会永远存在。每时每刻他们都被我们打败、侮辱、奚落，但他们将与党共存。过去七年来我和你合演的戏，会不断重演，一代一代地演下去，而且演技会越来越高超。异端分子落在我们的手上，经由我们摆布，痛得呼天抢地后垮了，变得无廉耻了，最后悔恨交加，自动爬到我们的跟前来。这就是我们准备迎接的世界，温斯顿，一个捷报频传的世界，一个不断触到权力的神经的世界。我想你已慢慢认识到这个世界的面目，但最后你不但会认识它，而且还会接受它、欢迎它、变为其中一部分。"

温斯顿的精神逐渐恢复，乃微弱地抗议说："你们不可以！"

"你这话是什么意思，温斯顿？"

"你们不可以创造一个你刚才描述的世界。这仅是梦想；事实上是不可能的。"

"哦，为什么？"

"一种文明不可能建立于恐惧、仇恨和残忍上，因为这不会持久。"

"为什么？"

"因为这样一种文明无活力，最后会瓦解，自取灭亡。"

"鬼话。显然你是认为仇恨比爱更消耗精力，是不是？就算你对，那有什么关系？好，假设我们选择加速生命的速度，结果未老先衰，三十岁不到就变了老人。我来问你，那又有什么分别？你还不懂吗，个人的灭亡不算死亡，党才是不朽的。"

正如他预料的一样，奥布赖恩的逻辑使他毫无反击之力。再说，他真怕跟奥布赖恩再纠缠下去的话，又得受皮肉之苦了。可是，他不能保持缄默。他不想跟奥布赖恩辩论，而除了对他刚才说的话感到难言的恐怖外，他实在再无其他理论根据，但他还是用微弱的声音把话说了。

"我不知道你说的话是否有理，而且，我也不想计较。只是我觉得你们终归要失败的。总有一些事情会击倒你们。生命会战胜你们。"

"我们控制生命，温斯顿，控制生命的每一部分、每一层次。你一定以为有些什么叫人性的东西会受不了我们的控制，最后必然会反对我们。但我们创造人性！人是可以捏造出来的。再不然你又想旧事重提，回到你的无产阶级或奴隶造反理论去。你是白费心思了，温斯顿，他们像野兽一样孤立无援。党就是人类，其余不值一提。"

"我不管，他们会打败你们就是。他们早晚会看出你们的真面目，然后就把你们撕得片片碎。"

"你看到什么迹象认为这种事一定会发生？你有什么理由相信这种事一定要发生？"

"没有。可是我相信事情早晚要发生。**我知道**你们要失败。宇宙间有一种东西，我说不出来，是精神也好原则也好，总之这种东西你们征服不了就是。"

"温斯顿，你信上帝吗？"

"不。"

"那么，这种我们征服不了的东西是什么？"

"我不知道。是人的精神吧。"

"你认为你是人吗？"

"当然。"

"如果你是人，温斯顿，你是最后一个人了。你的种类已绝，我们是继承人。你知不知道你是**孤立的**？你已身处历史潮流以外，因此不存在。"说到这里，他的态度改变了，语言也尖锐些，"而由于我们手段残忍，瞒骗欺诈，所以你认为在道德上你比我们高一等？"

"对，我认为我比你们高一等。"

奥布赖恩没有说话，因为录音机已响。过了不久，温斯顿听出其中一个声音是他的。这是他入兄弟会那天晚上跟奥布赖恩对话的录音。他听到自己答应愿意说谎、偷窃、伪造、谋杀、分发毒品、迫良为娼、散布性病、在孩子的脸上倒硫酸……奥布赖恩不耐烦地摆了摆手，好像觉得此事实在多此一举似的。接着他按了开关，声音就停了。

"起床吧。"他说。

绳子松了，他移身下地，颤巍巍地站着。

　　"你是最后一个人，"奥布赖恩说，"你是人类精神的监护人，好好地看一下你自己的样子吧。脱去衣服。"

　　温斯顿把缚着他制服的绳子解开。制服本来有拉链的，但早已扯断了。自被捕以来，这可能是被迫脱光衣服的第一次。制服底下是几片脏脏黄黄的破布，依稀可以看出是内衣裤的形状。他把这些破布脱下时，注意到房间尽头有面三面镜。他移步上前，还没走到一半就忍不住惊叫出来。

　　"再走近点，"奥布赖恩说，"站到两边镜子的中间，这样你才能看清楚自己的侧面。"

　　他刚才停步，因为给镜中的影子吓坏了。一个弓着背、颜容枯槁、骷髅骨样子的怪物朝自己这边走来。这怪物已经样子可怕，但更可怕的是他知道眼前的怪物就是他自己。他又上前一步。这怪物因为弯腰站着，所以面部轮廓特别突出。这是一张老囚犯的脸，从额前一直秃到头顶，鹰钩鼻，嶙峋的颊骨上面是一双带着警惕的眼睛。两颊尽是皱纹，嘴巴深嵌。这张脸当然是自己的，只是外形的改变想不到比内心的改变还要怕人。这张脸上所刻划的沧桑痕迹，跟他心中的感受不大一样。他的头已秃了一半。起初他以为头发也变得灰白，但靠近一看，才知道灰白的实际是头皮。除了他的手和脸上一小块，他全身积满了尘垢。尘垢下面有不少伤口的疤痕。足踝上的静脉曲张红肿得发胀，旁边的皮肤片片脱落。可是最令他吃惊的倒是自己形销骨立的样子：胸部已看不到肌肉，只剩下节节肋骨；腿部干瘦如柴，乍看起来膝盖比大腿还要大。现在他明白奥布赖恩为什么要他看看自己的侧影了。原来自己的脊骨向后弯曲，肩膀的骨头耸出，胸膛像被挖空了一样，皮包骨的脖子被脑袋压得不胜负荷。如果面前站着的不是自己，他一定会说这怪物年约六十，患有不治之症。

"你不是认为我的脸——一个内党党员的脸，形容枯槁吗？"奥布赖恩说，"你自己的脸又怎样？"

他一把执着温斯顿的肩膀，把他扭过来面对着自己。

"你看你的样子，"他说，"浑身都是污垢。你看看你的脚趾缝、你足踝上流脓的伤口！你臭得像一头山羊，你知不知道？相信你自己也闻不出来。你瘦得还像个人吗？你的二头肌小得可以夹在我的食指和拇指之间，你的脖子脆弱得像胡萝卜，一弯就断。自你落在我们手上后，你知道你体重减了多少？二十五公斤！你的头发也是一把一把地掉下来。你看着！"他伸手到温斯顿的头发上一拉，果然扯下一束头发来。"张开嘴巴，"他接着说，"九、十—— 一共还剩下十一个牙齿。你进来时有多少个？剩下来的也会很快掉光。看！"

他用食指和拇指捏着温斯顿仅有的一个门牙。温斯顿的下颚感到一阵刺痛，奥布赖恩已把他本来松动的牙齿拔了出来，随手就往地上一丢。

"你已在腐烂！"他说，"身体各部就像头发和牙齿那样掉下来。你是什么东西？臭皮囊而已。好，转过身来，你看到镜子里面是什么东西？那就是最后一个人了。如果你是人，那镜中物就是人类。穿上衣服吧。"

温斯顿用缓慢而僵硬的动作穿衣服。如果不是看到镜子，他真不知道已消瘦得这么可怜。此时他只想到一件事：他在这里度过的时间，一定比想象中还长。就在穿内衣裤的时候，他突然为自己被折磨得不成人形的身体感到可怜，接着不由自主地倒在床边一张小凳子上，放声地哭出来。他自己知道样子多丑，举止多失礼——把盖在脏衣服下的瘦骨头在强烈的灯光下像孩子一样哭起来，但他实在没有办法压抑自己。奥布赖恩走过来，几乎可说是好心地用手搂着他的肩膀。

"这种事情不是永远的，"他说，"你什么时候选择要它停止，它就会停止。一句话，全看你了。"

"你干的好事，"温斯顿饮泣说，"你把我弄成这个样子。"

"不，温斯顿，你是咎由自取。你开始与党作对时，就接受了这种命运。从你的第一次反党行动开始，就撒下了日后的种子。后来发生的一切，都是你可以预料到的。"

他顿了顿，又继续说：

"我们收拾了你，温斯顿。我们把你毁了。你已看过你的身体像个什么样子。你的心智也是一样。我想你心中已无傲气。你被人踢过、鞭打过、侮辱过，你痛得叫苦连天，你在洒满了你的血液和呕吐物的地板上打过滚。你哭着求饶过，你出卖了每个人和每件事。你想得到一件比这些更堕落的事还未发生在你身上吗？"

温斯顿的哭声已停，虽然泪还是滚下面颊来。他抬头望着奥布赖恩。

"我没出卖朱丽亚。"他说。

奥布赖恩低头看了他一眼，然后沉吟说："对，你没有出卖朱丽亚，这倒是真的。"

温斯顿对奥布赖恩那种牢不可摧的敬畏心情，又一次涌现于心中。多聪明呵，多聪明呵，他想。他的话只消说一半，奥布赖恩就会明白。任何人站在奥布赖恩的位置，必会对他说："你**早就**出卖她了！"在酷刑下，他还能够隐瞒什么东西？有关朱丽亚的一切，他已从实招来——她的嗜好、性格和以往的生活。他和朱丽亚每次幽会的经过和细节，也供得清清楚楚，包括从黑市买来吃的东西，他们间的奸情和他们略微谈过的反党计划。可是，依照他和朱丽亚对"出卖"所下的定义而言，他没有出卖她。他还爱她，他对她的感情没有改变。奥布赖恩聪明的地方，就是不用听他解释就明白他的意思。

"请你告诉我，"他说，"他们什么时候才枪毙我？"

"可能要等一段日子呵，"奥布赖恩说，"你这案子很复杂。但别失望，每个人早晚都会痊愈的。最后我们才会枪毙你。"

四

　　温斯顿的精神和体力日见起色——如果时间仍可以"日"来算的话。体重亦有增加。

　　小室内的灯光和空气调节机的嗡嗡声还是一样令人难受，但这是他被监禁以来所待过的地方设备最好的。木板床上有垫子、有枕头。此外还有一张小凳。他们让他洗了一次澡，也让他不时地在室内的小锡盆里洗脸洗手，水居然还是温的呢。内衣裤和制服也配了新的。静脉曲张患处也有药品敷上。剩下的几个牙齿已拔掉，镶了假牙。

　　这种日子一定过了好多个星期，或好几个月了。如果他现在有兴趣计算时间之消逝，也不是不可能，因为每隔一段时间他们就送吃的东西来。他猜想是每天三顿吧，只是他实在搞不清楚哪一顿是在哪一个时间吃的。饭菜出奇的丰盛，第三顿一定有肉类。有一次他们还送来一包香烟。他没有火柴，只是狱卒每次送东西来都给他点火。过了这么久没碰过香烟，因此第一次抽时几乎把他呛死。但他没有放弃，还省着抽，每顿饭后抽半根。

　　他们给了他一块书写用的石板、半截铅笔，可是起先他碰也没碰。即使在清醒的时候，他的脑筋还是呆滞的。他常躺在板床上，不到吃饭时间不愿起来，躺着的时间中有时是在睡觉，但有时是醒着做白日梦，只是眼睛不张开来就是。他已习惯了在强烈的光线下睡觉了。他现在发觉在亮处还是暗处睡觉实在没有什么分别，唯一可能不同的是，在强烈的灯光下睡觉做起梦来比较有连贯性而已。在这段日子中他做了好多梦，而且多是甜蜜的梦。他要么是梦到金乡，或者是梦到和母亲、朱丽亚、奥布赖恩同坐在阳光普照的废墟内，漫无目标，爱谈什么就谈什么。他醒着时想到的就是梦境。现在皮肉之苦的恐惧已经消除，他思考的能力也似乎跟着丧失了。他并不觉得无聊，也没兴趣跟人谈话或做些帮助打发时光的事情。如果吃的喝的不缺、不受盘问和毒打、能够保持身体清洁，总之，如果能让他独个儿躺在那里不受干扰，他已觉得满足了。

慢慢地，他入睡的时间减少了，虽然还是不愿意走下床来。他要静静地躺着，让自己感觉到体力一点一点地复元。他不时用手指摸摸这里、压压那里，为的就是要证明他日渐结实的肌肉和皮肤不是一种幻觉。最后他自己也相信真的胖了，大腿确实此膝盖粗了。有了这种信心后，他就每天做运动，虽然开始的一两天真的是勉为其难。他在室内兜圈子走路，不久就发觉居然可走三公里左右的路程。到他的脊骨也渐渐挺直后，他试着做一些比较复杂的运动，但不久就发觉自己真的是心有余而力不足，除了在房间踱步什么也做不来。譬如说，他不能快步走，不能拿起凳子平举，不能金鸡独立。他要蹲在地上，结果弄得大腿小腿疼痛不堪，只好连忙站起来。他最初做俯卧撑时，也是痛苦不堪，可是他没有放弃，几天后，或者说几顿饭的功夫后，居然成功了，有时还可以做六次。自此以后，他对自己的身体感到非常骄傲。他相信自己的脸也正在慢慢复元。只有偶尔伸手摸到头发光秃的地方，他才会想起在镜中看到的怪物。

他的思想也恢复了活动。他坐在板床上，背靠着墙，书写板放在腿上，打算认真地开始改造自己。

他已向党投了降，这已是无可否认的事。现在想来，事实上远在他作出这个决定之前，他就准备要投降了。他一踏入仁爱部的门槛——不，应该说从他和朱丽亚一起站着听电幕的命令时开始——就了解自己要和党作对是多么浅薄无聊的事。七年来思想警察对他的监视，就像实验室的人用显微镜看甲虫一样明察秋毫。他的一举一动、一言一语，无不记录有案。他的思想如何，也可由他的微小动作推想到。他在日记簿上面放了一粒白沙，自以为聪明绝顶，可是他们在看了他的日记后把沙粒放回原位，自己却蒙在鼓里。他们放录音带给他听，拿照片给他看。对了，有些照片是他和朱丽亚在一起时照的。对了，连那些动作也拍了出来。他实在不能跟党作对下去了。再说，党是对的。党一定对。不朽的、集体的头脑怎错得了？你能用什么外在的标准去衡量党的措施？脑筋清醒与不清醒实在是数字上的观念。只要你的思维模式跟他们一样就成了，只是——

手上的铅笔越来越觉得沉重。他用笨拙的字体把脑中想到的事情记下来：

自由是奴役

接着不经思考地在这句子下面写道：

二加二等于五

写完后他的脑筋马上觉得有点什么不对似的，好像是要逃避一些什么东西，精神无法集中。他知道下面要出现的是什么，只是一时记不起来。但结论既然知道了，推理就不难。他写道：

上帝是权力

他什么都接受了。历史是可以改写的，但大洋邦却从来没改写过历史。大洋邦在跟东亚国交战，大洋邦一直跟东亚国交战。琼斯、阿诺逊和卢瑟福三人罪有应得，他从来没见过可以给他们翻案的照片。这照片从来没存在过，是他伪造的。他记得自己曾经记得有反面证据，但那种记忆是不可靠的，是自欺心态的产物。你看，多轻而易举的事。只要你投降，其他一切不就顺理成章了吗？这等于一个逆流游泳的人，突然转变方向顺水漂浮一样。除了你自己的态度外，什么也没有改变。注定要发生的事情，总是要发生的。真想不通自己为什么要跟党作对。每一件当初认为困难的事情最后都变得这么容易，除了——

任何事情都有可能。地心吸力的定律胡说八道。"如果我愿意，"奥布赖恩说过，"我可以把这层楼像肥皂泡一样吹起来。"温斯顿现在想通了：如果奥布赖恩**认为**他已把这层楼吹起，而同时我也**认为**已亲眼看见他吹起，那么这层楼就已经吹起来了。突然他的思想像一块沉埋于海底的破船木板一样冒出水面来。"房子没有吹起，只是我们想象它被吹起而已。这是幻觉。"但马上他又把这块木板压下去。这个思想上的谬误显而易见，因为它假定思想以外某一处地方，还有一个"真实"事情发生的"真实"世界存在。但这样一个世界又怎会存在呢？除了经过我们意识的认知，我们还懂得别的东西吗？一切现象都在我们脑中发生，而同时在每个人脑中发生的事就是真事了。

他毫无困难地驳倒了这个谬论，也没有屈服于这个谬论的危险。这种错误，他不会犯，而且永远不应发生在他身上。人的大脑结构应该有一个警告系统，危险的思想一出现，马上就会自动地亮红灯，这在新语中叫"罪停"。

他开始做"罪停"的练习，给自己出了许多命题，如"党说地球是扁平的"和"党说冰比水要重"等。这些练习就是训练自己对这些命题的矛盾视而不见。这实在不容易呵！光是有推理的能力还不够，你还要善于机变，像"二加二等于五"这种数学上的玄机就远在他的智力范围之外了。经过"罪停"训练的脑筋特别灵活，因为它一会儿得借重逻辑上最巧妙的辨意法，一会儿又得对逻辑上最粗浅的谬误视若无睹。总之，懵懂在这训练中的比重与智慧不相伯仲，也一样难臻善境。

他一边做着练习，一边想着自己的死期。什么时候他们才会一枪结束自己的生命呢？"得看你自己了。"奥布赖恩说过。但他知道，即使他愿意早些死去，也无法自己决定。说不定十分钟后他们就蒸发他，但他也可能等上十年。他们可能就这样幽禁他几年，或送他到劳改营去，再不然就像对付琼斯等人一样，先放他出来，慢慢再收拾他。更可能的是，在枪毙他前旧事重演一次：逮捕、审问、毒打……唯一可以肯定的就是你永远不知道自己的死期。这是一个传统，一个从来不会明言但你自己知道实有其事的传统——他们总会在你在走廊上从一个牢室走到另外一个牢室时，在你脑袋后面给你吃子弹。

一天，可能是半夜吧，他突然坠入梦境。他在走廊上走着，等候着吃子弹。他知道这次是吃定了，心中再无怀疑、恐惧、争论和痛苦，什么事都想通了、解决了。他身体健康，步伐轻健，心情愉快得像是在阳光下散步。这走廊不像仁爱部的白色走廊那么狭小，而是一条阳光普照的大通道，差不多有一公里宽。他越走越兴奋，仿如吃了刺激药品一样。他又来到金乡了，沿着兔子出没甚多的牧场上的小径走，脚下是柔软的小草，头上是温暖的阳光。牧场的尽头是榆树林，随风舞荡。再远处就是柳荫下的池塘，雅罗鱼漫游其中。

他突然惊醒，脊背满是汗水，因为他听到自己高声叫了出来：

"朱丽亚！朱丽亚！我的爱人！"

有一刹那他真的觉得她就站在自己面前。她不但跟他在一起，而且还像穿过他的皮肉，走进了他的身体。就在这一刹那，他觉得自己从来没有像现在那么爱她。他知道她还活着，需要他的帮助。

他躺在板床上，极力去平复自己的情绪。天哪，我怎么搞的？这几秒钟暴露出来的弱点会给自己带来多少年的灾难？

说不定不久就会听到门外的皮靴声。这种事当然是要受惩罚的。他们以前不知道的话，那么现在就知道了，他打破了他和他们之间的协议。他服从党的命令，但心中还是憎恨党。以前他表面唯唯诺诺，思想却是反动的。现在他后退一步：思想交给了党，但心要自己留着。他知道自己错了，但即使错了也不愿把心交出去。他们会看出来的，最少奥布赖恩会看出来。这一声呼喊把他什么心事也坦白了。

他们可能要他从头做起，说不定会拖上几年。他用心摸摸脸，要摸熟自己目前的面貌。两颊的皱纹很深，颧骨隆起，鼻子坦平。

自上次照过镜子后，他换了假牙。你要装出面无表情，首先就得知道自己的脸是什么样子。他现在就是不知道自己的样子。不过，单是控制面部的表情还是不够的。他现在才了解到，如果你不要让人家知道你心里的秘密，首先就是不让自己知道有这个秘密。这意思是说，你可以知道有这个秘密存在，但在非要吐露不可之前，你不能让它在你的意识中浮现，不要让它有成形而可以名之的机会。从现在开始，他不但思想要正确，感觉也得正确，梦境也得正确。他对党的仇恨之心，得像身体上一个囊胞一样埋藏起来，既是自己的一部分，又与其余各部分无关。

他们总有一天会枪毙他的。虽然你不知道确实的时间，但来临前的几秒钟你不难感觉出来。你走在走廊上时子弹从后面射来，十秒钟就解决了。就在这十秒钟出现前，他内心的世界会天旋地转。突然间，他一声不响，步伐没有变缓，脸上的肌肉未见抽动——伪装的面具会突然掉下，然后砰的一声，内心隐藏的仇恨会爆发出来，像火焰一般吞噬着他。而几乎同时随着这砰的一声，他的脑袋开花。这颗子弹，来得太迟了，或可说太早了。脑袋从此远离他们的控制，异端思想没有改变，也没受到惩罚。而这颗子弹，也在他们完美无缺的制度中开了一个破洞。死时还在恨他们，这就是自由。

他闭上眼睛。正确的思想、正确的感觉、正确的梦境——这实在比任何知识训练难接受。你要作践自己、粉碎自己。你要忍受最脏最臭的事情，而最脏最臭、最恐怖最恶心的事情是什么？他想到老大哥。那张庞大的脸（因为常常在招贴上看到，他想这脸少说也有一米宽）、浓黑的小胡子、跟着你的身体左右移动的眼睛，又浮现到眼前来。他对老大哥的真实情感究竟怎样？

皮靴声在门外响起。钢门砰地打开，奥布赖恩进来了，后面是冷漠的警官和狱卒。

"起床到我这儿来。"奥布赖恩说。

温斯顿站在他面前。奥布赖恩用手按着他的肩膀，审视着他。

"你心中有瞒着我的念头，"他说，"你太笨了。腰挺起来，看着我的眼睛。"

奥布赖恩顿了一下，然后用较柔和的口吻说：

"你确有进步，思想方面已没什么问题了，只是感情上你毫无进展。告诉我——记着，温斯顿，别说谎，你知道你瞒不了我——好，告诉我，你对老大哥的真实情感究竟怎样？"

"我恨他。"

"你恨他，那很好，现在到了你受训的最后阶段。你得爱老大哥。服从是不够的，你得爱他。"

他把温斯顿向狱卒的方向推了一下。

"提到一〇一室。"他说。

五

在温斯顿被关禁的各阶段中，大概由于气压不同的关系，他差不多可以猜测到身在仁爱部哪一个地方。老粗拳打脚踢的牢室，应该在地下；奥布赖恩审问他的地方，则高高在上，靠近屋顶；现在的位置，深埋地下。

房间好像比以前的都大，虽然他对周围的一切并没有怎样留意。他只看到自己前面有两张小桌子，铺上绿台布，一张离他只有一两米，另外一张则较远，靠近门口。他被缚在一张椅子上，动弹不得。脑袋后面好像托了一个垫，也是缚得紧紧的，迫得他只能向前看。

他一个人坐了一会儿，奥布赖恩就推门进来了。

"你曾经问过我一〇一室里面是什么东西，"奥布赖恩说，"我告诉过你答案你是知道的，而且每个人都知道。一〇一室里面是世界上最可怕的东西。"

门又开了，狱卒走进来，手上拎着一个用铁线织成好像是个笼子之类的东西。他把这东西放在靠门的桌子上，就离开了。奥布赖恩站的地方刚好挡着他的视线，温斯顿不知道里面究竟是什么。

"世界上最可怕的东西，"奥布赖恩说，"是因人而异的。这可能是活埋、火烧、淹死、钉在柱上……总之是各式各样的死法。可是有时候最可怕的事却是微不足道的，而且不一定会致命。"

他的身子移动了一下，让温斯顿看到桌上摆着的是什么东西。这是一个椭圆形的铁笼子，上面有个携带用的把手。笼子的前面有个像练习击剑的人戴的面罩，中间凹了进去。这笼子离他虽有三四米，但他看得清楚里面分了两个格子，每一格都有动物在内。原来是老鼠。

"就你来讲，"奥布赖恩说，"世界上最可怕的东西就是老鼠。"

温斯顿初见笼子时，心中就有恐怖的预感，全身一阵震颤。这一刻看到笼子前面的面罩，他清楚地知道奥布赖恩的意思了。他浑身冷得发抖。

"你不能这样做，"他用沙哑的声音嚷道，"你不能！你不能！这是不可能的。"

"你还记得吗，"奥布赖恩说，"你还记得你梦中常常出现的痛苦时分吗？你前面是一道黑墙，耳边听到吼声。墙后面是世界上最可怕的东西，你一直知道那是什么，可就是没有勇气拉它出来。墙后面的东西就是老鼠。"

"奥布赖恩！"温斯顿尽力压抑自己的声音说，"你实在不必用这种手段。你要我做些什么事？"

奥布赖恩没有直接答他的话。他再说话时，态度与口吻又像个课堂上的老师。他眼睛向前望，好像听众都挤在温斯顿身后似的。

"痛苦不一定能够使每一个人就范，"他说，"有些人忍受痛苦的能力极强，至死不改。可是每个人总有一些他不能忍受的事情，连想象也不敢想象。这与勇气不勇气毫无关系。你自高处跌下时，有绳子可以救命，自然该抓住这根绳子。这种行为不算懦弱，这和快淹死的人冒出头来拼命呼吸的道理一样。这不过是不可违背的本能反应而已。对你来说，老鼠是无可忍受的东西、一种你无法抵抗的压力。我们要你做什么，你就做什么。"

"你要我做什么？你不告诉我，我又能做什么？"

奥布赖恩拎起了笼子，小心翼翼地放在温斯顿面前的桌子上。温斯顿听到自己的血液在体内奔流。他感觉到自己一个人孤独地坐在旷野上，阳光耀眼，远处传来各种声音。但鼠笼跟他的距离还不到两米。笼中的老鼠硕大无比，毛色深褐而非灰白，正处于牙齿最锐利、性格最凶悍的阶段。

"你知道，"奥布赖恩继续面对那群不存在的听众说，"老鼠是食肉动物，虽然它属啮齿类。你亦听说过本市贫民区中发生过的事，譬如说在某些街道上，做妈妈的不敢把孩子放下来五分钟，怕的就是老鼠。她们的顾虑是有理由的，因为老鼠准会偷袭，在短短一段时间内就把孩子吃光，剩下一把骨头。其实老鼠不单危害婴儿，也袭击病人和快要死的人。它们真机灵，分得出哪种人是孤弱无助的。"

笼子内吱吱之声大作，但听来好像是远处传来的。老鼠在里面打架，要冲过笼内的格子拼个你死我活。温斯顿听到一声痛苦的呻吟，但好像不是发自自己的口中，而是由远处传来的。

奥布赖恩拿起笼子，在什么部位按了一按，马上发出咔嗒一声。温斯顿拼了气力想从椅子上站起来，但一分一毫也动不了，他身体每个部位都缚得紧紧的。奥布赖恩把笼子移近了一点，现在距离温斯顿的脸不到一米了。

"我已经按下了第一个键，"他说，"你是知道这笼子的结构的。

六

栗树咖啡馆冷清清的,一线斜阳透过窗玻璃投在灰尘蒙蒙的台面上。这是寂寞的十五点,电幕渗出细细的音乐。

温斯顿在他惯常坐的角落坐着,望着空杯子发呆,不时举起头来望着墙上贴着的那张大面孔:老大哥在看管着你。也不用他招呼,侍者就来把他面前的空杯子倒满胜利杜松子酒,又从另外一个瓶子摇了几粒有丁香味的糖精进去。这是栗树咖啡馆的招牌酒。

温斯顿静听着电幕的声音。现在播放的虽然是音乐,但和平部可能随时中断音乐节目,发出特别新闻简报。这一阵子非洲前线传来的消息令人担心,他也为此事一天忐忑不安。欧亚国(大洋邦和欧亚国交战,大洋邦一直就和欧亚国交战)大军南移,效率惊人。午间报道虽没有说出任何地点,但刚果海岸可能已成战场,布拉柴维尔和利奥波德维尔都受到威胁。我们不用看地图也知道危险出在哪里。战事发展下去,大洋邦不但可能丢了中非,而且第一次在本土受到威胁。

一种无以名之的强烈感情涌上心头,但不久又冷下来了。他决定不再为战争的事情烦心了。自获释以来,他无法为任何问题集中思想。他端起杯子，一饮而尽。他对胜利杜松子酒的反应还是跟以前一样，酒精一下肚就打冷战，有时还想吐。这东西真可怕。丁香油和糖精本身的气味就不好受，不但不能中和杜松子酒的油腻腻感觉，反而使它更难喝。最可怕的就是这种气味在他身上日夜不散，使他脑中不时联想到那东西的气味——

　　即使在脑中，他也不敢把这东西的名字叫出来，也尽量不去想它的样子。他只是隐约地知道这东西的存在，它曾经爬近他的脸，腥味扑鼻。酒精上升，他打了一个嗝。自获释以来，他体重增加了，气色也恢复了，比以前红润多了——也许应该说：太红润了。他脸上的轮廓变得粗厚，鼻子和颊上的皮肤变红，连那块秃了的头皮也红了。一个侍者也是没有等他招呼就给他一份当天的《泰晤士报》和一个棋盘，报纸上有一栏是棋谱。这时侍者看到他的酒杯已空，又给他添了酒。他们已搞清楚他的习惯，不用吩咐就自动送来。他一进栗树咖啡馆，棋盘等着他，角落的位子也等着他。即使客人来多了，这位子还是他的，因为没人愿意靠近他。他喝了多少杯酒，自己也懒得去数了。偶尔侍者递给他一张脏脏的纸条，据说是账簿，但他相信他们少收了他的钱。不过，即使倒过来，他们报假账，多收他的钱，他也觉得无所谓。这些日子他有的是钱。他还有一份可说是拿干薪的工作，待遇比以前的差事还要好。

　　电幕音乐停了。温斯顿抬头倾听，但播出来的却不是前线军事新闻，而是迷裕部的简报。原来上一季第十个三年计划中，鞋带超产达百分之九十八。

　　他翻开棋谱来看。这是黑白二马的巧妙残局。"白子进二将死。"温斯顿举头望了望老大哥。白子为什么老是能够将死黑子呢？没有例外，从来如此。自世界开始以来，所有的棋谱中都是白子棋高一着的。这是不是象征永远不变的真理：善最后必能胜恶？他又看了看老大哥一眼。那张大脸也在凝视着他，充满了无言的威力。白子总是赢的。

电幕的声音顿了顿，然后用极其严肃的口吻宣告："大家听着！请留意在十五点三十分收听重要新闻！十五点三十分！最重要的消息！十五点三十分，万勿错过！"音乐又响了。

温斯顿心中一动：一定是前线来的新闻简报了。他的直觉告诉他这准是坏消息无疑。这一天内，他一想到大洋邦在非洲受重创时，心中就有一阵激动。他闭起眼睛就似乎看到欧亚军队如排山倒海的蚂蚁一样冲过从未断过的防线，卷入非洲的尖端。总有办法包围他们吧？西非海岸的轮廓在他脑中浮现出来。他捡起白子移前，这着走对了。正当他看到黑蚂蚁群南移时，另一支军队却像神兵天降突然出现并从后面包围，切断他们的海陆交通。他感觉到这支神兵部队是从他的意念产生出来的。但行动要快，因为如果欧亚国控制了整个非洲，如果他们在好望角取得空军和潜艇基地，就可以把大洋邦切成两段。后果不堪设想：失败、倾覆、重分世界，或者是党的末日。他深深地吸了一口气。情感真复杂，或者应该说在温斯顿心中斗争的情感层次真复杂，搞不清哪一层才是最隐蔽的。

情绪的冲突已过，他把白子放回原位，不过他现在还是不能集中精神研究棋谱。他又胡思乱想了，一边漫不经心地在台上的尘垢上用指头写着：

2+2＝5

"他们不能跑到你脑子里去。"朱丽亚说过。但他们能跑到你脑子里来。"在这里发生在你身上的事，**永远**改不了的。"奥布赖恩说过。这话一点不假，你做的一些决定，所采取的一些行动，永远无法补救。他们把你的心灵灼伤，无法复元。你变得麻木不仁。

释放后他跟朱丽亚见过一次面，谈过一次话，这不会引起什么麻烦的，因为他直觉地知道现在他们对他的行为不再感兴趣了。如果朱丽亚和他愿意的话，还可以安排第二次见面的机会。事实上他是碰巧在公园内碰到她的。那是寒风刺骨的三月天，大地硬得像块铁板，草地干枯。几棵孤独的藏红花好不容易从地上爬出来，一下子就被风吹折了。他的眼睛也被风吹得流着泪，手冷得僵了，正匆匆忙忙赶路。突然在离他不到十米的地方，他看到朱丽亚。他的第一个感觉是：她的样子也改变了。他们似乎像陌路人一样擦肩而过。最后还是他转过头来跟着她走，但实在表现得并不热心。没有问题的，他想，不会再有人注意他们的行动了。她没说话，一径踏着草地走着，好像有意要躲开他而最后又不能不接受他就在自己身边的事实似的。他们终于走到一排无叶的灌木丛中，既不能隐身，又不能挡风。他们停了步。风势猛烈，嗖嗖作响，扑打在灌木的细枝和残余的藏红花上。他搂着朱丽亚的腰肢。

这儿没有电幕，但一定有麦克风。再说，他们站的地方谁也看得清楚。但有什么关系呢？到了这步田地还计较什么？如果他们愿意，现在躺在地上就可以干起**那种事**来。一想到这里，就恐惧得僵硬起来。朱丽亚对搂着自己腰身的手臂一点反应都没有，也不挣开。温斯顿现在看清楚她的样子了。她的脸色灰黄，前额和太阳穴间有一道长长的疤痕，虽然部分为头发掩盖，但是还可以看出来。但真正的改变是她的腰身给人的感觉。朱丽亚的腰身不但比以前粗厚，而且最令他惊奇的是，僵硬异常。他记得有一次火箭弹轰炸后，他帮忙把一具尸体从断瓦残垣中拖出来。这东西的重量且不说，最令他意想不到的倒是它僵硬的程度，简直像一条石板，他搬动起来有诸多困难。朱丽亚的身体现在给他的感觉正是这样，由此他想到她的皮肤也一定起了大变化。

他并没有吻她，连话也没说一句。他们再走回草地时，朱丽亚第一次正面看了温斯顿一眼——那是充满了冷漠与厌恶的一眼。这种冷淡的眼色，是在仁爱部的经历的后遗症还是因看了他红肿的脸和眼睛不断流出的泪水而产生的烦厌心情？他们在两张铁椅子上坐下来。椅子虽然排成一排，但相隔一段距离。他看到她快要说话了。她把鞋子移动了一下，踩着一根细枝。她的脚板好像宽多了。

"我出卖了你。"她直截了当地说。

"我也出卖了你。"他说。

"有时——"她接着说，"有时他们用一些你不能忍受的、甚至不敢想象的事情恐吓你。那时你会说：'别这样对付我！你去折磨别人吧。'然后你就把这个人的名字说出来。后来你也许会安慰自己，说这不是真的，这不过是缓兵之计。但这是假话。他们折磨你时，你真的希望有人替你受苦。你知道除此以外再无自救之道，唯一的办法是牺牲别人。你才不管替你受罪的人结果多惨呢，因为你只想到自己。"

"因为你只想到自己。"他漫应着说。

"自此以后，你对那人的感觉就不一样了。"

"对的，"他说，"感觉不一样了。"

还有什么话可说呢？寒风不断地扑在他们单薄的制服上，制服贴在身上。两人相对无言已够窘的了，何况实在冷得不能枯坐不动。朱丽亚说要赶搭地铁，先站起来。

"我们下次再见。"他说。

"对，我们下次再见。"

他并不很热心地在后面跟着她走，两人保持约摸半步距离。他们再没说话。她并没有故意要甩掉他，但你从她走路的速度不难看出，她实在不愿意跟他并肩而走。他本来决定要送她到车站的，但突然想到在这种天气跟着人家跑既无聊又难受。他觉得与其这么无聊地跟着朱丽亚，不如回到栗树咖啡馆好了。这地方从没有像现在这么对他有吸引力。他多希望马上就回到那熟悉的角落，那儿有报纸、棋盘和喝不完的杜松子酒！再说，那儿温暖。

也真是巧合，迎面来了几个人，把他和朱丽亚分散。他半真半假地赶上几步路，慢下来，然后转头朝相反的方向走。走了五十米左右再回头看，路上人并不挤，但他已失去了她的踪迹。她可能就是周围匆忙赶路的十来个人中的一个。也许因为她的身体已变得像石头一样僵硬，无法再从后面辨认出来了。

"他们折磨你时，"她刚才这么说，"你真的希望有人替你受苦。"他真的这样希望过。他不但这么说过，而且实际这么祈求过。他当时求奥布赖恩拿朱丽亚而不是自己去喂——

电幕流出来的音乐突然变了调子，播出靡靡之音来。也许这仅是一个敏感的记忆，但温斯顿此时听来，觉得声音似曾相识：

栗树荫下
我出卖你，你出卖我——

眼泪不由自主地涌出来。一个侍者刚好经过，注意到他的杯子空了，又替他倒满。

他拿起杯子嗅了嗅。这东西已喝了不知多少年了，但是还是一样不习惯，实在难以入口。但这成了他每天沉醉其中的东西。这是他的生命、死亡和复活。每夜把他弄得烂醉的是杜松子酒，而每天早上使他睁开眼睛的也是杜松子酒。自出牢后，他几乎很少在十一点前起床。醒来时眼睑胶着，口臭难闻，背部痛得好像脊骨已折断了。如果不是床头前一夜就摆着的茶杯和一瓶杜松子酒，他不相信自己爬得起来。中午时他拿着瓶子，痴呆地坐在电幕前听新闻。从十五点到打烊，他是栗树咖啡馆的常客。他做什么事也没有人管了。没有哨子声催他上班，电幕也再没有喝叫他的名字。有时，大概一星期两次，他跑到真理部一个乱七八糟的办公室去办公——如果这也可说是办公的话。他被派到小组委员会中的一个小组委员会工作，负责处理新语辞典第十一版一些鸡零狗碎的编辑工作。他们正忙着准备一份"中期报告"，但实际报告些什么，他一点概念也没有。据说这份报告将要讨论到标点符号的问题：究竟逗号应该放在括号之内呢，还是括号之外？这小小委员会除他外还有四个委员，情况与他相似。有时他们煞有其事地召集开会，但马上又散会了。大家也够坦白，承认实在无事可做。但有时确是慎重其事地坐下来，把讨论过的细节都作了详细的记录。本来，他们还打算写备忘录交代一番的，可是始终没有写成，因为他们由讨论变成争辩，越辩越复杂、越玄虚。他们为某些定义吵得面红耳赤，重点有时离题万里。最后由争辩变为私人的吵架，互相恐吓，有些人还说要呈报上级处理。可是过了不久，他们什么劲也没有了，木然围着台子坐着，你瞪着我，我瞪着你。他们是面临绝种的动物，是鸡鸣前就得消失的幽灵。

电幕的声音停了。温斯顿抬起头来，他以为是前方的简报来了，可是实际上只是转换音乐节目而已。他的眼帘后面好像张着一幅非洲的地图，军队的动向都用箭头在图上展示出来：黑箭头直线南下，白箭头向东横伸，剪断黑箭头的尾巴。他抬头看了看老大哥的照片，好像是要向他求证自己没看错似的。事实上，白箭头是否真的存在呢？

他不想再想下去了，对这问题已失去了兴趣。他又喝了一口酒，拿起棋盘上的白子，走了试探性的一步——将军！显然这一着走得不对，因为——

旧事又无缘无故地涌上心头。他看到一个蜡烛照亮的房间、一张盖着白床罩的大床，也看到自己，一个九岁或十岁的孩子，坐在地上兴高采烈地摇着骰子。他母亲坐在对面，也是笑眯眯的。

那一定是她失踪前一个月的事，大概正是他暂时忘了腹中的饥饿，回复母子亲情的时候吧。那天的事，他记得清楚：大雨滂沱，雨水沿着窗玻璃流下，室内光线太暗，不能看书。两个孩子被困在这又黑又小的睡房内，实在烦闷得不能忍受。温斯顿又哭又闹，吵着要吃的，在房中乱使性子、摔东西、踢墙壁，最后邻居也受不了，敲着墙壁警告他们。温斯顿的妹妹在旁边也是哭个没完。母亲只得对他说："别闹，你乖一点我就给你买一个玩具，很好玩的，你一定喜欢。"说着，她就冒雨走到附近一家杂货店，买了一套用纸板盒装的"蛇爬梯"的玩具来。他现在还记得被雨淋湿的纸板味道。这玩具看来一点不像母亲说的那么好玩，纸板破了，木骰子刻得高低不平，掷在地上的数字难分四五六。温斯顿看了一眼就不感兴趣，眼看又要发脾气了。他母亲赶忙点了蜡烛！母子两人就坐在地板上掷起骰子来。玩了不久，温斯顿的兴致来了，他看着那些小蛇拼命向高的梯子爬，但一下手气不好，骰子的数字又把它推回原位。他们玩了八局，每人输赢各半。在她哥哥大笑的当儿，妹妹一直靠着垫枕观望。她年纪小，不懂这游戏的规矩，人家笑她跟着笑就是。一家三口，共度了一个真正愉快的下午。在温斯顿的记忆中，除了在幼年时代有过类似的经历外，这是绝无仅有的一次了。

他把这一段记忆摒诸脑后，告诉自己说这些回忆都是幻象。近来他不时为这些幻象所苦恼。不过，既然知道孰真孰假，也就不碍事了。有些事情发生了，有些却没有。他把注意力又转移到棋盘上，捡起了白子，但几乎马上又掉下来，他感觉到好像给针刺了一下。

电幕传来刺耳的喇叭声。前线的简报来了！凡是用喇叭声做序幕的简报，都是胜利的消息。栗树咖啡馆的客人像触了电一样，连侍者也竖起耳朵来听。

喇叭的声音实在响得怕人。广播员大概是太兴奋了，说话声音急促得不得了，一下子就给外面的欢呼声掩盖了。街上的无产者对这个消息的反应真是如醉如痴。他将电幕消息拼拼凑凑，得知所料不差：大洋邦舰队突出奇兵，从后面袭击敌人，断其后路——白箭头切断黑箭头的尾巴。在闹声中，温斯顿断断续续地听到："庞大的战略部署——无懈可击的通力合作——彻底歼灭——五十万俘虏——彻底挫了他们的士气——控制整个非洲——把战争带到结束边缘——人类史上最伟大的胜利——胜利，胜利，胜利！"

温斯顿的腿一直在台子底下踢着、舞着。虽然他没离开过椅子一步，他的心却随着外面的群众跑，热闹欢呼。他又举头看了老大哥一眼——这个横跨世界的巨人！这个抗拒亚洲黄祸的磐石！才十分钟前，他心中还是信念不坚，听到前方捷报时起初还是半信半疑。呀，大洋邦不单击败了欧亚国的军队，也征服了他的心魔。自他被押到仁爱部受审问后，他已改变了不少，但真正决定性的、治疗性的改变，却在这一分钟发生。

电幕还在继续报告有关这次战争的消息，俘虏了多少战犯、夺取了多少物资、敌人的各种暴行等等。外面欢呼的声音已逐渐减小，侍者也回到他们的岗位，有一个又拿瓶子来，只是温斯顿此刻心中充满了幸福感，几乎没注意到他给自己添酒。他再不用欢呼或奔跑了。他已回到仁爱部，所有罪行得到了党的宽恕，灵魂洁白如雪。公审时他招供了一切，也指控了每一个人。他在铺了白瓷砖的走廊上走着，快乐得有如在阳光下漫步，后面一个武装警卫尾随着。他终于如愿吃了子弹。

他举头望了老大哥一眼。等了四十年，今天才晓得隐在黑胡子后面的笑容是什么意义。唉，以往对老大哥的误解多残忍、多无聊呵！温斯顿，你是个顽固、刚愎自用、一直要挣脱老大哥慈爱怀抱的浪子，他告诉自己说。两滴渗着杜松子酒气味的眼泪滚到鼻子的两边来。但现在什么事都摆平了，斗争已经结束。他已战胜了自己。他爱老大哥。

附录　大洋邦新语要义

"新语"是为了满足"英社"(Ingsoc)或旧称英国社会主义意识形态的需要而设计出来的官方语言。到了一九八四年，相信还没有人采用新语作为唯一的沟通工具，不论是说话也好，书写也好。不错，《泰晤士报》的社论是以新语撰写，但那是只有专家才写得出来的大手笔。估计到了二○五○年吧，新语终会取代旧语（或者我们该称为标准英语）。在这期间，新语发展稳健，各党员在日常的言谈中越来越倾向于使用新语的词汇和语法结构。一九八四年流通的新语版本（已收录在第九和第十版的新语辞典中），只是一个试用版，因为里面出现不少将来一定会禁止使用的冗词和过时的字眼。现在我们要讨论的，是已臻完美、收在第十一版新语辞典中的确定版本。

新语的目标，不单在为英社信徒提供一种适合他们表达自己的世界观和思想习惯的媒介，更因此令其他的思想方式根本无法运作。新语一旦全面采用后，旧语就彻底被遗忘。那时离经叛道的思想，即是说偏离英社原理的思想，根本是无法想象的事——因为思想还需要依赖文字来表达。新语的词汇结构准确，而且定义常见幽微精妙之处，各党员表达自己的思想时，也希望能如此得心应手。这些定义既排除所有为人误解的地方，因此亦不可能通过旁门左道取得其他的结论。确定版新语能取得这种成果，靠的是创造新词，但用得最多的法子是删词。除了不合时宜的全删外，剩下来的词汇，意义稍有偏离正统的都一一改正，杜绝任何产生歧义的可能。兹举一例。在新语中，"free"这个词未删，但用法只限于"This dog is free from lice"（这狗身上没有虱子）或"This field is free from weeds"（这块田没有杂草）这类表述句子中。在新语中，"free"再无旧语中自由的含义，如"politically free"（政治上的自由）或"intellectually free"（知识上的自由），因为政治上的自由和知识上的自由实际上不存在，观念上也不存在，因此无以名之。异端邪说的词语要禁用，但词汇的删减却是推广新语的分内事：只有删无可删的词才会保留下来。新语的宗旨不在扩大而是缩小思想的范围。把词语的选择**减到**最低限度，也间接地在这方面帮了大忙。

新语以目前我们所使用的英语为基础，虽然不少新语的句子，即使没有混合新创出来的词语，也不易为今天说英语的人看得懂。新语的词汇分成三个截然不同的组别：甲组、乙组（亦称复合词）和丙组。各组分别讨论较容易处理，但新语的语法特色将集中在甲组中讨论，因为乙组和丙组涉及的语法规则问题与在甲组讨论的相同。

甲组词汇。此组词汇以日常生活用词组成，诸如"吃"、"饮"、"工作"、"穿衣"、"上楼梯和下楼梯"、"乘车"、"养花"、"做饭"等等。新语的词汇几乎全是我们现有的词语，像"打"、"跑"、"狗"、"树"、"糖"、"房子"、"田野"等等。但相对于今天我们使用的英语词汇，新语词汇量一来少得可以，二来语义严格限定，难生歧义。语义上凡见模棱两可、含糊不清的地方都已一一清除。新语要尽可能做到的，是使用甲组中的词清清楚楚地表达大家习知的**单一**观念。看来用甲组词汇从事文艺创作是不大可能了，也难用来讨论政治的或哲学的问题。甲组词汇只用来表达简单的、目标明确的思想，通常与有形的实物或身体动作有关。

新语语法有两大特色。第一个特色是几乎所有词类（parts of speech）的功能都可以互相交换。新语中任何一个词（原则上甚至连抽象的词如"if"、"when"也算在内）都可作动词、名词、形容词或副词使用。在动词和名词的模式之间，如果词根相同，就绝不会起变化，这条规则有助于废除不少早已过时的形式。就拿"thought"（思想）这个词来说吧，在新语中是不存在的，代之而起的是"think"（思想），既是名词，也是动词。这跟词源学没有什么关系。有时保留下来的是名词原来的面貌，有时则是动词。即使一个名词和一个动词在意思上有相近之处，但如果在词源上实无关联，其中的一个——是名词也好、动词也好——就得消失。譬如说，"cut"（切割）这个词是不存在的，因为其意义已被"knife"（刀）这个名词和动词混合体所涵盖了。要作形容词使用，只消在混合体后加上后缀"-ful"不就成了？副词呢，后缀加上！"-wise"。例子如下："speedful"就是"rapid"（快），"speedwise"等于"quickly"（快）。我们今天使用的一些形容词，像"good"（好）、"strong"（强）、"big"（大）、"black"（黑）、"soft"（软），会保留下来，但总数不多。实际上也用不着，因为几乎所有形容词都可以通过在名词和动词混合体后加个后缀就可变化出来。所有现存的副词都消失了，只有几个例外：那些本来就以"-wise"作词尾的。以"-wise"作后缀的副词改变不了。

作为副词用的"well"（好），已由"goodwise"取代。

除此之外，任何词语——原则上任何出现在新语中的词类都不例外——只要在前面加上"un-"这个前缀都可变成否定意义。要加重词气，可加前缀"plus-"。或要再升一级，可用"doubleplus-"。譬如说，"uncold"（不冷）就是"暖"，那么"pluscold"和"doublepluscold"分别是"very cold"（很冷）和"superlatively cold"（极冷）。前置词缀（prepositional affixes）的使用，几乎可以修正我们日常英语中差不多每一个词的意思。这些词缀包括："ante-"，"post-"、"up-"和"down-"等等。我们不难看出，这个前置词缀法一经使用，常用的词汇就大大减少。既然已经有"good"（好）这个词，"bad"（坏）这个词就用不着了；需要说出来的意思，用"ungood"来表达不是一样？不，应该说更好。面对两个意思完全相反的词，你只消决定删除哪一个就成。举例来说吧，"dark"（暗）这个词，就可由"unlight"（不亮）代替，而"light"（明亮）可以由"undark"（不暗）代替。这是自己可以作主的选择。

新语语法的第二个特色是规则固定不变。除了下面提到的几个例外，所有词形的变化都依随同样的规则。这就是说所有动词的过去式和过去分词并无区别，都是以"-ed"结尾。"Steal"的过去式是"stealed"，"think"的过去式是"thinked"。这规则在新语中实施后，旧语中的词汇如"swam"、"gave"、"brought"、"spoken"、"taken"等，都淘汰了，分别以"swimed"、"gived"、"bringed"、"speaked"、"taked"等的新面目出现。要把名词改为复数，在后面加上"s"，或看个别情形而定，加上"es"就成。"Man"、"ox"、"life"在新语中的复数是："mans"、"oxes"、"lifes"。形容词的等级比较一律以"-er"、"-est"来表示，如"good"、"gooder"、"goodest"。旧制不规则的比较级形式如"more"和"most"全面废止。

词语类型中唯一可以不规则变化的是代名词、关系代词、指示形容词和助词。这些词类,除了"whom"一词因属多余已被删除外,其余的都可以保留原来的用法。"Shall"和"should"这两种时态亦已废除,因功用已在"will"和"would"的范围涵盖之内。由于要使演讲的人容易措辞和说话不拖泥带水,词的创造有时难免偏离常规。任何发音困难或听来易生误解的词,事实已证明是"坏"词,因此有时为了听来悦耳,就会加插一些多余的字母,或让过时的词形结构保留下来。这些问题将会在谈论乙组的词汇时引发出来。下文将会说明我们**为什么**这么重视发音的因素了。

乙组词汇。此组词汇的结构均有明显的政治目的。不但每个词都带有政治意识,词的本身更可以让使用者发音时感到无比舒畅。只有完全熟悉英社的政情党规的人才能正确使用这些词汇。在某些情形下,乙组的词语可以翻译成旧语,甚至可以译为以甲组词汇组成的文章,但免不了要加上长长的一段文字作解释,更不用说难以照顾到在原文中弦外之音的层面了。乙组的词语或可看作是一种文字速记,能用几个音节就把一篮子的主意紧紧包容起来。乙组的词汇,实在比一般语言更准确、更有活力。

乙组的词汇都是复合词,由两三个词或词的某一部分基于方便发音的原则组合起来。[①]这些结合起来的词总是名词、动词兼用,以现有的规则作词形变化。举例来说,"goodthink"这个词,粗浅的意思是"orthodoxy"(正统)。若有人把它看作动词的话,那

---

①像 speakwrite 这类复合词,甲组词汇中当然有载,但这只能算是缩写,本身没有特殊意识形态色彩。——作者注

就等于说"to think in an orthodox manner"（思想正统）。此词的形式变化如下：名词、动词："goodthink"；过去式和过去分词："goodthinked"；现在分词："goodthinking"；形容词："goodthinkful"；副词："goodthinkwise"；动名词："goodthinker"。

乙组词汇的结构并非根据任何词源学的原则。词语的组件可取自词类中任何一部分，既可随意安插，亦可为了方便发音而轻易移位，只消让人看得出这种组合的由来便成。且看"crimethink"（思想罪行）这个词，"think"是放在第二位的。但在"thinkpol"（思想警察）中，它在首位，而构成这个词的第二个单元"police"的第二个音节就省略了。由于谐音不易得，乙组词汇的"配件"组合不像甲组那么有规律。举例来说，"Minitrue"、"Minipax"和"Miniluv"这三个词的形容词格式原来是"Minitruthful"、"Minipeaceful"和"Minilovely"，但一来"-trueful"、"-paxful"和"-loveful"的形式怪怪的，二来读来有点聱牙。但原则上，所有乙组的词都可以"变形"，都可以按照既定的原则来变。

乙组中有些词极为玄妙，除非你对新语研究有素，否则难明所指。试看《泰晤士报》社论中一个典型的句子："Oldthinkers unbellyfeel Ingsoc"。我们能想到以最短的旧语翻译过来的话是："Those whose ideas were formed before the Revolution cannot have a full emotional understanding of the principles of English Socialism"（在革命前思想已定型的人无法对英国社会主义原理有全面的和感性的理解）。但这句译文显然有不足之处。首先，要透彻地理解上面这句新语的含义，你应对英社的本质有通盘的了解。还有一点，只有一个全面浸淫于英社思想的人才会感受到"bellyfeel"这个词震人心弦的威力。"Bellyfeel"意味着对一种思想盲目的、热烈的拥抱。

这种境界，今天实难想象。"Oldthink"这个词也不能望文生义，因为词义本身跟"邪恶"与"堕落"的观念夹缠不清。但新语中有些词语的功能不是为了表达而是为了摧毁词的意义，"oldthink"正是其中的一个例子。这类词汇数目不多，它们的内涵不断膨胀，得用大量的词句来释义。等到一个可以涵盖全部语境的词出现时，这些曾经用作释义的词句就可以从人间蒸发了。新语辞典的编纂者面对的最大困难，不是创新词，而是创了新词后搞清楚它们究竟是什么意思。这也是说，搞清楚它们出现后可以删除的旧语的幅度多大。

我们在"free"的例子中看到，为了方便，一些曾经有异端指向的词经过修正后，还是保留下来。但不少其他词诸如"honor"（荣誉）、"justice"（正义）、"morality"（道德）、"internationalism"（国际主义）、"democracy"（民主）、"science"（科学）、"religion"（宗教）等，都一一清除了。这些词的意义都涵盖在几个容量无限的综合词汇中，也正因如此最后被除了名。譬如说，所有环绕着"自由"和"平等"这两个观念组成的词汇，都可以用一个词概括："crimethink"（思想罪行）。所有因"客观"和"理性"这两个观念引发出来的词，都可以概括成一个词："oldthink"（旧思）。定义越准确越易生枝节。一个党员只消像古代希伯来人那样看人生，就符合了标准。也不知是什么原因，那时的希伯来人相信，除了他们以外，其他人崇拜的都是"假神祇"。党员不必知道这些假神祇名叫"Baal"、"Osiris"、"Moloch"、"Ashtaroth"等等。也许他所知越少，越能保持自己思想的正统。他知道耶和华是谁，也知道什么是"十诫"。他因此知道，所有名称不同、特性有异的神祇都是冒牌的。党员跟希伯来人有点相似的是，他知道什么是正确的行为，而且在极其模糊和笼统的范围内，知道可以"越分"的程度有多大。举例说，他的性生活完全受制于两个新语的语境："sexcrime"（不道德的性行为）和"goodsex"（贞洁）。"Sexcrime"概括所有不规矩的性行为，包括通奸、苟合、同性恋和其他性变态花样。还有一点，正常的为性交而性交也是一种"sexcrime"。我们不必在这里一一罗列，反正所有违规的都是罪行，原则上都犯了死罪。丙组词汇以科学和技术专门名词组成，理应因利乘便在这里给某些有偏差的性行为厘定专门术语，只是就平民百姓而言，实在无此需要。他们知道什么是"goodsex"，那就是夫妇间为生儿育女而性交，但女方不能感受肉体上的快乐，离此正道就是"sexcrime"。你很难依据新语来判断什么是离经叛道的思想，你只能靠直觉。在此范围外的语言表述根本不存在。

在乙组中出现的词汇，没有一个是意识形态暧昧不明的。不少名词用的都是委婉语。就拿"joycamp"和"Minipax"这两个词来说吧，字面意思跟实情差不多完全相反。"Joycamp"看来是"幸福营"，其实是"劳改营"。"Minipax"是旧语中的"和平部"，其实是"作战部"。另一方面，新语有些词汇公然而又轻蔑地道出对大洋邦真面目的认识。"Prolefeed"是其中一个例子，拆成"prole"和"feed"来看，可知此新语的意思是"无产阶级的养料"，实情是党给无产者大众提供的垃圾娱乐和虚假新闻。其余的词的意思也是模棱两可：用于党的时候含义是"好的"，说到党的敌人时是"坏的"。此外还有不少初看像是缩写的词，其意识形态的指向不是由内容来决定，而要看词的结构。

所有与政治有关或可能有关的词汇都尽量放在乙组。每一个机构、学说、国家、制度、公共大厦的名字，例必缩短到方便辨识的形式，也就是一个可以保留其原来意思，发音容易、音节最少的词。譬如说，温斯顿·史密斯在真理部工作的单位记录科称作"Recdep"，而子虚科名为"Ficdep"，电视科就是"Teledep"，依此类推。这种设计并非单单为了节省时间。早在二十世纪初期，缩略语的使用已成政治语言的一个特色。值得注意的是，最倾向于使用这类缩略语的是极权主义国家和极权主义组织。以下几个是显例："Nazi"（纳粹分子），"Gestapo"（盖世太保），"Comintern"（第三国际），"Inprecorr"（国际新闻通讯），"Agitprop"（宣传鼓动）。起初人们使用这种缩略语好像是出于本能，但作为新语来使用时，这些词是有明确目的的。造词的党人认识到，你缩短一个名字，同时也会收窄和改变它的含义，削去原来依附着它的诸多联想。譬如说"Communist International"这个词，一提到它眼前就会出现一幅普世兄弟爱的复合图，就会想到红旗、路障、马克思和巴黎公社。相对来讲，"Comintern"这词只教人想到一个组织严密的政党和一套头头是道的教条。"Comintern"指涉的事情易于辨识，目的也有限，就像椅子或桌子那么容易辨识。你几乎可以不用思考地把"Comintern"这个词念出来，可是"Communist International"这名词，你总得稍为停顿一下才能念出来。基于相同的道理，一个像"Minitrue"这样的缩略语所引起的联想不但少于"Ministry of Truth"，而且还较易控制。这既解释了为什么缩略语这么流行，亦可因此明白为什么新语对每个词都要求可以轻易发音，严谨得近乎吹毛求疵。

新语对谐音的重视，仅次于词义是否正确。为了需要，语法的常规可以牺牲。这也是合理的事，因为政治目标至高无上，新语用的词除意义正确外，更应简短，可以快速背诵，使言说者发言时脑中的回响减至最低限度。乙组所收的词汇，正因互相看来极为相似反而更见威力。"Goodthink"、"Minipax"、"prolefeed"、"sexcrime"、"joycamp"、"Ingsoc"、"bellyfeel"、"thinkpol"——这些词，还有其他难以计算的，都有一个共同点：几乎都是双音节或三音节，重音不分彼此地落在第一节和最后一节上。这些词有利于形成含混不清、断断续续、单调乏味的说话风格。这正是新语的本意，目的是尽可能使言语跟个人的清醒意识相隔开来，特别是关乎意识形态取舍问题的那种言语。在日常生活中，一个人开口说话前总会稍顿一下，或者说需要沉思一下。但一个党员受命对一个政治的或伦理的问题下判断发言时，应有能量像机枪发射子弹那么自然地发射出正确的见解。他本来就训练有素，掌握着的新语可说是万无一失的工具。这些词语听来刺耳，形式看来有点刻意求丑，但这倒是跟英社精神非常协调。新语的结构让党员发言时有个依靠。

词汇少、用词没有什么选择倒是好事。跟我们今天运用的英语相比，新语的词汇本来就相当贫乏，更不断有删除原有词汇的方法出现。说来也有点奇怪，新语跟其他语言的不同之处是词汇不是随着岁月而增加，反而是逐年减少。但这实在不是坏事，因为选择的范围越少，引发遐思的诱惑也因应减少。希望达到的至善之境是这样的：言者的发言都用喉音传达，不需通过脑神经。新语名正言顺地把"duckspeak"这个词收了进去，意思是说话"quack like a duck"，嘎嘎不休地像只鸭子。像乙组中不少其他词一样，"duckspeak"的意义也是模棱两可的。如果"嘎嘎"出来的见解正确，那"duckspeak"的语义就是正面的，值得称赞的。如果《泰晤士报》提到党内某演说家时称他为"doubleplusgood duckspeaker"，那就表示对他的表现热烈的恭维。

丙组词汇。丙组全以科技专门术语组成，可视为甲组和乙组的增补篇。这些词语跟我们今天使用的科学名词相似，也以同样的词源拼合，但一如处理其他词汇的程序一样，词义必须严格限定，删去所有不当的联想。在语法规则方面，此组语语与前二组无异。没有几个丙组的词语会在日常用语或政治言论中出现。任何从事科学工作的专家或技术人员，都会在特别为他们行业制定的词汇表中找到自己要用的词，但没有几个人对列在别组的词汇有什么认识。只有极少的几个词会在甲、乙、丙三组词汇中同时出现。科学作为一种思想习惯或思想方法——这种任何科学派系都会拥有的基本功能，却不会在列出的三个词汇表中找到任何有关的解说。事实上根本没有"科学"这个词，因为所有可能想出来有关科学的含义都清清楚楚地包含在"英社"这个词里面。

　　从上面的介绍可以看出，想以新语发表一些层次稍高的歪论，是几乎不可能的事。当然，你也许还可用新语来发表层次极低的异端邪说，亵渎神明。举例来说吧，你可用新语说"Big Brother is ungood"（老大哥不好），但在一个思想正统的人听来，这句话本身自相矛盾，也无法以理性文字解释，因为需要引用的词根本不存在。任何对英社有敌意的念头，因此只能是个没有文字描述的念头。既然无以名之，非要提及不可时也只能笼笼统统地一笔带过。这些异端邪说一起受到谴责，但为什么是异端邪说却没有明文交代。实情是，新语本身不能用来追求不正当的目标，除非不惜以身试法把其中一些字句翻译为旧语。举例来说，"All mans are equal"（人人生而平等）可以说是一个新语句子，但其有违常理之处一如旧语说"All men are redhaired"（人人生而红发）之难言之成理。用新语说"All mans are equal"并无语法上的错误，但有违常识之处显而易见：人的身形、体重和气力怎可能完全"平等"？既然政治平等的观念已不存在，"equal"这个词的次要定义亦因此删除。在一九八四年，旧语还是日常的沟通工具。理论上说，使用新语词汇的人说不定还会记得这些新语在旧语中的本来面目。但实际上，任何在"doublethink"（双重思想）方面有根底的人都可以避免这种错误。再说，两三代以后，连这种失误的可能性也没有了。一个使用新语作为唯一语言而长大的人，绝不可能知道"equal"这个词的第二义曾经是政治平等，或"free"的旧义是"intellectually free"（知识上的自由）。这正如不知国际象棋为何物的人不会知道"queen"（后）和"rook"（车）分别扮演的是什么角色的道理一样。使用新语长大的人说不定都失去了犯罪和犯过错的能力，因为这些罪恶都无以名之，因此无法识认，也因此无法想象。可以预见的是，随着时间的流逝，新语最为显著的特色会越来越显彰：词汇越来越少、词义越来越死板、利用它作不轨用途的机会也越小。

旧语彻头彻尾为新语取代后，通往从前的环节也切断了。历史早已改写，但旧时的文学作品片段犹在，散置四方，虽经审查，但不彻底，可供旧语能力未失的人阅读。但在未来的日子中，这些文学片段即使幸存，已变得不知所云，因此译无可译了。任何旧语文字要翻译成新语都难实现，除非要翻译的段落是技术性的操作说明，或日常生活状况的叙述，或显露了正统思想（在新语词汇中叫"goodthinkful"）痕迹的描述。事实上这等于说没有任何约于一九六〇年前成书的作品可以全数翻译过来。革命前的文学作品只能作意识形态的翻译——这是说在文字上和意义上作改动。就拿知名的《独立宣言》来说吧：

吾人坚信下列真理不证自明：人人生而平等，具有造物主所赐予某些无可剥夺之权利，其中包括生命、自由和追求幸福之权利。为了取得这些权利，人民于是成立了政府。政府的权力来自人民的认可。本此，任何政体一旦对这些目标造成损害，人民自有权利改变之或罢免之，再而成立新政府……

要把这段文字译成新语而又要保存其原有的意思，是近乎不可能的事。最接近的做法是用"crimethink"（思想罪行）这个词把这段文字概括起来。要全文译出，只有采取意识形态翻译法，到时杰斐逊的话都变为对独裁政府的歌颂了。

实在已有不少旧文学作品经过这样的处理了。某些历史人物的作品因为名气大而留存下来，但他们的成就已跟英社的思想体系混为一谈。这些人物中有莎士比亚、弥尔顿、斯威夫特、拜伦、狄更斯和其他一些作家。他们的作品正在翻译中。一待工作完成后，他们文字的原来面目以及所有旧文学遗存下来的痕迹都会灰飞烟灭。翻译这些作品的工作艰巨而缓慢，因此不能期望能在二十一世纪的第一个或第二个十年完成。此外还有不少实用性文字——诸如不可或缺的工艺手册等——需要以同样的方针去处理。正是为了给翻译工作充裕的准备时间，才会把落实新语使用的时间定为二〇五〇年那么晚。

图书在版编目（CIP）数据

1984／〔英〕奥威尔（Orwell, G.）著；刘绍铭译.—北京：北京十月文艺出版社，2010.4

ISBN 978-7-5302-1029-1

Ⅰ.① 1…　Ⅱ.①奥…②刘…　Ⅲ.①长篇小说－英国－现代　Ⅳ.① I561.45

中国版本图书馆CIP数据核字（2010）第058445号

1984
YIJIUBASI

〔英〕乔治·奥威尔　著

刘绍铭　译

*

北京出版集团公司
北京十月文艺出版社　出版

（北京北三环中路 6 号）

邮政编码：100120

网　址：www.bph.com.cn

新经典文化有限公司发行

新　华　书　店　经　销

北京德富泰印务有限公司印刷

*

850 × 1168　32 开本　9.5 印张　220 千字

2010 年 5 月第 1 版　2011 年 7 月第 7 次印刷

ISBN 978-7-5302-1029-1

Ⅰ·1001　定价：28.00 元

质量监督电话：010-58572393